Leyes y Reglamentos para Técnicos Automotrices.

Folleto Gratis de las enmiendas posteriores
en **www.LexJurisBooks.com**

LexJuris de Puerto Rico
Publicaciones CD
PO Box 3185
Bayamón, P.R. 00960-3185
Teléfono: (787) 269-6435/ 6475
Fax: (787) 740-4151
Email: Ayuda@LexJuris.com
Tiendita: www.LexJurisStore.com
ISBN: 9798549212640

Leyes y Reglamentos para Técnicos Automotrices.

Editora: LexJuris de Puerto Rico
Diseño y Contenido: Publicaciones CD
Preparado por: Lcdo. Juan M. Díaz

Hecho en Puerto Rico
Junio, 2021

Leyes y Reglamentos para Técnicos Automotrices.

Folleto gratis de las enmiendas posteriores
en **www.LexJurisBooks.com**

LexJuris de Puerto Rico
PO BOX 3185
Bayamón, P.R. 00960
Tels. (787) 269-6475 / 6435
Fax. (787) 740-4151
Email: **Ayuda@LexJuris.com**
Website: **www.LexJuris.com**
Tiendita: **www.LexJuris-Store.com**
Actualizaciones: **www.LexJurisBooks.com**

LexJuris de Puerto Rico
Publicaciones CD.
Derechos Reservados © 1996-Presente

Leyes y Reglamentos para Técnicos Automotrices.

Tabla de Contenido

Reg. 8644 Reglamento Uniforme de las Juntas Examinadoras Adscritas al Departamento de Estado del Estado Libre Asociado de Puerto Rico [RUJEDEPR] 127

Visite https://www.ctmapr.com/ para otros Reglamentos y Manuales del Colegio de Técnicos y Mecánicos Automotrices.

Ley para Crear la Junta Examinadora de Técnicos Automotrices.
Ley Núm. 40 del 25 de Mayo de 1972, según enmendada.

Art. 1. Definiciones. (20 L.P.R.A. sec. 2131)

A los efectos de esta ley, los siguientes términos tendrán el significado que a continuación se expresa:

(a) *Técnico automotriz.* Significará toda persona que tenga pleno conocimiento, comprensión y dominio de la técnica manual y de los procesos envueltos para el diagnóstico, reparación y ajuste del motor, transmisión y otras partes esenciales para el funcionamiento de un vehículo de motor, incluyendo el sistema eléctrico o electrónico del mismo, para los cuales se requieren destrezas especiales. Debe tener habilidad para desempeñar las labores propias de su oficio, sin que se le instruya en detalles sobre cómo debe hacer el trabajo, bastando con que se le indique la clase de trabajo que se desea realizar. Instruirá, coordinará y supervisará las actividades de mecánicos automotrices que realizan las tareas de reparación y ajuste a las partes esenciales del vehículo de motor. Debe también haber adquirido experiencia previa en las labores que desempeña. Significa, además, toda persona que se dedique a la reparación de motores o sistemas esenciales al funcionamiento de equipo agrícola, industrial, comercial, de construcción y marino y toda persona capacitada para supervisar a un mecánico automotriz. Este término no incluirá a las personas que realicen labores de reparar o cambiar gomas, engrasar vehículos de motor, instalarle bombillas, hojas de limpiar parabrisas y otros accesorios menores tales como filtros de aire y aceite o que lleven a cabo otras labores que no requieren destrezas especiales y que son parte del servicio que habitualmente prestan las estaciones de gasolina a sus consumidores.

(b) *Mecánico automotriz.* Significará toda persona que se dedique a la realización de labores de reparación y ajuste del motor, transmisión y otras partes esenciales para el funcionamiento de un vehículo de motor, incluyendo el sistema eléctrico, de hojalatería, de radiadores y el sistema de escape de gases de motor (catalítico) del mismo para los cuales se requieren destrezas especiales. Debe tener habilidad para desempeñar las labores que se le asignan dentro de su oficio. Sin embargo, necesitará del asesoramiento y ayuda técnica del técnico automotriz para la ejecución de tareas que conllevan destrezas especializadas y complejas. Este término no incluirá a las personas que realicen labores de reparar o cambiar gomas, engrasar vehículos de motor, instalarle bombillas, hojas de limpiar parabrisas y otros accesorios menores tales como filtros de aire y aceite o que lleven a cabo otras labores que no requieran destrezas especiales y que son parte del servicio que habitualmente prestan las estaciones de gasolina a sus consumidores.

(c) *Junta*. Significará la Junta Examinadora de Técnicos y Mecánicos Automotrices de Puerto Rico, creada por este Capítulo. La Junta expedirá licencias sin la previa aprobación de examen a toda persona que a la fecha de aprobación de esta [l]ey se encuentre ejerciendo funciones en cualesquiera de las categorías de licencias y cumpla con todos los demás requisitos establecidos en esta Capítulo para las distintas categorías. Dichas personas deberán presentar una solicitud de licencia sin examen dentro de un término improrrogable de nueve (9) meses a partir de la aprobación de esta Ley. En dicha solicitud el aspirante hará constar bajo juramento y certificación de dos (2) técnicos automotrices debidamente autorizados, cuando menos, la experiencia, el tiempo, las fechas y los lugares en que ha desempeñado funciones que acrediten su capacidad para la licencia solicitada.

(Mayo 25, 1972, Núm. 40, Art. 1; Enmendada en el 1996, Núm. 220; Marzo 26, 1999, Núm. 100, sec. 1, enmienda el inciso (a) en términos generales.)

Art. 2. Junta - Creación y composición. (20 L.P.R.A. sec. 2132)

Se crea la Junta Examinadora de Técnicos y Mecánicos Automotrices de Puerto Rico, la cual estará compuesta de cinco (5) miembros, quienes deberán ser personas de reconocida capacidad en sus respectivas ocupaciones:

a) Tres (3) de los miembros deberán ser técnicos automotrices con no menos de cinco (5) años de experiencia como tales, debidamente licenciados y colegiados y por lo menos uno (1) de ellos deberá tener experiencia en la administración y operación de un taller de servicios mecánicos. Estos miembros serán nombrados por el gobernador del Estado Libre Asociado de Puerto Rico.

(b) Otro miembro de la Junta será un representante del Secretario del Departamento de Transportación y Obras Públicas, designado por el propio Secretario.

(c) El quinto miembro será un maestro o funcionario del Departamento de Educación, designado por el propio Secretario. Este deberá contar con los conocimientos en la técnica y mecánica automotriz y estar debidamente licenciado y colegiado para ejercer dicha función.

(d) Los miembros de la Junta deberán ser mayores de edad, ciudadanos de los Estados Unidos de América.

(e) Los primeros miembros nombrados por el Gobernador servirán: dos (2) por el término de un (1) año, dos (2) por el término de dos (2) años y uno (1) por el término de tres (3) años. Los nombramientos posteriores se harán por el término de cuatro (4) años. Los miembros de la Junta ejercerán sus funciones hasta que sus sucesores serán nombrados y tomen posesión de sus cargos. Cualquier vacante en la Junta antes del vencimiento del término se cubrirá por el período restante al mismo. Ningún miembro será nombrado por más de dos (2) términos consecutivos.

(f) El Gobernador podrá destituir a cualquier miembro de la Junta, previa formulación de cargos, notificación y audiencia, por incumplimiento de sus deberes, incompetencia manifiesta para desempeñar sus obligaciones o por haber sido convicto de delito grave o delito menos grave que implique depravación moral.

(g) La Junta elegirá un Presidente de entre sus miembros. El miembro representante del Secretario de Transportación y Obras Públicas no podrá ser electo como Presidente de la Junta.

(Mayo 25, 1972, Núm. 40, Art. 2; Enmendada en el 1996, Núm. 220; 1997, Núm. 134; Julio 30, 2016, Núm. 94, art. 2, enmienda el primer párrafo y el inciso (a).)

Art. 3. --Reuniones; quórum; dietas y reembolsos. (20 L.P.R.A. sec. 2133)

La Junta celebrará reuniones por lo menos dos (2) veces al año para la consideración y resolución de sus asuntos, pero podrá reunirse cuantas veces fuere necesario para la pronta tramitación de sus gestiones y deberes.

(b) Tres (3) miembros de la Junta constituirán quórum. Todo acuerdo de la Junta se tomará con el voto afirmativo de por lo menos tres (3) de sus miembros.

(c) Los miembros de la Junta, incluso los empleados y funcionarios públicos, recibirán dietas a razón de cincuenta (50) dólares por día o fracción de día en que asistan a las reuniones. Tendrán derecho a recibir reembolso de los gastos de viaje que incurran en el desempeño de sus funciones, de acuerdo a los reglamentos del Departamento de Hacienda de Puerto Rico. El miembro de la Junta representante del Secretario de Transportación y Obras Públicas solamente tendrá derecho al reembolso por los gastos de viaje, según se señala. Disponiéndose, que al pago por concepto de dietas y millaje a que tiene derecho cada miembro de la Junta, será hasta un máximo de doce (12) reuniones por año. A partir del 1 de julio de 1999 los miembros de la Junta recibirán dietas equivalentes a la dieta mínima establecida para los miembros de la Asamblea Legislativa, hasta un máximo de tres mil (3,000) dólares al año salvo el Presidente de la Junta, quien recibirá una dieta equivalente al ciento treinta y tres por ciento (133%) de la dieta que reciban los demás miembros de la Junta.

(Mayo 25, 1972, Núm. 40, Art. 3; Enmendada en el 1983, Núm. 62; 1995, Núm. 61; Enero 4, 2000, Núm. 7, art. 3, enmienda inciso (c).)

Art. 4. -Deberes, poderes y facultades. (20 L.P.R.A. sec. 2134)

La Junta tendrá los siguientes deberes, poderes y facultades:

(a) Ofrecer exámenes, por lo menos dos (2) veces al año, para autorizar el ejercicio del oficio de técnico mecánico automotriz y expedir la licencia correspondiente a aquellas personas que cualifiquen para ello de conformidad con lo dispuesto en este Capítulo.

(b) Adoptar reglas y reglamentos para la implementación de las disposiciones de este Capítulo. Dichas reglas y reglamentos tendrán fuerza de ley una vez se hayan promulgado de acuerdo a lo dispuesto en las [3 LPRA secs. anteriores 1041 a 1059 presentes secs. 2101 *et seq.*], conocidas como "Ley de Procedimiento Administrativo Uniforme sobre Reglamentos de 1958." La Junta además podrá adoptar reglas y reglamentos para su funcionamiento interno.

(c) Adoptar un sello oficial para la autenticación de todos sus asuntos y del cual los tribunales tomarán conocimiento judicial.

(d) Llevar un libro de actas de todos sus procedimientos y un registro de todas las personas a quienes [se han] concedido licencia con el número de éstos y su fecha de expedición y de expiración. En este registro se consignarán, además, todos los datos relativos a la suspensión o revocación de las licencias.

(e) Investigar, a iniciativa propia o por querella formulada por un técnico automotriz o por una persona particular, cualquier violación a las disposiciones de este Capítulo o de las reglas y reglamentos adoptados por la Junta. A estos efectos la Junta podrá expedir citaciones requiriendo la comparecencia de testigos y la presentación de los datos e informes que estime pertinentes. Si una citación expedida por la Junta no fuese debidamente cumplida, la Junta podrá comparecer ante cualquier sala del Tribunal de Primera Instancia de Puerto Rico y pedir que se ordene el cumplimiento de la citación. El Tribunal de Primera Instancia podrá dictar órdenes haciendo obligatoria la comparecencia de testigos y la presentación de cualquier documento que la Junta haya previamente requerido. El tribunal castigará por desacato cualquier desobediencia a esas órdenes.

(Mayo 25, 1972, Núm. 40, Art. 4; Enmendada en Septiembre 13, 1996, Núm. 220, art. 1)

Art. 5. Licencias - Técnico; requisitos. (20 L.P.R.A. sec. 2135)

La Junta expedirá licencias para ejercer el oficio de técnico automotriz a toda persona que reúna los siguientes requisitos:

(a) Haber cumplido dieciocho (18) años de edad.

(b) Tener diploma de cuarto año de escuela superior.

(c) Haber obtenido un diploma de una escuela vocacional o de otra institución acreditada o autorizada por el Departamento de Educación de Puerto Rico o por el Consejo de Educación Superior de la Universidad de Puerto Rico, acreditativo de que el solicitante ha cursado y aprobado un curso de por lo menos dos (2) años de duración en mecánica o electromecánica de vehículos de motor, que ofrecen las escuelas vocacionales o instituciones universitarias, post-secundarias o un curso de mil doscientas (1,200) horas de mecánica en general o electromecánica de vehículos de motor, que lo cualifican para ejercer el oficio de técnico automotriz o en su efecto, haber terminado el curso de adiestramiento prescrito, o que en el futuro se prescriba, por el Consejo de Aprendizaje de Puerto Rico en virtud de las disposiciones de la Ley Núm. 484, aprobada el 15 de mayo de 1947, según ha sido subsiguientemente enmendada o por aquellas instituciones que en el futuro la Junta Examinadora reconozca.

(d) Gozar de buena conducta, que será acreditada mediante el certificado oficial que expida la Policía de Puerto Rico con fecha reciente; disponiéndose, que la Junta podrá requerir otro documento si lo estima pertinente.

(e) Haber aprobado los exámenes que ofrezca la Junta, y

(f) haber pagado los derechos de examen y licencia establecidos en este Capítulo.

(Mayo 25, 1972, Núm. 40, Art. 5; Enmendada en el 1976, Núm. 135; 1996, Núm. 220)

Art. 5A. -Automotriz; requisitos. (20 L.P.R.A. sec. 2135a)

La Junta expedirá licencia para ejercer el oficio de mecánico automotriz a toda persona que cumpla con los siguientes requisitos:

(a) Haber cumplido 16 años de edad.

(b) Poseer diploma de escuela intermedia.

(c) Haber aprobado un curso de mecánica general de automóviles de por lo menos seis (6) meses o seiscientas (600) horas en una escuela vocacional o en una escuela reconocida por el Consejo General de Educación o en su defecto haber terminado el curso de adiestramiento prescrito por éste.

(d) Haber aprobado el examen de mecánico autorizado por la Junta.

(e) Haber pagado los derechos de examen y licencia establecidos en este Capítulo. La Junta podrá expedir licencias por especialidades dentro del ámbito de la mecánica automotriz según disponga mediante reglamentación al efecto.

(Mayo 25, 1972, Núm. 40; Adicionado como art. 5-A en el 1976, Núm. 135; enmendada en el 1996, Núm. 220; 1997, Núm. 134)

Notas Importantes
Disposiciones especiales.
[La sec. 3 de la Ley de Junio 3, 1976, Núm. 135, p. 408, dispone: "La Junta expedirá licencias de mecánico sin el requisito de examen a toda persona que cumpla con los requisitos establecidos por los incisos (a), (b) y (c) del Artículo 5a, se encuentre trabajando y pueda acreditar satisfactoriamente a la Junta, mediante declaración jurada y certificada por un Técnico Automotriz debidamente licenciado, el haber trabajado como mecánico por un término de 2 años anterior a la fecha de la solicitud. Dichas personas deberán radicar una solicitud de licencia sin examen en el término improrrogable de seis (6) meses, a partir de la vigencia de esta ley [3 de Junio de 1976]."

La sec. 4 de la Ley de Junio 3, 1976, Núm. 135, p. 408, dispone: "La Junta deberá publicar edictos en dos periódicos de circulación general, una vez por semana, durante cuatro semanas a partir de la aprobación de esta ley [3 de Junio de 1976]."

Art. 5B.-Licencia de Aprendiz

La Junta expedirá Licencia de Aprendiz para ejercer el oficio de Técnico Automotriz o Mecánico Automotriz a toda persona que cumpla con los siguientes requisitos:

a- Cumplir con lo requerido en los Artículos 5 y 5A de esta Ley, exceptuando el inciso (e) del Artículo 5 y el inciso (d) del Artículo 5A; según corresponda.

b- Haber pagado los derechos de Licencia de Aprendiz establecidos en el Artículo 11 de esta Ley.

c- No haber sido anteriormente titular de una Licencia para ejercer el oficio de Técnico Automotriz o Mecánico Automotriz.

d- No haber sido anteriormente titular de una Licencia de Aprendiz para ejercer el oficio de Técnico Automotriz o Mecánico Automotriz.

La Licencia de Aprendiz será expedida por un periodo de un (1) año. Dicha Licencia de Aprendiz podrá ser extendida, a discreción de la Junta, por un periodo máximo de un (1) año adicional. Sólo se permitirá una extensión por solicitante. Al solicitar la extensión, el titular de la Licencia de Aprendiz deberá demostrar haber tomado nuevamente el examen que ofrezca la Junta, durante la vigencia de la Licencia de Aprendiz.

e- Haber tomado el examen que ofrezca la Junta.

f- Toda labor en materia de Técnico Automotriz o Mecánico Automotriz que rinda el titular de la Licencia de Aprendiz tendrá que ser certificada correcta por un Mecánico Automotriz o Técnico Automotriz Licenciado, según corresponda. Será responsabilidad del Mecánico Automotriz o Técnico Automotriz, con Licencia de Aprendiz, entregar al consumidor de sus servicios un documento acreditativo de dicha certificación. (Mayo 25, 1972, Núm. 40; Diciembre 24, 2015, Núm. 241, art. 1, añade este art. 5B.)

Art. 6. --Denegación de expedición. (20 L.P.R.A. sec. 2136)

La Junta deberá denegar la expedición de una licencia, previa notificación y audiencia, a toda persona que:

(a) No cumpla con los requisitos establecidos en este Capítulo.

(b) Haya ejercido el oficio de técnico automotriz en Puerto Rico sin haber obtenido previamente una licencia expedida por la Junta.

(c) Haya tratado de obtener o ayudar a otro a obtener una licencia mediante fraude o engaño.

(Mayo 25, 1972, Núm. 40, Art. 6)

Art. 7. --Suspensión. (20 L.P.R.A. sec. 2137)

La Junta podrá suspender, por un término no mayor de un (1) año una licencia, previa notificación y audiencia, a todo técnico automotriz que:

(a) Haya sido convicto de delito grave o de delito menos grave que implique depravación moral.

(b) Haya tratado de ayudar a otro a obtener una licencia mediante fraude o engaño.

(c) Haya incurrido en incompetencia manifiesta en el ejercicio, en perjuicio de tercero.

(Mayo 25, 1972, Núm. 40, Art. 7)

Art. 8. --Denegación de renovación. (20 L.P.R.A. sec. 2138)

(a) Las licencias expedidas tendrán un término de vigencia de cinco (5) años, y los tenedores de las mismas vienen obligados a renovarlas con treinta (30) días de anticipación a su vencimiento. Si la licencia no es renovada dentro de dicho período y se renueva dentro de un (1) año con posterioridad a la fecha de su vencimiento, el tenedor viene obligado a cancelar el doble de los derechos.

(b) La Junta deberá denegar la renovación de una licencia previa notificación y audiencia a todo técnico o mecánico automotriz que no haya renovado su licencia por el término de un (1) año después de su vencimiento; disponiéndose, que de denegarse, la persona podrá obtener su licencia nuevamente una vez cumpla con los requisitos exigidos por este Capítulo, para aquella persona que la solicita por primera vez.

(c) No se renovará la licencia si el tenedor de la misma no presenta evidencia de estar debidamente colegiado y de haber aprobado estudios continuados por medio de adiestramiento o seminarios para mejorarse en la práctica de su oficio por un período no menor de cincuenta (50) horas durante el tiempo de vigencia de su licencia; disponiéndose, que podrá obtener su licencia una vez evidencie la colegiación y estudios continuados conjuntamente con los demás requisitos de renovación.

(Mayo 25, 1972, Núm. 40, Art. 8; Enmendada en el 1996, Núm. 220)

Art. 9. Revisión. (20 L.P.R.A. sec. 2139)

Cualquier persona que fuere adversamente afectada por cualquier orden o decisión de la Junta denegando la expedición o renovación d una licencia o suspendiendo una licencia podrá solicitar la revisión de la orden o decisión dentro de los treinta (30) días siguientes de habérsele notificado la misma. El Tribunal de Primera Instancia revisará la orden o decisión de la Junta a base del récord tomado por la Junta.

(Mayo 25, 1972, Núm. 40, Art. 9)

Art. 10. Requisito para practicar; exhibición de licencia; tarjeta de identificación. (20 L.P.R.A. sec. 2140)

(a) Ninguna persona podrá practicar u ofrecer practicar el oficio de técnico o mecánico automotriz en Puerto Rico sin haber obtenido previamente una licencia expedida por la Junta.

(b) La licencia deberá exhibirse en sitio prominente y fácilmente visible en el lugar de trabajo del técnico o mecánico automotriz a favor del cual se expidió.

(c) Además de la licencia, la Junta expedirá a cada técnico o mecánico automotriz, bajo la firma del Presidente de la Junta y como comprobante de la existencia de la licencia, una tarjeta de identificación con el nombre y retrato del técnico o mecánico automotriz, el número de la licencia y su fecha de expedición y renovación. Todo técnico o mecánico automotriz llevará consigo esta tarjeta cuando esté prestando servicios fuera de su lugar de trabajo.

(Mayo 25, 1972, Núm. 40, Art. 10; Enmendada en el 1996, Núm. 220)

Art. 11. Derechos. (20 L.P.R.A. sec. 2141)

La Junta cobrará los siguientes derechos a todo Técnico o Mecánico Automotriz por concepto de exámenes, licencias, renovación de licencias y tarjeta de identificación:

(a) Por cada examen: diez (10) dólares.

(b) Por cada licencia: quince (15) dólares.

(c) Por la renovación de una licencia: veinticinco (25) dólares.

(d) Por cada tarjeta de identificación: cinco (5) dólares.

(e) Por cada Licencia de Aprendiz: veinte (20) dólares.

(Mayo 25, 1972, Núm. 40, Art. 11; Enmendada en el 1996, Núm. 220; Diciembre 24, 2015, Núm. 241, art. 2, añade el inciso (e).)

Art. 12. Penalidades. (20 L.P.R.A. sec. 2142)

Toda persona que viole [cualquiera] de las disposiciones de este Capítulo o que se dedique a la práctica del oficio de técnico o mecánico automotriz sin haber obtenido previamente una licencia para ello o que habiéndosele suspendido o revocado su licencia continúe ejerciendo el oficio o que emplee o permita que se emplee a una persona para ejercer este oficio o tales oficios a sabiendas de que dicha persona no tiene licencia para ello o que su licencia le ha sido revocada o suspendida, incurrirá en delito menos grave. Convicta que fuere será sentenciada con pena de cárcel no mayor de seis (6) meses o multa no mayor de quinientos (500) dólares o con ambas penas a discreción del tribunal.

(Mayo 25, 1972, Núm. 40, Art. 12; Enmendada en el 1996, Núm. 220.)

Art. 13. Maestro o profesor; requisitos. (20 L.P.R.A. sec. 2143)

Todo maestro o profesor que se dedique a la enseñanza de la técnica o mecánica automotriz en escuela pública o privada de Puerto Rico tendrá que poseer una licencia de técnico automotriz debidamente y colegiado [sic], expedida por la Junta Examinadora de Técnicos y Mecánicos Automotrices de Puerto Rico, además de poseer el Certificado de Licencia otorgado por el Departamento de Educación de Puerto Rico y estar debidamente colegiado. Ninguna persona podrá enseñar la materia de técnico o mecánico automotriz si no cumple con estos requisitos.

(Mayo 25, 1972, Núm. 40, Art. 13; Adicionado en el 1996, Núm. 220)

Art. 14. Asignaciones. (20 L.P.R.A. sec. 2144)

Se asigna al Departamento de Estado, de fondos no comprometidos en el Tesoro Estatal, la cantidad de diez mil (20,000) dólares para los gastos de funcionamiento de la Junta durante el año fiscal 1972-73. En años subsiguientes, los gastos necesarios para la [implantación] de este Capítulo serán consignados en el Presupuesto Funcional de Gastos del Departamento de Estado.

(Mayo 25, 1972, Núm. 40, Art. 14)

Nota Importante
-1996, ley 220- Esta Ley Núm. 220, enmienda varios artículos de la Ley Núm. 40 de 1972, según enmendada anterior e incluye la siguiente sección 11:
Sec. 11 [Disposiciones Transitorias]

(a) El patrón escalonado de nombramientos establecido por el Artículo 2(e) de la Ley Núm. 40 de 25 de mayo de 1972, según enmendada [20 LPRA sec. 2132(e)], se mantendrá vigente; que el miembro que es ingeniero mecánico continuará en su cargo hasta que venza su término y que las disposiciones de los Artículos 5, 5A y el nuevo Artículo 13 que se adiciona a la Ley Núm. 40 de 25 de mayo de 1972, según enmendada [20 LPRA secs. 2135, 2135a y 2143], comenzará a regir a los seis (6) meses de la vigencia de la presente Ley.

(b) Se dispone, además, que el requisito de poseer diploma de escuela intermedia dispuesto en el Artículo 5A de esta Ley [20 LPRA sec. 2135a], entrará en vigor a partir del 30 de junio del año 2000. Hasta dicha fecha, el requisito relacionado a la preparación académica será el poseer diploma de escuela elemental.

(c) La Junta expedirá licencias sin la previa aprobación de examen a toda persona que a la fecha de aprobación de esta Ley se encuentre ejerciendo funciones en cualesquiera de las categorías de licencias y cumpla con todos los demás requisitos establecidos en esta Ley para las distintas categorías. Dichas personas deberán presentar una solicitud de licencia sin examen dentro de un término improrrogable de nueve (9) meses a partir de la aprobación de esta Ley. En dicha solicitud el aspirante hará constar bajo juramento y certificación de dos (2) técnicos automotrices debidamente autorizados, cuando menos, la experiencia, el tiempo, las fechas y los lugares en que ha desempeñado funciones que acrediten su capacidad para la licencia solicitada.

(Septiembre 13, 1996, Núm. 220, sec. 11; Marzo 14, 1997, Núm. 4, art. 1, enmienda el inciso (c).)

Ley de Técnicos y Mecánicos Automotrices para Licencia sin Examen.
Ley Núm. 78 de 23 de Septiembre de 1992, según enmendada.

Art. 1. Licencia sin examen. (20 L.P.R.A. sec. 2144a)

La Junta Examinadora de Técnicos y Mecánicos Automotrices de Puerto Rico expedirá licencia sin examen a toda persona que a la fecha de vigencia de esta ley haya ejercido el oficio de técnico automotriz en Puerto Rico por un período no menor de diez (10) años y cumpla con lo establecido en los incisos (a), (b) y (e) de la [20 LPRA sec. 2135] de esta ley.

Así también la Junta Examinadora expedirá licencias de mecánico automotriz sin el requisito de examen a toda persona que haya ejercido el oficio de mecánico automotriz por un período no menor de cinco (5) años y que cumpla con los demás requisitos establecidos por las [20 LPRA secs. 2135 *et seq.*] de esta ley, se encuentre trabajando y pueda acreditar satisfactoriamente, mediante declaración jurada certificada por dos (2) técnicos automotrices debidamente licenciados y colegiados donde hará constar el haber trabajado como mecánico automotriz por un término de cinco (5) años anterior a la fecha de presentación de la solicitud. Dichas personas deberán radicar una solicitud de licencia sin examen en el término improrrogable de un (1) año, a partir de la vigencia de esta ley.

(Septiembre 23, 1992, Núm. 78, art. 1; Marzo 29, 1993, Núm. 3, art. 2.)

Art. 2. Colegiación. (20 L.P.R.A. sec. 2144b)

La entrega de las licencias de técnicos y mecánicos automotrices estarán sujetas a la debida colegiación en el Colegio de Técnicos y Mecánicos Automotrices según lo dispone la ley que creó dicho organismo.

(Septiembre 23, 1992, Núm. 78, art. 2.)

Art. 3. Solicitud de licencia sin examen. (20 L.P.R.A. sec. 2144c)

Todo técnico automotriz con diez (20) años o más de experiencia o mecánico automotriz con cinco (5) años de experiencia como tal que desee que se le conceda licencia sin examen, deberá radicar una solicitud de licencia sin examen dentro de un término improrrogable de que para el año 1993 este término se extenderá hasta el 23 de septiembre de 1993. En la solicitud se presentará una certificación donde se hará constar, entre otros, el tiempo, fecha y lugar en que se ejerció el oficio.

(Septiembre 23, 1992, Núm. 78, art. 3; Enmendada en el 1993, Núm. 3)

Ley de la Comisión Especial Examinadora de Técnicos Automotrices
Ley Núm. 78 de 23 de septiembre de 1992.

Art. 1. [Creación

Se crea la Comisión Especial Examinadora de Técnicos Automotrices de Puerto Rico, la cual estará compuesta de cinco (5) miembros, todos los cuales deberán ser personas de reconocida capacidad en el campo [de] técnico automotriz colegiados, con cinco (5) o más años con licencia de técnico automotriz vigente.

(Septiembre 23, 1992, Núm. 78, art. 1.)

Art. 2. [Miembros.] –

Los miembros de la Comisión Especial deberán ser mayores de edad ciudadanos de los Estados Unidos de América y haber residido en Puerto Rico durante un año inmediatamente anterior a su nombramiento.

(Septiembre 23, 1992, Núm. 78, art. 2.)

Art. 3. [Término.] –

Todos los nombramientos de la Comisión Especial los realizará el Honorable Gobernador de Puerto Rico.

(a) Los miembros de la Comisión Especial ejercerán sus funciones por un período fijo de doce (12) meses a partir de su instalación. Cualquier vacante en la Comisión Especial antes del vencimiento del término se cubrirá por el período restante al mismo.

(b) El Gobernador podrá destituir a cualquier miembro de la Comisión Especial por incumplimiento de sus deberes, incompetencia manifiesta para desempeñar sus obligaciones o por haber sido convicto de delito grave o menos grave que implique depravación moral.

(c) La Comisión Especial elegirá un presidente de entre sus miembros.

(Septiembre 23, 1992, Núm. 78, art. 3.)

Art. 4. [Reuniones.] –

La Comisión Especial se reunirá tantas veces sea necesario para cumplir con las tareas que se asignan en esta Ley.

(a) Los miembros de la Comisión Especial tendrán derecho a cobrar una dieta de quince dólares ($15) por reuniones a las que asistan para la pronta tramitación de sus gestiones y deberes.

(Septiembre 23, 1992, Núm. 78, art. 4.)

Art. 5. [Secretaria.] –

El Departamento de Estado vendrá obligado a proveer una secretaria clerical a la Comisión Especial durante el período de doce (12) meses en que la misma estará constituida.

(Septiembre 23, 1992, Núm. 78, art. 5.)

Art. 6. [Función.] –

Será función primordial y única de la Comisión Especial entender en la evaluación de todas las solicitudes que han generado la Ley Núm. 78 del 23 de septiembre de 1992 [20 LPRA secs. 2131a *et seq.*] y la Ley Núm. 3 de 29 de marzo de 1993 [20 LPRA secs. 2144a a 2144c].

(Septiembre 23, 1992, Núm. 78, art. 6.)

Art. 7. [Vigencia.] –

Esta ley empezará a regir inmediatamente después de su aprobación.

(Septiembre 23, 1992, Núm. 78, art. 7.)

Ley para Crear el Colegio de Técnicos y Mecánicos Automotrices
Ley Núm. 50 de 30 de Junio de 1986.

Art. 1. Definiciones. (20 L.P.R.A. sec. 2145)

A los fines de esta ley los siguientes términos tendrán el significado que a continuación se indica, excepto donde el contexto indique claramente otra cosa:

(a) *Técnico automotriz.* Significará toda persona autorizada a practicar el oficio según lo disponen las [20 LPRA secs. 2131 *et seq.*] de esta ley.

(b) *Mecánico automotriz.* Significará toda persona autorizada a practicar el oficio según lo describen las [20 LPRA secs. 2131 *et seq.*] de esta ley.

(c) *Colegio.* Significa el Colegio de Técnicos y Mecánicos Automotrices de Puerto Rico cuya creación se autoriza por esta ley.

(d) *Junta.* Significa la Junta Examinadora de Técnicos Automotrices creada en virtud de las [20 LPRA secs. 2131 *et seq.*] de esta ley.

(Junio 30, 1986, Núm. 50, art. 1.)

Art. 2. Creación. (20 L.P.R.A. sec. 2145a)

Se autoriza a los técnicos y mecánicos automotrices debidamente licenciados por la Junta Examinadora de Técnicos Automotrices, siempre que la mayoría de éstos así lo acuerden en referéndum que al efecto se celebrará según se dispone más adelante, a constituirse en una entidad jurídica o corporación cuasi pública bajo el nombre de "Colegio de Técnicos y Mecánicos Automotrices de Puerto Rico" con domicilio oficial en el área metropolitana de San Juan.

(Junio 30, 1986, Núm. 50, art. 2.)

Art. 3. Facultades. (20 L.P.R.A. sec. 2145b)

El Colegio de Técnicos y Mecánicos Automotrices de Puerto Rico tendrá facultad para:

(a) Subsistir a perpetuidad bajo este nombre; demandar y ser demandado como persona jurídica.

(b) Poseer y usar un sello que podrá alterar a su voluntad.

(c) Adquirir derechos y bienes, tanto muebles como inmuebles, por donación legado o tributos entre sus propios miembros, compras o de otro modo; y poseerlos, traspasarlos, hipotecarlos, arrendarlos y disponer de los mismos en cualquier otra forma.

(d) Nombrar sus directores y funcionarios u oficiales, según se disponga en el reglamento del Colegio y en esta ley.

(e) Adoptar su reglamento, que será obligatorio para todos los miembros, y/o enmendarlo en la forma y bajo los requisitos que en el mismo se instituyan.

(f) Adoptar y velar por que se cumplan los cánones de ética que regirán la conducta de los técnicos y mecánicos automotrices, los cuales deberán ser aprobados y publicados por la Junta Examinadora de Técnicos o Mecánicos Automotrices [*sic*].

(g) Recibir e investigar las querellas que bajo juramento se formulen respecto a la conducta de sus miembros en el ejercicio del oficio y a las violaciones a esta ley, pudiendo remitirlas a la Directiva del Colegio para que actúe y después de una vista preliminar en la que se permita al interesado o a su representante legal a traer sus testigos y ser oído, si encontrara causa fundada, instituir la querella correspondiente ante la Junta Examinadora de Técnicos Automotrices. Nada de lo dispuesto en este inciso se entenderá en el sentido de limitar o alterar la facultad de la Junta Examinadora de Técnicos Automotrices para iniciar por su propia cuenta estos procedimientos.

(h) Proteger a sus miembros en el ejercicio del oficio y socorrer aquellos que se retiren por inhabilidad física o edad avanzada mediante la creación de un fondo de beneficencia que además proporcionará ayuda a los herederos de los que fallezcan.

(i) Ejercitar las facultades incidentales que fueren necesarias o convenientes a los fines de su creación y funcionamiento y que no estuvieren en desacuerdo con esta ley.

(Junio 30, 1986, Núm. 50, art. 3.)

Art. 4. Miembros. (20 L.P.R.A. sec. 2145c)

Serán miembros del Colegio todos los técnicos automotrices y mecánicos automotrices que estén admitidos legalmente a ejercer dichos oficios en Puerto Rico y que cumplan con los deberes que les señalan las [20 LPRA secs. 2131 *et seq.*] de esta ley y el reglamento que apruebe el colegio.

(Junio 30, 1986, Núm. 50, art. 4.)

Art. 5. Organización. (20 L.P.R.A. sec. 2145d)

Regirán los destinos del Colegio, en primer término, su asamblea general, y en segundo término, su Directiva.

(Junio 30, 1986, Núm. 50, art. 5.)

Art. 6. Directiva. (20 L.P.R.A. sec. 2145e)

La Directiva del Colegio consistirá de un presidente, un vicepresidente, un secretario, un tesorero, un auditor y ocho vocales que serán los presidentes de las delegaciones de los distritos senatoriales.

(Junio 30, 1986, Núm. 50, art. 6.)

Art. 7. Organismos locales. (20 L.P.R.A. sec. 2145f)

El reglamento establecerá delegaciones de distrito u organismos locales que habrán de elegirse o designarse, funcionar y cumplir sus deberes en la forma y bajo las condiciones que el propio reglamento de Colegio señale; pero la elección o designación de quiénes hayan de constituirlos se hará, salvo [en] el caso de delegación de tal facultad, por los miembros del Colegio que residan o tengan su oficina en las respectivas demarcaciones territoriales de las delegaciones u organismos locales.

(Junio 30, 1986, Núm. 50, art. 6.)

Art. 8. Reglamento. (20 L.P.R.A. sec. 2145g)

El reglamento dispondrá lo que no se haya previsto en esta ley, incluyendo lo concerniente a funciones, deberes y procedimientos de todos sus organismos y oficiales; convocatorias ordinarias y extraordinarias; fechas, quórums, forma y requisitos de las asambleas generales y sesiones de la Junta Directiva; elecciones de directores; comisiones permanentes; presupuestos o inversión de fondos y disposición de bienes del Colegio y términos de todos los cargos, declaración de vacantes y modo de cubrirlas.

(Junio 30, 1986, Núm. 50, art. 7.)

Art. 9. Cuotas - Determinación. (20 L.P.R.A. sec. 2145h)

Los miembros del Colegio pagarán una cuota anual en la fecha o en la forma que disponga el reglamento el monto de la cual será fijada por disposición de la Asamblea General de los colegiados. El quórum reglamentario para fijar la cuota será de no menos de un cinco (5) por ciento de la totalidad de los miembros activos. Cuando se vaya a considerar una modificación en la cuantía de la cuota, deberá así incluirse en la convocatoria de la asamblea como uno de los asuntos a considerarse y en tales casos la convocatoria deberá notificarse a los miembros del Colegio con no menos de treinta (30) días de anticipación.

(Junio 30, 1986, Núm. 50, art. 8.)

Art. 10. --Suspensión por falta de pago. (20 L.P.R.A. sec. 2145i)

Cualquier miembro que no pague su cuota anual y que en los demás respectos esté calificado como miembro del Colegio, será requerido a pagar y de no hacerlo dentro del término de sesenta (60) días a partir de la notificación quedará suspendido como tal miembro, pero podrá rehabilitarse mediante el pago de lo que adeude por aquel concepto.

(Junio 30, 1986, Núm. 50, art. 9.)

Art. 11. Certificado de admisión. (20 L.P.R.A. sec. 2145j)

Cuando un técnico o mecánico automotriz debidamente autorizado para practicar el oficio pague su primera cuota anual, se le expedirá, además del recibo, un certificado en el que se hará constar que esa persona ha completado todos los requisitos legales y reglamentarios para ser miembro del Colegio; para el segundo año y sucesivos, se proveerá en los reglamentos que al pagarse la cuota anual se expedirá una tarjeta de renovación del certificado que le acredite como miembro del Colegio.

(Junio 30, 1986, Núm. 50, art. 11.)

Art. 12. Deberes. (20 L.P.R.A. sec. 2145k)

El Colegio de Técnicos y Mecánicos Automotrices de Puerto Rico tendrá como deberes y obligaciones lo siguiente:

(1) Contribuir al adelanto y desarrollo de la tecnología automotriz.

(2) Promover relaciones fraternales entre sus miembros.

(3) Cooperar con todo aquello que sea de interés mutuo y de provecho al bienestar general.

(4) Establecer relaciones con asociaciones análogas de otros países, dentro de determinadas reglas de solidaridad y cortesía.

(5) Mantener una moral saludable y estricta entre los asociados.

(6) Elevar y mantener la dignidad del oficio y sus miembros, velar por que sus miembros observen una excelente conducta ética y establecer programas o cursos de educación o estudios continuos.

(7) Proveer el asesoramiento e información que requiera la gestión gubernamental.

(Junio 30, 1986, Núm. 50, art. 12.)

Artículo 13. [Referéndum.]

Dentro de los noventa (90) días siguientes de haberse aprobado la presente ley [30 de Junio de 1986] la Junta Examinadora de Técnicos Automotrices designará una Comisión de Referéndum compuesta de no menos de nueve (9) ni más de trece (13) miembros que sean técnicos autorizados, debiendo estar representados los ocho (8) distritos senatoriales, ninguno de los cuales tendrá más de tres (3) representantes, quienes serán residentes *bona fide* del distrito. La Comisión será presidida por el Presidente de la Junta Examinadora de Técnicos Automotrices y tendrá como funciones principales las de orientar a todos los técnicos automotrices sobre el referéndum, sus motivos y consecuencias y celebrar el mismo de conformidad a esta ley. La convocatoria para la celebración de referéndum será publicada en los periódicos de mayor circulación de la isla, por un período de tres (3) días consecutivos con quince (15) días de antelación a la fecha del mismo. La Comisión de Referéndum será supervisada en todas sus funciones por la Junta y sus decisiones serán finales. Dentro de los noventa (90) días siguientes a la designación de la Comisión de Referéndum, la Junta consultará por escrito utilizando la vía postal o cualquier otro medio adecuado, a los técnicos automotrices y a los mecánicos automotrices debidamente licenciados y con derecho a ser miembros del Colegio si desean o no que se constituya el mismo según provee esta ley [esta ley]. Las contestaciones del puño y letra del interesado serán radicadas o enviadas por correo a la Junta y estarán sujetas a la libre inspección de cualquier técnico o mecánico automotriz interesado en el asunto, en las Oficinas de la Junta. La Junta concederá un término razonable para el envío de las contestaciones. Luego de transcurrido dicho término, la Junta y La Comisión de Referéndum procederán a examinar los resultados del referéndum. Se considerarán mayoría la mitad más uno de los técnicos y mecánicos automotrices que expresen su criterio afirmativo o negativo respecto a la colegiación. Dicho resultado se certificará en la Junta y se le notificará por escrito al Gobernador.

(Junio 30, 1986, Núm. 50, art. 13.)

Artículo 14. [Asamblea inicial.]

De ser afirmativo el resultado del referéndum, la Comisión de Referéndum supervisada por la Junta se convertirá en Comisión de Convocatoria o Asamblea Inicial. En tal carácter dentro de los sesenta (60) días siguientes a la fecha de haber hecho la comunicación al Gobernador prevista en el artículo anterior, convocará a todos los técnicos y mecánicos automotrices debidamente licenciados a la Asamblea General. En la mencionada Asamblea se elegirá la primera Directiva del Colegio y se tomarán acuerdos sobre el reglamento del mismo.

Se dispone que la convocatoria para la asamblea se publicará durante dos (2) días consecutivos en no menos de tres (3) periódicos de circulación general en el país con quince (15) días de antelación a la fecha de ésta. Si los asistentes a esta primera asamblea no llegaren al cincuenta por ciento (50%) de los técnicos y mecánicos automotrices licenciados, ésta no podrá celebrarse, pero los que hayan concurrido podrán por mayoría designar fecha para una nueva convocatoria que se hará con fines idénticos sin que entre una y otra transcurran menos de treinta (30) días. En segunda convocatoria la asamblea podrá celebrarse con cualquier número de técnicos y mecánicos automotrices que asistan y los acuerdos que se realicen serán válidos. La Directiva del Colegio quedará constituida según lo dispone el Artículo 6 de esta ley. Esta redactará un reglamento de acuerdo a lo dispuesto en el Artículo 8 que será presentado a la matrícula del Colegio en Asamblea Extraordinaria para su discusión, enmiendas y aprobación. La Asamblea Extraordinaria se celebrará antes de que la Directiva del Colegio cumpla nueva (9) meses de haber sido electa y constituirá quórum la mitad más uno de los Colegiados.

(Junio 30, 1986, Núm. 50, art. 14.)

Artículo 15. - [Resultado negativo; efecto.]

En caso de que el resultado del referéndum celebrado conforme a las disposiciones del Artículo 13 de esta ley sea contrario a la colegiación las disposiciones de esta ley dejarán de tener efecto y vigencia.

(Junio 30, 1986, Núm. 50, art. 15.)

Art. 16 . *Representación*. (20 L.P.R.A. sec. 2145*l*)

El Colegio establecido por el presente Capítulo asumirá la representación de todos los colegiados y tendrá autoridad para hablar en su nombre y representación de acuerdo con los términos de esta ley y del reglamento que se aprobase y de las decisiones adoptadas por los colegiados en las asambleas anuales ordinarias y extraordinarias celebradas.

(Junio 30, 1986, Núm. 50, art. 16.)

Art. 17. Penalidades. (20 L.P.R.A. sec. 2145m)

Toda persona que viole cualquiera de las disposiciones de esta ley o que se dedique a la práctica del oficio de técnico o mecánico automotriz sin estar debidamente colegiado incurrirá en delito menos grave y, convicto que fuere, será sentenciado con una multa no menor de veinticinco (25) dólares ni mayor de doscientos (200) dólares o pena de reclusión por un término no menor de un (1) mes ni mayor de dos (2) meses.

(Junio 30, 1986, Núm. 50, art. 17.)

Ley de División de Juntas Examinadoras.
Ley Núm. 41 de 5 de Agosto de 1991, según enmendada.

Art. 1. Adscripción al Departamento de Estado. (20 L.P.R.A. sec. 10)

Se adscriben al Departamento de Estado las siguientes Juntas Examinadoras:

(1) Junta de Acreditación de Actores de Teatro [secs. 3301 et seq. de este título].

(2) Junta Examinadora de Agrónomos [secs. 621 et seq. de este título].

(3) Junta Examinadora de Barberos y Estilistas en Barbería [secs. 571 et seq. de este título].

(4) Junta Examinadora de Consejeros en Rehabilitación [secs. 2651 et seq. de este título].

(5) Junta de Contabilidad [secs. 771 et seq. de este título].

(6) Junta Examinadora de Decoradores y Diseñadores de Interiores [secs. 2231 et seq. de este título].

(7) Junta Examinadora de Delineantes Profesionales [secs. 2601 et seq. de este título].

(8) Junta Examinadora de Especialistas en Belleza [secs. 2111 et seq. de este título].

(9) Junta Examinadora de Evaluadores Profesionales de Bienes Raíces [secs. 2301 et seq. de este título].

(10) Junta Examinadora de Ingenieros, Arquitectos y Agrimensores [secs. 711 et seq. de este título].

(11) Junta Examinadora de Maestros y Oficiales Plomeros [secs. 941 et seq. de este título].

(12) Junta Examinadora de Operadores de Máquinas Cinematográficas [secs. 901 et seq. de este título].

(13) Junta Examinadora de Peritos Electricistas [secs. 2701 et seq. de este título].

(14) Junta Examinadora de Químicos [secs. 471a et seq. de este título].

(15) Junta Examinadora de Técnicos Automotrices [secs. 2145 et seq. de este título].

(16) Junta Examinadora de Técnicos de Radio y Telerreceptores [secs. 2401 et seq. de este título].

(17) Junta Examinadora de Técnicos de Refrigeración y Aire Acondicionado [secs. 2051 et seq. de este título].

(18) Junta Examinadora de Trabajadores Sociales [secs. 821 et seq. de este título].

(19) Junta Examinadora de Operadores de Plantas de Tratamiento de Agua Potable y Aguas Usadas [secs. 2801 et seq. de este título].

Disponiéndose, que a cualquier Junta Examinadora que en el futuro se adscriba al Departamento de Estado se le aplicarán las disposiciones de las [secs. 10 et seq. de este título].

(Agosto 5, 1991, Núm. 41, art. 1.)

Art. 2. Secretario Ejecutivo. (20 L.P.R.A. sec. 11)

El Secretario de Estado será el Secretario Ejecutivo de las Juntas Examinadoras adscritas al Departamento de Estado con facultad de participar sin derecho a voto en todas las reuniones de Juntas. El Secretario de Estado podrá delegar tal responsabilidad en otro funcionario.

(Agosto 5, 1991, Núm. 41, art. 2.)

Art. 3. Secretario Ejecutivo - Deberes. (20 L.P.R.A. sec. 12)

El Secretario Ejecutivo será el responsable de proveer el apoyo administrativo, secretarial, legal y operacional a las Juntas Examinadoras adscritas al Departamento de Estado, y de cualquier Junta que en el futuro se cree o transfiera al Departamento de Estado.

(Agosto 5, 1991, Núm. 41, art. 3.)

Art. 4. Reglamentos uniformes. (20 L.P.R.A. sec. 13)

El Secretario de Estado podrá adoptar reglamentación que uniforme los procesos administrativos de administración de exámenes, [otorgamiento] de licencias y adjudicación de querellas de las Juntas Examinadoras adscritas al Departamento de Estado, según las disposiciones de las secs. 2101 et seq. del Título 3, conocidas como la "Ley de Procedimiento Administrativo Uniforme". Disponiéndose, que el reglamento uniforme que se adopte deberá disponer que los exámenes que se ofrecen a los candidatos aspirantes a las distintas profesiones por las Juntas Examinadoras sean administrados en español o en inglés a petición del aspirante.

Dicha reglamentación uniforme tendrá vigencia en todas las Juntas salvo en aquellas que, con posterioridad a la aprobación del reglamento uniforme, adopten un reglamento sobre la misma materia o indiquen su exclusión del mismo por tener vigente un reglamento similar adoptado a tenor con las secs. 2101 et seq. del Título 3.

(Agosto 5, 1991, Núm. 41, art. 4; Septiembre 19, 1996, Núm. 240, sec. 1.)

Art. 5. Reglamentos Uniformes - Cobro de derechos. (20 L.P.R.A. sec. 14)

El Secretario de Estado podrá establecer por reglamento los derechos a cobrar por los servicios que ofrecen las Juntas Examinadoras, según las disposiciones de las secs. 2101 et seq. del Título 3.

Dicho reglamento incluirá los derechos a cobrar por los siguientes servicios y otros análogos:

(a) Examen.

(b) Reexamen.

(c) Licencia y su renovación.

(d) Certificaciones y copias certificadas.

Disponiéndose, que el reglamento que se adopte no podrá ser enmendado antes de pasados dos (2) años de su adopción.

(Agosto 5, 1991, Núm. 41, art. 5.)

Art. 6. Cuenta especial. (20 L.P.R.A. sec. 15)

Los derechos establecidos según prescritos en la sec. 14 de este título que excedan de los derechos vigentes a la fecha de aprobación de ésta ingresarán en una Cuenta Especial creada para esos efectos en el Departamento de Hacienda con el propósito de sufragar los gastos ordinarios de funcionamiento de la División de Juntas Examinadoras que no fueran sufragados por asignaciones del Fondo General u otras asignaciones presupuestarias.

Disponiéndose, que el Departamento de Estado, antes de utilizar los recursos depositados en la Cuenta Especial, deberá someter anualmente, para la aprobación de la Oficina de Gerencia y Presupuesto, un presupuesto de gastos con cargo a esos fondos. El remanente de fondos que al 30 de junio de cada año fiscal no haya sido utilizado u obligado para los propósitos de las secs. 10 et seq. de este título se transferirá al Fondo General.

(Agosto 5, 1991, Núm. 41, art. 6.)

Art. 7. Evaluación de Certificados de Antecedentes Penales. (20 L.P.R.A. sec. 16)

Las Juntas Examinadoras no podrán rechazar de plano las solicitudes de un aspirante a una profesión cubierta por esta Ley que tenga antecedentes penales.

En estos casos las Juntas Examinadoras, en el ejercicio de sus facultades conferidas por ley, tendrán el deber de estudiar en forma individual la solicitud de un aspirante que tiene antecedentes penales y determinar su elegibilidad, tomando en consideración:

1) los requisitos de ley,

2) la naturaleza del delito, si envuelve depravación moral o alguna cuestión de seguridad pública y

3) si el aspirante disfruta del beneficio de sentencia probatoria o libertad bajo palabra.

(Agosto 5, 1991, Núm. 41; Adicionado en el 2002, Núm. 4)

Art. 8.- Prohibición a Delegar la Facultad de Reglamentar Requisitos de Educación Continua. (20 L.P.R.A. sec. 17)

La facultad de toda Junta Examinadora, adscrita al Departamento de Estado, de establecer mediante reglamento los requisitos de educación continua, no podrá ser delegada.

Asimismo, será deber indelegable de toda Junta Examinadora, adscrita al Departamento de Estado, el certificar como proveedores a aquellas instituciones educativas, asociaciones o colegios profesionales, y a cualquier otra entidad que ofrezca educación continua pertinente a las profesiones reglamentadas por dichas Juntas.

La Secretaría Auxiliar de Juntas Examinadoras del Departamento de Estado deberá establecer un Reglamento General para Educación Continua que servirá como guía a las Juntas en la preparación de sus reglamentos específicos por profesión. Este Reglamento general deberá incluir los requisitos básicos a evaluar, que cada Junta utilizará en sus procesos de certificación de proveedores.

El Reglamento General deberá contener, además, disposiciones que contemplen situaciones ajenas al profesional que acude ante su respectiva Junta Examinadora, como lo es la falta de miembros en la Junta. Además, el Reglamento General deberá disponer sobre el rol que deberán asumir los Colegios o Asociaciones Profesionales que representen a los distintos grupos de profesionales licenciados, al momento de las Juntas Examinadoras acreditar a los proveedores de educación continua. Dicho rol será uno de participación activa en la evaluación de la reglamentación de la educación continua de la clase profesional que representan, siempre que dichos Colegios o Asociaciones Profesionales cuenten con divisiones o departamentos de educación continua. Las Juntas deberán tomar en consideración los planteamientos de los Colegios o Asociaciones Profesionales durante la formulación de los Reglamentos Específicos.

El Reglamento General deberá proveer que, el estar acreditado por cualquier cuerpo acreditador de la educación superior no será requisito indispensable para ser certificado como proveedor. Asimismo, deberá disponer que la certificación como proveedores de educación continua, tendrá una vigencia de cinco (5) años.

(Agosto 5, 1991, Núm. 41; Adicionado en Diciembre 12, 2007, Núm. 189, art. 1; Agosto 4, 2008, Núm. 152, art. 1.)

Notas Importantes:
Enmiendas
-2008, ley 152 –Esta ley enmienda este artículo 8 e incluye los siguientes artículos relacionados:

Artículo 2.- Las instituciones educativas, asociaciones y colegios profesionales, compañías o entidades que al momento de entrar en vigor esta Ley sean proveedores de educación continua, mantendrán su status de proveedores por un término de cinco (5) años a partir de la vigencia de la Ley, siempre y cuando, soliciten a la Junta Examinadora correspondiente que les certifique como proveedor. La institución educativa, asociación o colegio profesional, compañía o entidad deberá presentar evidencia de que al momento de la entrada en vigor de esta Ley, era proveedora de dichos servicios. Las Juntas Examinadoras deberán, a su vez notificar a los proveedores de la necesidad de solicitar un certificado que se atempere a lo dispuesto en este Artículo. Luego de transcurrido el término de cinco (5) años los proveedores de educación continua deberán someterse al proceso de renovación que disponga el Reglamento General y los reglamentos particulares de cada Junta Examinadora.

Artículo 3.- La Secretaría Auxiliar de Juntas Examinadoras del Departamento de Estado tendrá un término de un (1) año para desarrollar, aprobar e implementar el Reglamento General dispuesto en esta Ley.

Las Juntas Examinadoras tendrán un término de un (1) año, desde la divulgación del Reglamento General para Educación Continua para desarrollar, aprobar e implementar el reglamento particular de la Junta dispuesto en esta Ley.

Hasta que sea aprobado el reglamento particular de cada Junta, los procedimientos y reglamentos de la educación continua de cada clase profesional, vigente al 12 de diciembre de 2007, regirán hasta que los nuevos sean aprobados.

Artículo 4.- Si cualquier disposición de esta Ley fuere declarada inconstitucional, ilegal o nula por un tribunal competente y con jurisdicción, dicha determinación no afectará o invalidará las disposiciones restantes de esta Ley, y el efecto de tal declaración se limitará únicamente al artículo, párrafo, oración o frase declarada inconstitucional, ilegal o nula.

Artículo 5.- Cualquier disposición anterior a la vigencia de esta Ley que contravenga el sentido de ésta, debe entenderse derogada.

Artículo 6.- Esta Ley comenzará a regir inmediatamente después de su aprobación.

-2007, ley 189 – Esta ley adiciona el artículo 8 a esta ley e incluye los siguientes artículos relacionados:

Artículo 2.- Las instituciones educativas, asociaciones y colegios profesionales, compañías o entidades que ofrezcan cursos de educación continua al momento de entrar en vigor esta Ley, mantendrán su estatus de proveedores de dichos cursos por un termino de cinco (5) años a partir de la vigencia de la Ley, siempre y cuando soliciten a la Junta Examinadora correspondiente que les certifique como proveedor. Para esto, la institución educativa, asociación o colegio profesional, compañía o entidad que ofrezca cursos de educación continua deberá presentar evidencia de que al momento de la entrada en vigor de esta Ley, era proveedora de dichos servicios. Las Juntas Examinadoras deberán, a su vez, notificar a los proveedores de la necesidad de solicitar un certificado que se atempere a lo dispuesto en este Artículo.

Artículo 3.- Cualquier disposición anterior a la vigencia de esta Ley que contravenga el sentido de ésta, debe entenderse derogada.

Artículo 4.- La Secretaría Auxiliar de Juntas Examinadoras del Departamento de Estado tendrá un término de un (1) año para desarrollar, aprobar e implementar el Reglamento dispuesto en el Artículo 2 de esta Ley.

Las Juntas Examinadoras tendrán un término de un (1) año, desde la divulgación del Reglamento General para Educación Continua para desarrollar, aprobar e implementar el reglamento dispuesto en el Artículo 2, de esta Ley.

Artículo 5.- Esta Ley comenzará a regir inmediatamente después de su aprobación.

Ley para la Administración de Exámenes de Reválida en el Estado Libre Asociado de Puerto Rico.

Ley Núm. 107 de 10 de abril de 2003.

Artículo 1.-Título: (20 L.P.R.A. sec. 21 et seq.)

Esta Ley se conocerá como la "Ley para la Administración de Exámenes de Reválida en el Estado Libre Asociado de Puerto Rico".

(Abril 10, 2003, Núm. 107, art. 1, efectivo 30 días después de su aprobación.)

Artículo 2.-Reglamentación: (20 L.P.R.A. sec. 21)

Las Juntas Examinadoras adscritas a la Rama Ejecutiva del Estado Libre Asociado de Puerto Rico que administren y requieran la aprobación de exámenes de reválida para el ejercicio profesional en el Estado Libre Asociado de Puerto Rico deberán proveerle a los aspirantes, por lo menos dos (2) meses antes de la fecha del examen, la información y los documentos que se describen a continuación:

a. Una notificación de examen de reválida que deje constancia de la entidad que preparará y administrará el examen, la fecha, la duración, el horario y las instrucciones a seguir durante la administración del examen.

b. Un manual del aspirante que incluya las normas, reglas de conducta y los procedimientos que regirán la administración del examen de reválida. Además, se incluirá una descripción sucinta de la profesión, los requisitos en ley para su ejercicio, el proceso de licenciamiento y el propósito del examen de reválida. También, contendrá una descripción detallada del contenido del examen que incorpore el número total de preguntas y su naturaleza; el valor aproximado de cada pregunta o parte, y si dicho valor dependerá de un ejercicio de calibración; la metodología de su preparación; el diseño y la relación de preguntas; la forma de contestar las preguntas de selección múltiple o las preguntas de discusión si las hubieran; la nota de pase; el idioma en que se administrará el examen de reválida y si es posible contestarlo en los idiomas español o inglés, con independencia del idioma en que esté redactado el examen. Además, se incluirán las directrices que regulen los casos en que los aspirantes tengan que abandonar el examen o una de sus partes, haciéndose la salvedad de que si el aspirante no puede concluir el examen por razón de una emergencia médica, podrá solicitar que no se le cuente el examen, acompañando, su solicitud con una certificación médica que incluya información a esos efectos. También, se escribirán las conductas prohibidas durante la administración del examen, más allá de aquellas que prohíben las leyes del Estado Libre Asociado de

Puerto Rico. Se incluirá una notificación sobre la disponibilidad de botiquines de primera ayuda y personal paramédico en el lugar en donde se administrará el examen, además de indicarle el procedimiento a seguir en caso de una emergencia general, como incendio o terremoto.

c. Se entregará a los aspirantes una Tabla de Especificaciones con el índice de materias y temas a ser examinados durante la reválida. La totalidad de las materias a examinarse deberán constar en la tabla de especificaciones.

d. El manual del aspirante deberá incluir el procedimiento a seguirse para solicitar la revisión del examen de reválida en caso de reprobar el mismo. En dicho proceso, los aspirantes podrán inspeccionar copia de la guía de corrección utilizada para corregir sus preguntas de discusión y copia de las respuestas que redactaron. En el caso de las preguntas de selección múltiple, se entiende que por ser parte de un banco de preguntas que pueden ser utilizadas nuevamente, no se entregue copia a los aspirantes, y sólo se les entregue una relación numérica de las preguntas, las respuestas acertadas, las contestaciones del aspirante y su puntuación, con la finalidad de que puedan verificar si su hoja de contestación fue corregida correctamente. El costo total de solicitar la revisión de un examen no podrá ser mayor a la mitad del costo de tomar el examen nuevamente.

e. Se indicará cuándo se notificarán los resultados del examen. Además, se incluirá una explicación del procedimiento, los aranceles, documentos e información requerida para licenciarse luego de aprobada la reválida. Finalmente, se presentarán unas guías generales que recomienden al aspirante la manera de prepararse para el examen.

(Abril 10, 2003, Núm. 107, art. 2, efectivo 30 días después de su aprobación.)

Artículo 3.-Horario para la administración del examen: (20 L.P.R.A. sec. 22)

El examen no podrá iniciar previo a las 8:00 a.m., ni culminar luego de las 3:00 p.m., con la excepción de los casos en que se conceda un acomodo razonable. Si el examen es en inglés o cualquier otro idioma distinto al español, tal variable deberá ser considerada en la determinación del tiempo para contestar cada una de sus partes, en atención al posible rezago que puedan sufrir algunos aspirantes en el dominio de dicho idioma. Tal proceso de consideración deberá ser hecho por especialistas en medición y con respeto a la integridad del examen. Se exceptúan de la consideración temporal aquellos exámenes que por convenios o acuerdos de reciprocidad requieran uniformidad.

(Abril 10, 2003, Núm. 107, art. 3, efectivo 30 días después de su aprobación.)

Artículo 4.-Cláusula de separabilidad:

Si uno o varios artículos de esta Ley fueran declarados inconstitucionales por un Tribunal con jurisdicción, permanecerán en vigor los demás Artículos a los que no se refiera la sentencia del Tribunal donde se determina tal inconstitucionalidad.

(Abril 10, 2003, Núm. 107, art. 4, efectivo 30 días después de su aprobación.)

Artículo 5.-Vigencia:

Esta Ley entrará en vigor treinta (30) días después de su aprobación.

(Abril 10, 2003, Núm. 107, art. 5, efectivo 30 días después de su aprobación.)

Ley para disponer que los aspirantes a tomar el examen de reválida de todas las profesiones que así lo requieran, tendrán oportunidades ilimitadas para tomar y aprobar los mismos.

Ley Núm. 88 de 26 de julio de 2010, según enmendada.

Artículo 1.- [Oportunidad Ilimitada] (20 L.P.R.A. sec. 23-a)

Se crea la Ley para disponer que los aspirantes a tomar el examen de reválida de todas las profesiones que así lo requieran, tendrán oportunidades ilimitadas para tomar y aprobar los mismos.

(Julio 26, 2010, Núm. 88. art. 1.)

Artículo 2.- [Requisitos y Condiciones] (20 L.P.R.A. sec. 23-b)

Cada Junta Examinadora establecerá los requisitos y condiciones para maximizar las probabilidades de aprobar la reválida por los candidatos que hayan fracasado en más de cinco ocasiones. Estas pueden incluir educación formal adicional en las áreas a ser evaluadas, educación continua, repasos o cursos remediativos por entidades aprobadas por la Junta u otras estrategias que la Junta estime pueda ayudar al candidato.

(Julio 26, 2010, Núm. 88. art. 2.)

Artículo 3.- [Excepción] (20 L.P.R.A. sec. 23-c)

Las disposiciones de esta Ley no serán de aplicación a la profesión de la abogacía. No obstante lo anterior, se le solicita al Tribunal Supremo de Puerto Rico que tome conocimiento de la intención legislativa plasmada en esta Ley y evalué sus normas y reglamentos de la Junta Examinadora de Aspirantes al Ejercicio de la Abogacía, para que determine si es prudente que los aspirante a tomar el examen de reválida de la abogacía tengan oportunidades ilimitadas de tomar y aprobar la misma.

(Julio 26, 2010, Núm. 88. art. 3; Agosto 22, 2012, Núm. 193, art. 1, enmienda este artículo en términos generales.)

Artículo 4.- [Vigencia]

Esta Ley entrará en vigor inmediatamente después de su aprobación.

(Julio 26, 2010, Núm. 88. art. 4.)

Ley del Profesional Combatiente.
Ley Núm. 8 de 20 de enero de 2010

Artículo 1.- Para crear la Ley que se conocerá como "Ley del Profesional Combatiente". (25 L.P.R.A. sec. 3011 et seq.)

El propósito que persigue esta Ley es que todo profesional licenciado, cuya profesión le exija como requisito para ejercer la colegiación compulsoria, no se vea afectado en sus derechos y privilegios como licenciado o colegiado, por ser miembro de los Servicios Uniformados de los Estados Unidos, empleado civil del Cuerpo de Ingenieros del Ejército de los Estados Unidos, del Sistema Médico Nacional contra Desastres o de la Guardia Estatal, y haber sido llamado a servicio activo.

(Enero 20, 2010, Núm. 8, art. 1.)

Artículo 2.- Definiciones (25 L.P.R.A. sec. 3011)

Para propósitos de esta Ley, los siguientes términos tendrán el significado que a continuación se expresan:

(a) "Componentes de Reserva de la Fuerzas Armadas" - significará la Guardia Nacional-rama terrestre ("Army National Guard"), Reserva del Ejército ("Army Reserve"), Reserva de la Marina ("Navy Reserve"), Reserva del Cuerpo de Infantería de Marina ("Marine Corps Reserve"), Guardia Nacional-rama aérea ("Air National Guard"), Reserva de la Fuerza Aérea ("Air Force Reserve") y Reserva de la Guardia Costanera ("Coast Guard Reserve")(U.S. Code Title 10, Sec.1001,(1)(2)(3)(4)(5)(6)(7). Incluye además aquellas personas en la Reserva Individual ("Individual Ready Reserve") cuando se ordene su reactivación luego de haberse licenciado según dispuesto en "U.S. Code Title 10. Sec. 10144.1234".

(b) "Emergencia de seguridad estatal" - significará aquella situación de peligrosidad para la seguridad estatal, declarada como tal por el Gobernador, que de manera imprevista y repentina acontece dentro de los límites territoriales estatales.

(c) "Emergencia de seguridad nacional doméstica" - significará aquella situación de peligrosidad para la seguridad nacional, declarada como tal por el Presidente de los Estados Unidos, imprevista y repentina que acontece dentro de los límites territoriales de los Estados Unidos.

(d) "Emergencia de seguridad nacional internacional" - significará aquella situación de peligrosidad para la seguridad nacional, declarada como tal por el Presidente de los Estados Unidos, imprevista y repentina que acontezca fuera de los límites territoriales de los Estados Unidos.

(e) "Fuerzas activas" - significará el componente regular a tiempo completo de los Servicios Uniformados de los Estados Unidos.

(f) "Fuerzas Armadas" - significará los cinco (5) componentes armados de los servicios uniformados de los Estados Unidos: Ejército ("Army"); Marina ("Navy"); Fuerza Aérea ("Air Force"); Cuerpo de Infantería de Marina ("Marine Corps");y Guardia Costanera ("Coast Guard"); con sus Componentes de Reserva según descritos en el inciso (a) del presente Artículo, incluyendo la Guardia Nacional, tanto terrestre ("Army National Guard") como aérea ("Air National Guard") cuando es activada por el Presidente de los Estados Unidos, según dispuesto en (US Code Title 10, Sec.101, US Code Title 32, Sec.101). Los miembros de los otros dos servicios uniformados, que no son armados, entiéndase tanto los oficiales comisionados como los oficiales de nombramiento administrativo ("warrant officers") del Cuerpo de la Administración Nacional de Oceanografía y Atmósfera ("Corps of the National Oceanic and Atmospheric Administration –NOAA") y del Cuerpo Comisionado del Servicio de Salud Pública de los Estados Unidos ("U.S. Public Health Service (PHS) Commissioned Corps") se considerarán como que les aplica esta definición al ser movilizados, activados e integrados por el Presidente de los Estados Unidos en las Fuerzas Armadas. Para propósitos de esta Ley, se incluye, además, aquellos empleados civiles del Cuerpo de Ingenieros de la Armada de los Estados Unidos, así como los empleados activados del Sistema Médico Nacional contra Desastres ("National Disaster Medical System-NDMS") que sean activados a participar en misiones en apoyo a los servicios uniformados.

(g) "Guardia Estatal" - significa el cuerpo militar voluntario organizado estatalmente por diversas jurisdicciones americanas, entre ellas Puerto Rico. Para fungir como la milicia autorizada. Presta apoyo de seguridad y de servicios de salud a la Guardia Nacional en activaciones ordenadas por el Gobernador o sustituye parcial o totalmente a la Guardia Nacional si la misma fuese activada por orden del Presidente de los Estados Unidos. Provee al Gobernador de una fuerza entrenada y siempre disponible para atender emergencias de seguridad doméstica y hacer labores de manejo de desastre ante situaciones originadas exclusivamente en los límites territoriales estatales.

(h) "Manejo de desastre" - significa aquellas labores de seguridad, rescate y apoyo de rescate en una región declarada por el Presidente de los Estados Unidos como zona de desastre o en un territorio extranjero.

(i) "Militar" - significará cualquier miembro en funciones de aquellos componentes y cuerpos incluidos en los incisos (a), (f), (g) y (l) del presente Artículo.

(j) "Misiones humanitarias" - significará aquellas misiones en el extranjero de ayuda a poblaciones con problemas de salud e infraestructura que amenazan la existencia de la vida humana en dichas áreas.

(k) "Misiones de mantenimiento de paz y estabilización" - significará aquellas misiones en el extranjero para hacer cumplir compromisos y acuerdos internacionales de cese de hostilidades; separar y armonizar bandos en conflicto, manteniendo el orden, haciendo posible el renacer y desarrollo de un país tras la terminación de una insurrección o guerra civil.

(l) "Servicios Uniformados" - significará los siete servicios uniformados de los Estados Unidos: Ejército ("Army"); Marina ("Navy"); Fuerza Aérea ("Air Force"); Cuerpo de Infantería de Marina ("Marine Corps"); Guardia Costanera ("Coast Guard"); el Cuerpo de la Administración Nacional de Oceanografía y Atmósfera ("Corps of the National Oceanic and Atmospheric Administration –NOAA Corps") y el Cuerpo Comisionado del Servicio de Salud Pública de los Estados Unidos ("U.S. Public Health Service (PHS) Corps") según dispuesto en *(U.S. Code Title 10, Sec.101, (5) (A) (B) (C))*.

(m) "Teatro de operaciones" - significará una región escenario de operaciones militares activas donde tras el inicio de hostilidades, se conducen operaciones de combate, apoyo de combate y labores de apoyo fuera de la zona bélica en áreas así designadas como tal por el Presidente de los Estados Unidos; incluye tanto zona(s) de combate como zona(s) de comunicaciones (de no combate).

(n) "Zona de desastre" - significará una región declarada como tal por el Presidente de los Estados Unidos, donde se conducen labores de seguridad, rescate y apoyo de rescate y construcción de facilidades.

(Enero 20, 2010, Núm. 8, art. 2.)

Artículo 3.- [Requisitos de Formularios e informes] (25 L.P.R.A. sec. 3012a)

Todo personal miembro de los Servicios Uniformados, así como empleados civiles del Cuerpo de Ingenieros, del Sistema Médico Nacional contra Desastre o miembro de la Guardia Estatal que ejerza en Puerto Rico alguna profesión u oficio que exija como requisito para ejercerla una licencia emitida por la autoridad competente, cuya colegiación sea compulsoria, o que requiera llenar algún formulario o informe periódico y que sea movilizado(a) en o fuera de Puerto Rico y activado(a) para atender contingencias extraordinarias, tales como: emergencia de manejo de desastres; de seguridad estatal, seguridad nacional doméstica o internacional; misiones de mantenimiento de paz y estabilización; misiones humanitarias o bien como parte de un esfuerzo de guerra sostenido en uno o más teatros de operaciones, estará exento del pago de la cuota de colegiación por el período durante el cual se encuentre activo ni le aplicará penalidad alguna por el no pago de dicha cuota.

Asimismo, no se le podrá imponer penalidad alguna por presentar tardíamente informes o la documentación necesaria para renovar sus licencias ante la Junta Examinadora o Colegio correspondiente, siempre que presente la razón eximente ante la Junta Examinadora o Colegio correspondiente, no más tarde de sesenta (60) días después del vencimiento de su orden militar.

(Enero 20, 2010, Núm. 8, art. 3.)

Artículo 4.- [Excepción] (25 L.P.R.A. sec. 3012b)

Todo profesional enumerado en el Artículo 3 de esta Ley, a su regreso a Puerto Rico o al terminar el período de activación estatal, se le aplicará una exención de una tercera (1/3) parte del total de la cuota de colegiación en su próxima anualidad.

(Enero 20, 2010, Núm. 8, art. 4.)

Artículo 5.- [Excepción] (25 L.P.R.A. sec. 3012c)

El (la) profesional colegiado(a) que se encuentre fuera de Puerto Rico prestando servicios en las Fuerzas Activas de manera regular, que no se encuentre en los escenarios descritos en el Artículo 3 de esta Ley, será eximido del pago de una tercera (1/3) parte de la cuota de colegiación para mantener vigente la certificación para el ejercicio de la profesión en Puerto Rico.

(Enero 20, 2010, Núm. 8, art. 5.)

Artículo 6.- [Exención de Educación Continua] (25 L.P.R.A. sec. 3013)

Todo (a) profesional colegiado(a) miembro de los Componentes de Reserva de las Fuerzas Armadas y de las Fuerzas Activas en servicio activo regular que se encuentre fuera de Puerto Rico por un periodo mayor a un año, estará exento de cumplir con los requisitos de educación continuada durante ese periodo. Así mismo, todo(a) profesional colegiado(a) miembro de la Guardia Estatal en servicio activo estatal estará exento(a) de cumplir con los requisitos de educación continuada durante ese período. Cuando se requiera cumplir con un determinado número de créditos en un intervalo de tiempo, se programarían los créditos por año, de manera tal que no se contará el tiempo en el que el (la) profesional estuvo activo.

(Enero 20, 2010, Núm. 8, art. 6.)

Artículo 7.- [Documentos como evidencia] (25 L.P.R.A. sec. 3014)

Constituye evidencia de servicio, la presentación conjunta de los siguientes documentos, en original:

(1) La identificación militar.

(2) Documento de otorgación de cualquier condecoración o citación otorgada, si alguna aplica, por haber realizado el servicio o que por sí conlleve haber estado en servicio activo, durante las fechas concernidas.

(3) El formulario de servicio DD-214 (Formulario del Departamento de la Defensa 214) o NG22 (Formulario de la Guardia Nacional 22).

(4) La Verificación de Despliegue del Comandante ("Commander's Verification of Deployment").

(5) Copia de la Orden de Personal ("Official Personel Orders");

(6) Órdenes Permanentes de Cambio de Asignación ("Permanent Change of Station Orders-PCS Orders").

Será aceptable, además, como evidencia de elegibilidad, una carta de recomendación certificada por los componentes y cuerpos incluidos en los incisos (a), (f), (g) y (l) del Artículo 2, señalando que el militar, en efecto, cumple con los requisitos para acogerse a las disposiciones de cualquiera de los Artículos de esta Ley.

(Enero 20, 2010, Núm. 8, art. 7.)

Artículo 8.- [Conflictos entre leyes] (25 L.P.R.A. sec. …)

Esta Ley deberá interpretarse en la forma más amplia y beneficiosa para el (la) colegiado(a). Se entiende, además, que todo derecho reconocido por esta Ley se concederá además de cualquier otro dispuesto por ley. En caso de conflicto entre las disposiciones de esta Ley y cualquier otro estatuto vigente, prevalecerán aquéllas que resultaren ser más favorables para el (la) profesional colegiado(a).

(Enero 20, 2010, Núm. 8, art. 8.)

Artículo 9.- [Reglamentación, Formularios e Informes] (25 L.P.R.A. sec. 3015)

Para facilitar la implementación de esta Ley, se autoriza a todo colegio de profesionales establecido bajo las leyes de Puerto Rico, cuya membresía sea obligatoria para el ejercicio de la profesión u oficio y conlleve pago de cuota compulsoria, o conlleve la obligación de llenar determinados formularios, rendir informes o cumplir con requisitos de cierto número de créditos en determinado tiempo, a adoptar cualquier reglamento necesario para otorgar los beneficios dispuestos en la misma y difundir a toda la ciudadanía la disponibilidad de dichos beneficios. Asimismo, toda Junta Examinadora, o Colegio de una profesión u oficio colegiado, habrá de adoptar la reglamentación necesaria para que las exenciones dispuestas en esta Ley sean tomadas en cuenta durante el proceso de la renovación de la licencia o de los requisitos para mantenerse al día, según lo disponga su profesión u oficio.

(Enero 20, 2010, Núm. 8, art. 9.)

Artículo 10.- [Penalidad] (25 L.P.R.A. sec. 3016)

Cualquier persona natural o jurídica que intencionalmente viole o en cualquier forma niegue o entorpezca el disfrute de cualquiera de los beneficios concedidos por esta Ley incurrirá en delito y, convicta que fuere, será castigada con multa que no será menor de mil (1,000) dólares ni mayor de cinco mil (5,000) dólares. La sentencia del Tribunal deberá disponer, además, que se le conceda, sin dilación al (la) colegiado(a), los beneficios concedidos por esta Ley. Las personas naturales o jurídicas, tanto del sector público como privado, que obstruyan o actúen de forma tal que afecten los derechos de los beneficiarios de esta Ley serán responsables por los daños que ocasionen, incluyendo el pago de honorarios de abogados, y a discreción del Tribunal, se podrá imponer una indemnización de hasta el triple de los daños que se ocasionen.

(Enero 20, 2010, Núm. 8, art. 10.)

Artículo 11.- [Excepción] (25 L.P.R.A. sec. 3017)

Se eximen a las Juntas Examinadoras de las disposiciones de la Ley Núm. 170 de 12 de agosto de 1988, según enmendada, conocida como la "Ley de Procedimiento Administrativo Uniforme del Estado Libre Asociado de Puerto Rico", referentes a los términos para formular los reglamentos necesarios para la implementación de esta Ley.

(Enero 20, 2010, Núm. 8, art. 11.)

Artículo 12.- [Cláusula de Salvedad]

Si cualquier cláusula, párrafo, subpárrafo, artículo, disposición, sección o parte de esta Ley fuere anulada o declarada inconstitucional, la sentencia a tal efecto dictada no afectará, perjudicará ni invalidará el resto de esta Ley. El efecto de dicha sentencia quedará limitado a la cláusula, párrafo, subpárrafo, artículo, disposición, sección o parte de la misma que así hubiere sido anulada o declarada inconstitucional.

(Enero 20, 2010, Núm. 8, art. 12.)

Artículo 13.- [Vigencia]

Esta Ley entrará en vigor inmediatamente después de su aprobación. En cuanto a los reglamentos dispuestos en la misma, éstos deberán ser adoptados y aprobados dentro de los ciento ochenta (180) días siguientes a la aprobación de esta Ley.

(Enero 20, 2010, Núm. 8, art. 13.)

Reglamento de la Junta Examinadora de Técnicos y Mecánicos Automotrices de Puerto Rico (JETMA)

GOBIERNO DE PUERTO RICO
Departamento de Estado
Secretaría Auxiliar de Juntas Examinadoras

Número: 9250
Fecha: 30 de diciembre De 2020
Aprobado: Lcdo. Raúl Márquez Hernández
Secretario de Estado
Firma: [Omitida]
Departamento de Estado
Gobierno de Puerto Rico

CAPÍTULO I: DISPOSICIONES GENERALES

REGLA 1-BASE LEGAL

La Junta Examinadora de Técnicos y Mecánicos Automotrices se crea y funciona en virtud de la Ley número 40 del 25 de mayo de 1972, según enmendada. La Ley número 78 del 23 de septiembre de 1992. La Ley número 220 del 13 de septiembre de 1996. La Ley número 100 del 26 de marzo de 1999. La Ley número 103 del 27 de marzo de 1999. La Ley número 241del24 de diciembre de 2015. La Ley número 8 de 2010, conocida como la Ley del Profesional Combatiente.

La Ley número 38 del 30 de junio de 2017, según enmendada, conocida como la Ley de Procedimiento Administrativo Uniforme del Gobierno. Reglamento Uniforme de las Juntas Examinadoras Adscritas al Departamento de Estado del Estado Libre asociado de Puerto Rico Número 8644 del 14 de septiembre de 2015.

REGLA 2 -TÍTULO

Este Reglamento se conocerá y podrá ser citado como: Reglamento para el Funcionamiento de la Junta Examinadora de Técnicos y Mecánicos Automotrices de Puerto Rico.

REGLA 3 -PROPÓSITOS

Este Reglamento se promulga con el propósito de disponer el funcionamiento interno de la Junta, de manera que consiga la discusión libre y ordenada, además la economía de tiempo en la atención y disposición de los asuntos bajo la consideración de la Junta.

Establecer las normas y las reglas que regirá el funcionamiento de esta Junta, facilitándole así, tanto al ciudadano, a los técnicos y mecánicos automotrices, como a los propios funcionarios públicos, la mayor y cabal comprensión del proceso administrativo detrás de la expedición de una licencia.

Este Reglamento incluye, además, los rubros de licenciamiento para regular la profesión, la administración de exámenes, la disposición sobre la educación continuada, los costos para la obtención de las licencias y certificados, los procedimientos adjudicativos, medidas de disciplinarias, nuevas disposiciones y cánones de Ética, y otras disposiciones generales.

Se establecen, además, disposiciones esenciales compatibles con los conceptos y enfoques modernos en regulación de la profesión de técnico o mecánico automotriz y la prestación de servicios. Se establece el procedimiento administrativo para reglamentar la admisión, suspensión o separación del ejercicio de técnico o mecánico automotriz o proveedor de educación continuada.

REGLA 4 - DEROGACIÓN

Este Reglamento sustituye; y, en consecuencia, deroga al Reglamento 7130 del 4 de abril de 2006, que promueve la educación continuada de la Junta de Técnicos y Mecánicos Automotrices de Puerto Rico.

REGLA 5 - APLICABILIDAD

Este Reglamento será aplicable a cada uno de los miembros de Junta, a todo aprendiz, mecánico o técnico automotriz, proveedores de educación continuada y todo personal de apoyo.

REGLA 6-DEFINICIONES

Los siguientes términos, según utilizados en los distintos capítulos de este Reglamento, significarán:

A. **Acomodo Razonable en la Educación Continua** - Basado en la Ley ADA, es el ajuste lógico y razonable a los requisitos establecidos en este Reglamento, que atenúe el efecto que pudiera tener la condición de un impedimento en la capacidad del técnico o mecánico automotriz a tomar un curso de educación continua y obtener un aprovechamiento efectivo del mismo, sin que dicho ajuste resulte en cualquiera de los siguientes:

1) Alterar fundamentalmente el objetivo del programa de educación continua obligatoria, el cual es el alentar y contribuir al mejoramiento

profesional mediante el aprovechamiento efectivo de todo curso ofrecido, conforme dispone este Reglamento.

2) Imponer una carga indebida a la Junta en la función administrativa de certificar el cumplimiento del requisito de educación continua.

B. **Acomodo Razonable en la Reválida** -Basado en la Ley ADA, significa el ajuste lógico y razonable a las condiciones establecidas para la administración de los exámenes de reválida, que atenúen el efecto que pudiera tener la condición de un impedimento en la capacidad del aspirante, sin que resulte en cualquiera de los siguientes:

1) Alterar fundamentalmente la naturaleza de los exámenes de reválida o la habilidad de la Junta para determinar, mediante los exámenes de reválida, si el aspirante cumple con los requisitos esenciales de elegibilidad para ejercer la profesión de técnico o mecánico automotriz.

2) Imponer una carga indebida a la Junta.

3) Comprometer la seguridad de los exámenes de reválida.

4) Comprometer la validez, integridad y confiabilidad de los exámenes de reválida.

C. AP A - Asociación Profesional Automotriz - Asociación profesional voluntaria que agrupa a diversos profesionales de la industria automotriz para promover la educación continua, orientación de procesos reglamentarios y prestación de servicios administrativos, y generales. Relacionada a las funciones y responsabilidades de la profesión en sus respectivas áreas, categorías o especialidades.

D. Aspirante - Persona que cumple con los requisitos y los estudios requeridos por esta Junta, que interesa ser admitida al ejercicio de la profesión de aprendiz, mecánico o técnico automotriz.

E. Categoría - Alcance que ofrece la Ley 40 para poder desempeñar en sus labores en la profesión que acobija la Ley 40. Existen tres (3) categorías, aprendiz, mecánico o técnico automotriz.

F. Categoría de Aprendiz Automotriz- Con el propósito de proveer un lenguaje sencillo de entender y comprender, sin la intención de cambiar la definición expresada en la ley, aprendiz automotriz en este Reglamento significará toda persona, en su respectiva área de especialidad, que no aprobó en su examen de reválida. En recompensa se le otorga una licencia por el término de un año para que pueda trabajar bajo la supervisión, responsabilidad y certificación de un mecánico o técnico automotriz, con derecho a solicitar una única extensión.

G. **Categoría de Mecánico Automotriz** -Con el propósito de proveer un lenguaje sencillo de entender y comprender, sin la intención de cambiar la definición expresada en la ley, mecánico automotriz en este Reglamento significará, toda persona, en su respectiva área de especialidad, que se dedique a la realización de labores al mantenimiento, reparación y ajuste de vehículos de transportación motriz, marítimos o terrestres, que sea movido por algún tipo de motor, ya sea un motor de combustión interna, externa, eléctrico, híbrido, o cualquier otro tipo de propulsión que permita el movimiento mecánico, bajo la supervisión, responsabilidad y certificación de un técnico automotriz. Asimismo, podrá supervisar las actividades del aprendiz automotriz.

H. **Categoría de Técnico Automotriz** - Con el propósito de proveer un lenguaje sencillo de entender y comprender, sin la intención de cambiar la definición expresada en la ley, técnico automotriz en este Reglamento significará toda persona, en su respectiva área de especialidad, que se dedique a la realización de labores y que tenga pleno conocimiento, comprensión y dominio de aplicar la técnica manual, y de los procesos envueltos para el mantenimiento, diagnóstico, reparación, y ajuste de vehículos de transportación motriz, marítimos o terrestres, que sea movido por algún tipo de motor, ya sea un motor de combustión interna, externa, eléctrico, híbrido, o cualquier otro tipo de propulsión que permita el movimiento mecánico. El técnico automotriz es la persona autorizada a instruir, coordinar, supervisar y certificar las actividades del aprendiz y del mecánico automotriz. Igualmente, toda persona que se dedique a la educación formal de la técnica automotriz, en cualquiera de sus modalidades o vertientes, en alguna de las Escuelas, Instituciones Educativas públicas o privadas, o Universidades en Puerto Rico, debe estar licenciado en esta categoría de técnico automotriz.

I. **Citación** - Documento expedido para ordenar a un(a) testigo, a un(a) reclamante o a cualquier parte, su comparecencia a algún procedimiento adjudicativo.

J. **Colegio** - Colegio de Técnicos y Mecánicos Automotrices de Puerto Rico. - Es un tipo de asociación profesional o gremio, donde pueden asociarse de manera voluntaria los técnicos o mecánicos automotrices licenciados que son regulados por la JETMAPR quien es el ente Rector de la profesión. El artículo 4, de la Ley 50-1986, les exige que, **sólo pueden** ser miembros los técnicos o mecánicos automotrices que estén admitidos legalmente a ejercer la profesión. Por lo cual, significa que sólo aquellos que posean sus licencias vigentes podrán ser considerados a ser colegiados, si estos voluntariamente deciden pagar las cuotas que este gremio les establezca. El 8 de mayo de 2019, el Tribunal Supremo determinó inconstitucional su compulsoriedad. Por lo tanto, ningún patrono en Puerto Rico puede exigir ser miembro de este gremio como condición de emplear o mantener empleado a ninguna persona, de lo contrario, estaría violando el derecho a la libre asociación establecida en la Constitución del Estado Libre Asociado de Puerto Rico.

K. **Conflicto de Intereses** - Aquella situación en que el interés personal o económico está o puede razonablemente estar en pugna con el interés público. Aplica a los miembros de la Junta, así como a los miembros de los comités o comisiones nombrados por esta. Se entiende por apariencia de conflicto de interés aquella situación en que el miembro de la Junta, Comité o Comisión crea la percepción de que la confianza pública ha sido o pudiera ser quebrantada, según lo pueda interpretar un número significativo de observadores imparciales, por *lo* cual entienden que no se ha actuado objetivamente.

L. **CREC** - Significará el Comité de Revisión de la Educación Continua

M. **Curso Asincrónico** -El curso a distancia o e-learning Asincrónico es una modalidad de aprendizaje en que el tutor y el alumno interactúan en espacios y momentos distintos. Esto permite al alumno, a través de documentación, material y actividades en línea, desarrollar su propio proceso de aprendizaje; es decir que, bajo esta modalidad, el alumno es autónomo, es quién planifica su ritmo y su tiempo de dedicación al estudio y a la participación en tareas o actividades individuales o en grupo, sin necesidad de estar en conexión directa con el ó los tutores y los otros alumnos. Las herramientas de comunicación o interacción más utilizadas para el apoyo de esta modalidad de aprendizaje son: correo electrónico, foros, pizarra informativa, etc.

N. **Curso autorizado o acreditable-** Curso de educación continua o continuada aprobado por la Junta al cumplir con todos los requisitos aplicables y establecidos en este Reglamento.

O. **Cursos completos** - Son programas académicos o cursos en la rama de la mecánica automotriz en alguna Institución Educativa, pública o privada, que contiene dentro del mismo las áreas que se examinan dentro de cada especialidad de licencia. Estos no deben ser dirigido al deporte del automovilismo o alguno otro.

P. **Cursos de Educación Continua ("Curso")-** Es toda actividad educativa dirigida a los técnicos y mecánicos automotrices para llenar sus necesidades de mejoramiento profesional, y diseñada con el fin de que éstos adquieran, desarrollen, actualicen y mantengan los conocimientos y las destrezas necesarias para el desempeño de su profesión dentro de los más altos niveles de calidad y competencia.

Q. **Curso Sincrónico** - El curso a distancia o e-learning Sincrónico es una modalidad de aprendizaje en que el tutor y el alumno se escuchan, se leen y/o se ven en el mismo momento, independiente de que se encuentren en espacios físicos diferentes. Esto permite que la interacción se realice en tiempo real, como en una clase presencial. Las herramientas de comunicación o interacción más utilizadas para el apoyo de esta modalidad de aprendizaje son: Sala de chat, pizarras electrónicas compartidas, audio y videoconferencias (en línea), entre otras.

R. **Delito que conlleva depravación moral** - Se refiere a cualquier conducta o acto inmoral, indecoroso y carente de profesionalismo de un aprendiz, mecánico o técnico automotriz licenciado o aspirante a ser licenciado por el cual ha sido convicto de un delito grave o menos grave que conlleve el menosprecio al orden jurídico vigente y la violación de las normas aceptadas de la práctica profesional, mediante el abandono, explotación, daño o abuso y que tiende a traer reproche o descrédito a los diversos profesionales de la técnica automotriz.

S. **Denuncia** - Imputación o queja radicada ante la Junta por una persona natural o jurídica con respecto a una alegada violación a la ley, este Reglamento o el Código de Ética.

T. **Educación Continua** - Actividad educativa diseñada y organizada para llenar las necesidades de los técnicos y mecánicos automotrices, con el propósito de que adquieran, mejoren, actualicen y desarrollen los conocimientos, y destrezas necesarias para el desempeño de sus funciones dentro de los más altos niveles de competencia profesional.

U. **Educación a Distancia** - Metodología de estudio mediante la cual el estudiante y el profesor o proveedor se encuentran en espacios físicos distintos. Los educandos utilizan sistemas de apoyo diferentes a los estudiantes presenciales y se encuentran en un entorno no institucional la mayor parte del tiempo al realizar sus actividades académicas. Utiliza metodología por correspondencia o electrónica (eLearning, On-Line, virtual, Internet, otros.) para la enseñanza, asesoramiento académico, asesoramiento en investigación, apoyo y servicios administrativos, evaluación y otras interacciones entre los estudiantes y la facultad. El proceso de enseñanza/aprendizaje puede ser **sincrónico o asincrónico** mediados por tecnologías de información y de comunicación. Es altamente planificado y requiere de técnicas especiales de diseño de cursos, de enseñanza y de comunicación entre estudiante/profesor y estudiante/estudiante.

V. **Educación** Híbrida-Metodología de estudio mediante la cual el estudiante y el profesor o proveedor pueden combinar metodologías de enseñanzas, combinando la educación a distancia y la educación presencial. En esta modalidad educativa, el profesor o proveedor ofrece entre el 25% al 75% del material educativo a través de las diversas modalidades de la educación a distancia; el por ciento restantes debe ser en la modalidad presencial, para realizar los ejercicios prácticos que complementen los objetivos educacionales del "curso".

W. **Entidad Afín** - Organización profesional localizado fuera de Puerto Rico que agrupa entre sus miembros a profesionales de la mecánica o técnica automotriz y ofrecen a sus miembros programas de educación continua directamente o a través de programas de certificaciones, cuyos programas sean de reconocida calidad o que hayan sido evaluados por la Junta, y encontrados que cumplen sustancialmente con los requisitos de este Reglamento.

X. **Especialidad** - Dentro de las categorías, existirán áreas de especialidad. Estas especialidades son creadas por Reglamento. Estas deben cubrir las necesidades de otorgamiento de licencias para una industria automotriz en constante evolución.

Y. **Especialidad en el Área de Colisión Automotriz** - Significará toda persona, en su respectiva categoría (aprendiz, mecánico o técnico), que se dedique únicamente a la realización de labores de reparación, y ajuste en las subsiguientes especialidades, como la pintura y el acabado, el análisis no estructural y reparación de daños, el análisis estructural y reparación de daños, el análisis de daños y estimados, la soldadura y fusión de componentes como los pegamentos, para todo de vehículo de transportación motriz incluyendo a: motoras o motocicletas, automóviles, autobuses, camiones, motoras acuáticas, botes o embarcación marina, según los manuales de reparación, utilizando herramientas manuales y herramientas eléctricas especializadas. También, posee conocimientos básicos en los componentes mecánicos y eléctricos, como; la suspensión y dirección, la electricidad, los sistemas de bolsas de aire, los frenos, el sistema de control de clima automotriz, el sistema de enfriamiento del motor, el tren motriz, los sistemas de combustible, admisión y escape, para propósito de realizar una reparación completa de la colisión y no crear daños en otras áreas tecnológicas del vehículo. Igualmente, conocedor de las leyes y medidas de seguridad de la profesión.

Z. **Especialidad en el Área de Mecánica en Equipos Pesados y Camiones** – Significará toda persona, en su respectiva categoría (aprendiz, mecánico o técnico), que se dedique a la realización de labores en las subsiguientes subáreas como: la reparación del motor, sistema de enfriamiento, radiadores, lubricación y cambios de aceites, las transmisiones automáticas, las transmisiones manuales, diferenciales, los sistemas de suspensión, dirección, alineamiento, reparación de aros y gomas o neumáticos (wheels and tires), sistemas de monitoreo de presión de neumáticos TPMS, los frenos, la electricidad y electrónica, diagnóstico y programación de llaves inteligentes, sistemas de bolsas de aire, el sistema de control de clima automotriz, el desempeño del motor de gasolina que se compone de los subsistemas de admisión de aire, los subsistemas de combustibles, los subsistemas de ignición o encendido, los subsistemas de escape, "muffler", catalítico, y [os subsistemas de control de emisiones. El desempeño del motor de diésel (médium trucks en adelante) que se compone de los subsistemas de admisión de aire, los subsistemas de combustibles diésel, los subsistemas de baja y alta presión de aceite, los subsistemas de baja y alta presión de combustible y control de la inyección, los subsistemas de escape, "muffler", catalítico, los subsistemas de tratamiento posterior del escape (exhaust aftertreatment and urea) y control de emisiones. Los modelos híbridos y eléctricos. Esto incluye a camiones de peso mediano (medium trucks) con un peso bruto del vehículo (GVWR o Gross Vehicle Weight Rating) mayor a 14,001 libras de acuerdo con lo establecido por la Administración Nacional de Seguridad del Tráfico en las Carreteras (NHTSA o *National Highway Traffic Safety Administration),* camiones de peso pesado (heavy trucks), autobuses de transportación escolar y pasajeros, equipo agrícola, industrial, comercial, de construcción, motores de generadores eléctricos. Estos camiones o equipos podrán ser movidos por cualquier tipo de combustible como la gasolina, diésel, propano, gas natural comprimido, etanol, metano!, hidrógeno o cualquier otra combinación de combustible. Esto incluye la motriz por electricidad o cualquier combinación híbrida, para permitir el movimiento o accionamiento mecánico, por medio de un conductor u operador, de manera autónoma, entre otras. También, se le autoriza a realizar labores de mecánica marina a todo tipo de transportación marina.

Igualmente, debe ser conocedor de las leyes y medidas de seguridad de la profesión.

AA. **Especialidad en el Área de la Mecánica Marina** - Significará toda persona, en su respectiva categoría (aprendiz, mecánico o técnico), que se dedique únicamente a la realización de labores de mantenimiento, diagnóstico y reparación de los vehículos de transportación marina, ya sea; motoras acuáticas, botes y/o embarcaciones con motores dentro y fuera de borda, sus controles de mando y transmisión de potencia o movimiento de cualquier medio de transportación acuática liviana con fines públicos o recreativos.

Igualmente, la transportación marina mediana a pesada como; botes y/o embarcaciones, transbordadores "ferries", controles y transmisión, o cualquier medio de transportación acuática mediana a pesada, con fines públicos o privados.

BB. **Especialidad en el Área de Mecánica en Vehículos Automotrices -** Significará toda persona, en su respectiva categoría (aprendiz, mecánico o técnico), que se dedique a la realización de labores en las subsiguientes subáreas como: la reparación del motor, sistema de enfriamiento, radiadores, lubricación y cambio de aceites, las transmisiones y transejes automáticos, las transmisiones manuales, cajas de transferencias y diferenciales, los sistemas de suspensión, dirección, alineamiento, reparación de aros y gomas o neumáticos (wheels and tires), sistemas de monitoreo de presión de neumáticos TPMS, los frenos, la electricidad y electrónica, diagnóstico y programación de llaves inteligentes, sistemas de bolsas de aire, el sistema de control de clima automotriz, el desempeño del motor de gasolina que se compone de los subsistemas de admisión de aire, los subsistemas de combustibles, los subsistemas de ignición o encendido, los subsistemas de escape de gases, "muffler", catalítico, y los subsistemas de control de emisiones. El desempeño del motor de diésel (vehículos s y light trucks) que se compone de los subsistemas de admisión de aire, los subsistemas de combustibles diésel, los subsistemas de baja y alta presión de aceite, los subsistemas de baja y alta presión de combustible y control de la inyección, los subsistemas de escape, "muffler", catalítico, los subsistemas de tratamiento posterior del escape (exhaust aftertreatment and urea) y control de emisiones. Los modelos híbridos y eléctricos. Esto es para todo de vehículo de transportación motriz incluyendo a: motoras o motocicletas, automóviles, camiones o camionetas de peso ligero (light trucks) con un peso bruto del vehículo (GVWR o Gross Vehicle Weight Rating) no mayor a 14,000 libras de acuerdo con lo establecido por la Administración Nacional de Seguridad del Tráfico en las Carreteras (NHTSA o *National Highway Traffic Safety Administration)*. Estos vehículos podrán ser movidos por cualquier tipo de combustible como la gasolina, diésel, propano, gas natural comprimido, etanol, metanol, hidrógeno o cualquier otra combinación de combustible. Esto incluye la motriz por electricidad o cualquier combinación híbrida, para permitir el movimiento mecánico, por medio de un conductor, de manera autónoma, entre otras. También, se le autoriza a realizar labores de mecánica marina a todo tipo de transportación marina.

Igualmente, debe ser conocedor de las leyes y medidas de seguridad de la profesión.

CC. **Examinador** - Se componen de los Miembros de la Junta o persona, natural o jurídica, a quien la Junta delega para administrar los exámenes de reválida.

DD. **Extensión de Aprendiz Automotriz** - Licencia que se le otorga a una persona que volvió a no aprobar en su examen de reválida mientras gozaba del privilegio de la licencia de aprendiz automotriz. En recompensa se le otorga una licencia por el término de un año para que pueda trabajar bajo la supervisión, responsabilidad y certificación de un mecánico o técnico automotriz. No tiene derecho a más extensiones.

EE. Fabricantes o Manufactureras de Piezas o Productos - Se define como fabricantes o manufacturera de piezas o productos a toda aquella empresa que se dedique a la fabricación de partes (piezas), productos, motores, transmisiones, entre otros, para la industria automotriz, pero que están clasificados como partes (piezas), productos o componentes aftermarket.

FF. GUIA - Grupo Unido de Importadores de Automóviles - Su propósito es velar, atender y disponer sobre todos aquellos asuntos que atañen o afecten los intereses comerciales de la industria automotriz.

GG. Institución Educativa - Estas pueden ser instituciones educativas, públicas o privadas, reconocidas por el Departamento de Educación de los Estados Unidos, el Departamento de Educación de Puerto Rico, otras agencias u organismos de acreditación nacional o internacional, o por la Junta de Instituciones Postsecundaria del Departamento de Estado, o aquellas instituciones u organizaciones que en el futuro la Junta Examinadora reconozca.

HH. JETMA, JETMAPR o Junta - Junta Examinadora de Técnicos y Mecánicos Automotrices de Puerto Rico.

II. Justa Causa- Cualquier evento, motivo, razón o circunstancia que esté fuera del control de los miembros de la Junta o del personal administrativo del Departamento de Estado y que impida cumplir a los mismos con sus deberes ministeriales. Esto incluye, situaciones de emergencia tales como desastres naturales, enfermedades prolongadas o sucesos inciertos e inesperados.

JJ. Ley 8- Ley número 8 del 20 de enero de 2010, conocida como la Ley del Profesional Combatiente.

KK. Ley 38-Ley número 38 del 30 de junio de 2017, según enmendada, conocida como Ley de Procedimiento Administrativo Uniforme del Gobierno.

LL. Ley 40 - Ley número 40 del 25 de mayo de 1972, según enmendada, que crea la Junta Examinadora de Técnicos y Mecánicos Automotrices de Puerto Rico.

MM. Ley 41- Ley número 41 del 5 de agosto de 1991, conocida como la Ley para regular la relación entre el Departamento de Estado y las Juntas Examinadoras Adscritas.

NN. Ley 78 - Ley número 78 del 23 de septiembre de 1992, conocida como la Ley de Técnicos y Mecánicos Automotrices para Licencias sin Examen.

OO. Ley 100 - Ley número 100 del 26 de marzo de 1999, conocida como la Ley para enmendar el Art. 1 de la Ley 40, 1972, a los fines de eliminar en la definición de "Técnico Automotriz" a aquellas personas que se dedican en todo o en parte a la reparación de aires acondicionados de vehículos de motor.

PP. Ley 103 - Ley número 103 del 27 de marzo de 1999, conocida como la Ley para enmendar el Art. 8 de la Ley de la Junta Examinadora de Técnicos y Mecánicos Automotrices, a fin de fijar el término de cinco (5) años después del vencimiento de la licencia como el término que tiene la Junta para denegar la renovación de la misma.

QQ. Ley 107 - Ley número 107 del 10 de abril de 2003, conocida como la Ley para la Administración de Exámenes de Reválida en el Estado Libre Asociado de Puerto Rico.

RR. Ley 220 - Ley número 220 del 13 de septiembre de 1996, conocida como la Ley de Disposiciones Transitorias de Técnicos y Mecánicos Automotrices y determina que la Junta podrá expedir licencias por especialidades.

SS. Ley 241 - Ley número 241 del 24 de diciembre de 2015, conocida como la Ley para autorizar la expedición de Licencias de Aprendiz de Técnico y Mecánico Automotriz.

TT. Licencia - Certificado emitido por la Junta que indica la categoría y la especialidad de esta. Debe indicar la fecha de efectividad u otorgamiento y la fecha de vencimiento.

UU. Manufacturera de Automóviles - Se define como manufacturera de automóviles toda aquella empresa que se dedique a la manufactura de automóviles, camiones, maquinarias de equipos pesado, de construcción, agrícola, marino, motores, transmisiones, entre otros. Estos manufactureros no pueden ser clasificados como fabricantes de partes (piezas) o componentes Aftermarket.

VV. Mayoría Simple-La mitad más uno de los miembros presentes.

WW. Miembro-Miembros de la Junta Examinadora de Técnicos y Mecánicos Automotrices de Puerto Rico.

XX. Normas Éticas - Son las disposiciones que rigen la conducta profesional adoptada por esta Junta y contenidas en el código de ética o conducta de este Reglamento.

YY. Oficial Examinador-Funcionario(a), que será licenciado(a) en Derecho, designado(a) por el Secretario de Estado o su designado, para investigar y examinar la prueba de alguna queja, evaluar los méritos de la misma y hacer una recomendación a la Junta sobre la adjudicación formal de los hechos y el derecho a base del expediente del caso y conforme a este Reglamento.

ZZ. Orden o Resolución - Cualquier decisión o acción de aplicación particular que adjudique derechos u obligaciones de una o más personas específicas, que ordene la realización de un acto y/o el cese y desista y/o mostrar causa y/o que imponga penalidades y/o sanciones administrativas y/o cualquier orden específica de acuerdo con las circunstancias de cada caso.

AAA. **PRADA** - Asociación de Distribuidores y Concesionarios de Automóviles de Puerto Rico - Su propósito es atender y adelantar los intereses de los miembros en sus esfuerzos cívicos y de economía solidaria dirigida a ofrecer servicios a la clase de "dealers", a la sociedad puertorriqueña y al público en general en cuanto a la obtención, venta y distribución de automóviles en Puerto Rico. Ofrece charlas y orientaciones en cuanto a las necesidades de mejoramiento del servicio que ofrece la industria, así como orientaciones sobre las leyes y reglamentos que la regulan, buscando el fiel cumplimiento de estas.

BBB. **Proveedor** - Persona natural o jurídica que ofrece cursos de educación continua cuyo ofrecimiento se lleve a cabo de conformidad con este Reglamento.

CCC. **Proveedor de Educación Continua** - Persona natural o jurídica, organizaciones profesionales, tales como asociaciones profesionales legalmente constituidas, o Instituciones Educativas acreditadas, fabricantes de piezas o productos (aftermarket), que hayan sido evaluados por la Junta y designada por esta para ofrecer educación continua en Puerto Rico.

DDD. **Querella** - Reclamación formal presentada a la Junta con el propósito de hacer valer el derecho de un reclamante, la política pública y solicitar un remedio adecuado.

Incluirá acciones iniciadas para hacer cumplir las leyes y este Reglamento. Esta se debe fundamentar en una queja que, la Junta evaluará inicialmente para confirmar si existen méritos. Se somete por una persona mediante comunicación escrita, vía facsímil o correo electrónica o cualquier otro medio disponible, con el propósito de hacer valer un derecho y solicitar un remedio.

EEE. **Quórum** - Es la proporción o número de asistente que se requiere para que la sesión de los Miembros de Junta, dentro del procedimiento parlamentario, pueda comenzar, para tomar o adoptar una decisión válida.

FFF. **Reciprocidad** - Acuerdos entre entidades afines de diversas jurisdicciones para otorgar el "trato igual", para expedir licencias o certificaciones a solicitantes de otras jurisdicciones o entidades afines sujetos al crédito/convalidación de los respectivos requisitos que pudieran incluir; grados académicos, cursos, adiestramientos, experiencia y exámenes de reválida o certificaciones con el fin de otorgar la respectiva licencia o certificado.

GGG. **Reglamento** - Reglamento para el Funcionamiento y Operación de la Junta Examinadora de Técnicos y Mecánicos Automotrices de Puerto Rico.

HHH. **Reglamento 3590** - Reglamento número 3590 de Proveedores de Servicios del Departamento de Asuntos del Consumidor.

III. **Reglamento Uniforme o RUJEDEPR** - Reglamento Uniforme de las Juntas Examinadoras Adscritas al Departamento de Estado del Gobierno de Puerto Rico, número 8644.

JJJ. **Reválida** - Examen creado por la Junta para medir si el aspirante cumple con los requisitos esenciales de elegibilidad para ejercer la profesión de técnico o mecánico automotriz. Este es emitido por categoría y especialidad, y puede constar de varias partes. Consiste en prueba administrada mediante un computador de ejecución y determinar si el aspirante posee los conocimientos y destrezas mínimas para el ejercicio de la profesión.

CAPÍTULO II: COMPOSICIÓN Y FUNCIONAMIENTO DE LA JUNTA

REGLA 7 - COMPOSICIÓN DE LA JUNTA

La Junta Examinadora de Técnicos y Mecánicos Automotrices, como organismo gubernamental adscrita al Departamento de Estado será responsable de salvaguardar los mejores intereses del pueblo de Puerto Rico, contribuyendo en la admisión de profesionales competentes que brindarán servicios directos e indirectos a la ciudadanía. Posee el poder de reglamentar la admisión, suspensión o separación del ejercicio de la práctica de la mecánica o técnica automotriz, según lo establece la Ley 40.

La Junta Examinadora de Técnicos y Mecánicos Automotrices estará compuesta por cinco (5) miembros (a menos que alguna nueva ley indique lo contrario), quienes deberán ser personas de reconocida capacidad en sus respectivas ocupaciones.

A. Tres (3) miembros serán nombrados por el Gobernador de Puerto Rico. Deberán ser licenciados en la categoría de técnico automotriz, con no menos de cinco (5) años de experiencia como tales. Por lo menos, uno (1) de ellos deberá tener experiencia en la administración y operación de un taller de servicios mecánicos.

B. Uno (1) de los miembros de la Junta será un representante del Secretario del Departamento de Educación., designado por el propio Secretario, con conocimientos en la tecnología automotriz. Debe ser persona con licencia de maestro en educación en algunos de los cursos de la técnica automotriz reglamentada por esta Junta, y poseer licencia de técnico automotriz en una las especialidades.

C. Otro miembro de la Junta será un representante del Secretario del Departamento de Transportación y Obras Públicas, designado por el propio Secretario, de preferencia, con conocimientos en la tecnología automotriz.

D. La Junta elegirá un presidente(a), un vicepresidente(a) y un secretario(a) entre sus miembros. El miembro representante del Secretario de Transportación y Obras Públicas no podrá ser elegido presidente de esta Junta.

E. Ningún miembro de la Junta podrá ser dueño, accionista o pertenecer a la Junta de Síndicos o Junta de Directores de una universidad, asociación automotriz o institución educativa donde realicen estudios conducentes a su grado profesional.

F. Los miembros de la Junta ejercerán sus funciones hasta que sus sucesores sean nombrados y tomen posesión de sus cargos.

G. Ningún miembro será nombrado por más de dos (2) términos consecutivos para representar la misma área o especialidad automotriz.

REGLA 8 - RENUNCIAS O VACANTES

A. En caso de renuncia, el miembro debe dirigirse al Honorable Gobernador de Puerto Rico a través de la Junta. La Junta enviará la renuncia al Honorable Gobernador para su consideración.

B. En caso de cinco (5) ausencias consecutivas sin justificación, o cualquier acto indebido por parte de un miembro de Junta, esta podrá hacer una amonestación por escrita a la persona.

C. En caso de que un miembro no cumpla con la Regla 8 de este Reglamento, la Junta evaluará y ésta recomendará la separación del cargo de este al Honorable Gobernador.

D. Cualquier vacante en la Junta que ocurra antes del vencimiento del término de nombramiento del miembro que la ocasione, será cubierta de la misma forma que éste fue nombrado y ejercerá sus funciones por término o período restante al de su antecesor.

E. Separación del cargo - El Gobernador de Puerto Rico, por iniciativa propia o por petición de la Junta, podrá separar del cargo a cualquier miembro de la Junta, previa formulación de cargos, notificación y/o audiencia, por incumplimiento de sus deberes, incompetencia manifiesta para desempeñar sus obligaciones, por razones de incapacidad física o mental, abandono de sus funciones, mala conducta o ausencia reiterada y sin excusa justificada, a las reuniones de la Junta. También podrá hacerlo por razones de inmoralidad, convicción de un delito grave o menos grave que implique depravación moral, negligencia o incompetencia manifiestas en el desempeño de sus deberes.

REGLA 9-DIETAS Y MILLAJE

A. Los miembros de la Junta no devengarán salario, honorarios, compensación o remuneración alguna por el desempeño de sus funciones.

B. Sin embargo, los miembro de la Junta, incluso los empleados o funcionarios públicos, recibirán dietas equivalentes a la dieta mínima establecida por el Código Político para los miembros de la Asamblea Legislativa, salvo el Presidente de la Junta, quien recibirá una dieta equivalente al ciento treinta y tres por ciento (133%) de la dieta que reciban los demás miembros de la Junta, así como el reembolso de los gastos por concepto de viaje, de acuerdo con la reglamentación del Departamento de Hacienda que le sea aplicable.

C. Adicionalmente, cada miembro tendrá el derecho al pago del concepto de dietas y millaje, siempre que este se encuentre en una gestión oficial de su cargo, como testigo citado en tribunales, citaciones en la legislatura, tramite de documentos en las oficinas del Departamento de Estado y/o Juntas Examinadoras, reuniones en la Industria Automotriz y otros, donde se demuestre documentalmente la comparecencia.

REGLA 10 - REUNIONES DE JUNTA

A. La Junta celebrará no menos de doce (12) reuniones ordinarias anuales para atender y resolver sus asuntos oficiales.

B. La Junta podrá celebrar, **sin limitarse,** por lo menos seis (6) reuniones extraordinarias anuales para atender y resolver el alto volumen de sus asuntos oficiales o asuntos especiales (audiencias, vistas, educación continua, etc.).

C. La Junta celebrará no menos de cuatro (4) reuniones anuales para visitar Instituciones Educativas con el propósito de ofrecer orientación al estudiantado y/o a la administración sobre el reglamento, procesos de la Junta para la solicitud de exámenes de reválida y expedición de licencias.

D. La Junta celebrará no menos de tres (3) reuniones anuales para visitar compañía que administra los exámenes de reválida.

REGLA 11-INMUNIDAD

Los miembros de la Junta Examinadora de Mecánicos y Técnicos Automotrices disfrutarán de inmunidad en lo que a responsabilidad civil se refiere, cuando actúen en el desempeño de las facultades y obligaciones que le son concedidas en la Ley 41 de 1991 y la Ley 40 de 1972.

REGLA 12-FACULTADES, FUNCIONES Y DEBERES DE LA JUNTA

La Junta tendrá las siguientes facultades y funciones, además de cualquiera otras dispuestas en la Ley 41 de 1991 y la Ley 40 de 1972, según enmendada.

A. Adoptar un Reglamento para su funcionamiento en conformidad con las disposiciones en la Ley 38 de 2017, según enmendada.

B. Adoptar un sello oficial para la autenticación de todos sus asuntos y del cual los tribunales tomarán conocimiento judicial. Tendrá forma circular y se hará adherir o imprimir este sello, en el original de todo documento expedido por esta Junta.

C. Autorizar el ejercicio de aprendiz, mecánico y técnico automotriz a aquellos solicitantes que cumplan con todos los requisitos establecidos en la Ley 40 de 1972, según enmendada y este Reglamento, y expedirle el certificado de licencia, bajo la firma del presidente de la Junta.

D. Denegar, suspender o revocar cualquier licencia a toda persona que no cumpla con las disposiciones de las leyes y cánones de ética que reglamentan el ejercicio de aprendiz, mecánico y técnico automotriz.

E. Desarrollar y generar los exámenes de reválidas. También, podrá someter a contratación, cuya aprobación indelegable sea sometida por la Junta, para W1 proveedor con estos fines, siempre que se respete los niveles de seguridad y secretividad para no divulgar su contenido, el cual conduzca a un fraude.

F. Ofrecer los exámenes de reválida a los aspirantes a de la licencia de mecánico o técnico automotriz, por lo menos dos (2) veces al año, designar fechas, lugar y hora de dichos exámenes. Notificar los resultados de los exámenes en un término razonable, no mayor de sesenta (60) días laborables, después de haber sido administrados los mismos.

G. Podrá contratar a un proveedor para desarrollar bajo la supervisión directa de la Junta los exámenes de reválida y ofrecer estos. En este caso, se delega el ofrecimiento, administración, evaluación y la emisión de los resultados de los exámenes, de acuerdo con los procedimientos de dicho proveedor.

H. La Junta podrá, orientar y/o asesorar a las instituciones educativas de Puerto Rico, públicas o privadas, mediante solicitud que le realicen estas o por iniciativa propia, sobre los lineamientos de esta. De esta manera, las instituciones educativas podrán decidir si adoptan las recomendaciones con el fin de integrar o armonizar estas dentro de sus programas académicos o cursos de adiestramientos, en caso de estas entenderlo necesario, para que las mismas contribuyan al desarrollo de la profesión, sin abandonar los fundamentos, y que cumplan con las horas contacto o horas crédito mínimas de adiestramiento. Sin que esto signifique que la Junta esté imponiendo o entrando en la autonomía de sus operaciones, acreditaciones o su desarrollo curricular.

T. La Junta podrá orientar y/o asesorar a las instituciones educativas de Puerto Rico, públicas o privadas, mediante solicitud que le realicen estas, en la confección del contenido curricular, libros de textos y el equipo necesario en los talleres de las instituciones, como un modo de contribuir al desarrollo de la profesión. Sin que esto signifique que la Junta esté imponiendo o entrando en la autonomía de sus operaciones, acreditaciones o su desarrollo curricular.

J. Para propósito de obtener una licencia, la Junta podrá evaluar y reconocer los programas académicos o cursos de las instituciones educativas, públicas o privadas, reconocidas por el Departamento de Educación de los Estados Unidos, el Departamento de Educación de Puerto Rico, otras agencias u organismos de acreditación nacional o internacional, o por la Junta de Instituciones Postsecundaria del Departamento de Estado, o aquellas instituciones u organizaciones que en el futuro la Junta Examinadora reconozca, y establecer si estos cumplen con los criterios establecidos dentro de este Reglamento. Esto no significa que la Junta entre en la operación y acreditación de las Instituciones Educativas.

K. Llevar un registro oficial y actualizado de las licencias expedidas a cada aprendiz, mecánico o técnico automotriz.

L. Desarrollar y mantener un sistema de información confidencial sobre los certificados de licencias denegados, expedidos, suspendidos o revocados, activos, no activos o vencidos, incluyendo los resultados de reválida, de las características de los revalidados en cuanto a edad, sexo, escuela de donde provienen, índice académico al iniciar y finalizar sus estudios en la técnica automotriz, por área en los exámenes de reválida, y cualquier otra característica o datos de la Junta estime necesario y conveniente para mantener actualizado un sistema de información confiable y adecuado.

M. Establecer relaciones estadísticas sobre los datos en el sistema de información, mantenimiento, la confidencialidad de los datos individuales de las personas afectadas.

N. Aprobar y promulgar, mediante reglamento o resolución aprobada por los miembros de la Junta, las normas que sean necesarias para reglamentar el ejercicio profesional del aprendiz, mecánico o técnico automotriz, con el propósito de proteger y garantizar la mejor salud, seguridad y bienestar del pueblo de Puerto Rico.

O. Iniciar investigaciones o procedimientos administrativos por iniciativa propia, o por querella debidamente juramentada, o querella formal del Secretario de Estado, o Secretario de Justicia, por asociaciones profesionales legalmente constituidas o por alguna agencia estatal y/o federal, contra un aprendiz, mecánico, o técnico automotriz, o aspirante, que incurra en violación a las disposiciones de las leyes, Reglamento y cánones de ética que reglamentan esta Junta, las cuales serán referidas de ser necesario al Oficial Examinador para el trámite correspondiente.

P. Lograr acuerdos o convenios con juntas examinadoras o entidades similares de otras jurisdicciones para el intercambio de información sobre las licencias o certificaciones de técnicos y mecánicos automotrices, otorgados, denegados, suspendidos, o revocados y sobre otras sanciones impuestas a sus miembros.

Q. Entrar en convenios o acuerdos de reciprocidad para el ejercicio de la técnica automotriz con organismos o entidades competentes y oficiales de otras jurisdicciones, y afines.

R. Participar en conjunto con agencias gubernamentales, organizaciones y asociaciones profesionales en actividades dirigidas a promover el mejoramiento de los estándares de la práctica del aprendiz, mecánico, o técnico automotriz, para la protección de la salud y bienestar público.

S. Mantener un registro de todas las Instituciones Postsecundarias de Puerto Rico que tengan, escuelas, asociaciones profesionales legalmente constituidas o programas acreditados; y de las Instituciones Educativas acreditadas o reconocidas por la autoridad competente que ofrecen programas o cursos sobre las diversas ramas de la técnica automotriz.

T. Periódicamente, según la Junta lo estime necesario para salvaguardar el bienestar del pueblo de Puerto Rico, colaborar con la Asamblea Legislativa, las agencias reglamentarias estatales y/o federales para iniciar investigaciones y promover legislación para medir y/o mejorar el funcionamiento de la Junta Examinadora de Técnicos y Mecánicos Automotrices y sus profesionales en el sector público y privado.

U. Rendir al Honorable Gobernador un informe anual sobre los trabajos y gestiones realizadas durante el año.

V. Evaluar, valorar, autorizar y determinar el número de horas créditos a acreditar, o denegar las actividades de educación continua para los técnicos y mecánicos automotrices.

W. Evaluar, recomendar o denegar a proveedores de educación continua y determinar la vigencia de estos.

X. Citar testigos a comparecer ante esta Junta en pleno o ante cualquiera de sus miembros, o ante un Oficial Examinador, a quien se le haya encomendado la investigación de un asunto o el examen de algún documento, para que presten testimonio o presenten cualquier libro, expediente, registro récord o documento, físico o electrónico, o de cualquier naturaleza, relacionado con su asunto dentro de la jurisdicción de esta Junta. Toda citación expedida por la Junta deberá llevar el sello oficial y estar firmada por el presidente.

Y. La Junta, o cualquier miembro de esta, podrá **emitir citaciones bajo apercibimiento** para compeler la comparecencia de testigos y la presentación de documentos, tomar juramentos y declaraciones, presentar prueba y recibir documentos fehacientes en evidencia, en relación con la audiencia o en el acto de esta.

Z. La Junta podrá solicitar al Secretario de Justicia el acudir al Tribunal de Primera Instancia en solicitud de auxilio a su poder de; citación, de requerir la comparecencia de testigos y/o la presentación de evidencia documental, en caso de desobediencia.

REGLA 13 - DELEGACIÓN DE FUNCIONES

A. La Junta podrá delegar en uno o más Oficiales Examinadores cualesquiera de sus poderes y funciones de naturaleza investigativa y adjudicativa, incluyendo la facultad de solicitar juramentos, citar testigos y requerir la entrega de evidencia documental y de otra índole.

B. La Junta podrá nombrar comités o comisiones de profesionales a quienes podrán delegar las funciones que no hayan sido determinadas como indelegables por las leyes y este Reglamento.

REGLA 14-DEBERES DE LOS MIEMBROS DE LA JUNTA

A. Velar y cooperar por el fiel cumplimiento de las leyes y reglamentos por los que se rige esta Junta.

B. Asistir a todas las reuniones de la Junta, con puntualidad y participar en sus deliberaciones.

C. De no poder asistir a alguna reunión establecida en el calendario o reunión extraordinaria, deberá excusarse por escrito y/o llamada telefónica con el presidente de la Junta. En caso de no poder contactar al presidente, deberá referir el documento escrito al vicepresidente o el secretario de esta. Los miembros de Junta no estarán exentos de participar y tomar sus horas de educación continua, según se establece en este reglamento.

D. Deberá desempeñar y realizar todas las funciones antes mencionadas y otras encomiendas y responsabilidades que le sean asignadas por el presidente o por la Junta en pleno.

E. Conocer los requisitos legales para el otorgamiento de licencias.

F. Firmar, en original o con sello electrónico, las actas de las reuniones; por lo menos dos (2) de los miembros que hayan estado presentes.

G. El presidente firmará, en original o con sello electrónico, los certificados de licencias que expida la Junta.

H. Actuar siempre de forma respetuosa e imparcial en todas las gestiones y reuniones, y en la toma de decisiones oficiales de la Junta.

I. Manejar en forma confidencial y no develar información recibida por la Junta o sobre asuntos discutidos en las reuniones de la Junta, investigaciones administrativas, exámenes de reválida, o vistas públicas, entre otras.

J. No hacer expresiones públicas o privadas que comprometan, atenten o develen información sobre los miembros de la Junta, las decisiones tomadas o asuntos discutidos; salvo por previa autorización de la Junta y/o el presidente.

REGLA 15 - OFICIALES DE LA JUNTA

A. El presidente será el principal oficial y portavoz de la Junta, seguido por el vicepresidente y el secretario.

B. Los demás miembros de la Junta actuarán como vocales.

C. Únicamente, en caso de ausencia, incapacidad o muerte, el vicepresidente sustituirá al presidente y se elegirá un nuevo vicepresidente.

D. Al integrarse un nuevo miembro, la Junta podrá entrar en un proceso de elecciones. Ningún cargo está preservado por antigüedad.

REGLA 16-DEBERES DEL PRESIDENTE

El presidente tendrá como deberes:

A. Cumplir y hacer cumplir las leyes y reglamentos por los cuales se rige esta Junta.

B. Representar a la Junta en todos aquellos actos oficiales que requieran la presencia del organismo.

C. Convocar a los miembros de la Junta a reuniones ordinarias o extraordinarias "motu propio", o cuando la mayoría de los miembros que constituyen quórum lo solicite, o cuando así sea necesario.

D. Planificar, citar y dirigir las sesiones de las Juntas.

E. Preparar con el secretario de la Junta y presentar un informe anual sobre las actividades de la Junta, según descrito en la Regla 12.

F. Tomar juramento a toda persona que fuere citada y requerida a declarar ante la Junta.

G. Coordinar y dirigir la revisión de este Reglamento, de forma tal, que se mantenga a tono con las necesidades de la práctica profesional de aprendiz, mecánico y técnico automotriz en Puerto Rico y los Estados Unidos de América.

REGLA 17 - DEBERES DEL VICEPRESIDENTE

A. Presidir las sesiones de las Juntas en ausencia del presidente y asumir todos sus deberes y responsabilidades en caso de ausencia, enfermedad, incapacidad o muerte del presidente.

B. Ayudar al presidente a sus funciones, cuando éste así se lo requiera y desempeñar cualquier otra función especial que le encomiende el presidente.

REGLA18-DEBERES DEL SECRETARIO

El secretario tendrá los siguientes deberes y facultades:

A. Realizará todas aquellas funciones que le sean encomendadas o delegadas por el presidente, o la Junta en pleno, o en virtud de Ley o este Reglamento.

B. Certificará la asistencia por sesiones de los miembros de Junta.

C. Llevará las actas de las sesiones, las que deberán ser aprobadas por la Junta en la próxima reunión ordinaria y firmadas por el presidente y el secretario.

D. Velará porque las actas y el registro de las reuniones no públicas sean privilegiadas y confidenciales, excepto para las Juntas o sus designados para el cumplimiento de esta Ley, las decisiones de licenciamiento y órdenes de disciplina con sus determinaciones de hechos y conclusiones de derecho.

E. Tendrá a su cargo, bajo su custodia y responsabilidad todos los documentos, libros de registros y archivos pertenecientes a la Junta, incluyendo el Registro de Resoluciones, que permanecerán en la Secretaría.

REGLA 19 - SESIONES EXTRAORDINARIAS

La Junta podrá celebrar las reuniones extraordinarias que sean necesarias durante el año, para cumplir con sus deberes ministeriales y el mejor desempeño de sus funciones, previa convocatoria que deberá circularse a los miembros con no menos de veinticuatro (24) horas de antelación.

REGLA20-CONVOCATORIAS

Las sesiones de la Junta serán citadas por el presidente, con por lo menos cinco (5) días de antelación a la fecha en que haya de celebrarse la reunión, excepto por consentimiento unánime de los miembros de la Junta, pero en ningún caso, la convocatoria podrá hacerse con menos de veinticuatro (24) horas de antelación a la reunión.

REGLA 21-QUÓRUM

A. Esta Junta, requieren tres (3) miembros presentes, de los cinco (5) que los constituyen.

B. Ningún miembro podrá delegar su representación en otro miembro de Junta, ni en ninguna otra persona.

C. El presidente en estos casos podrá convocar a sesión extraordinaria cuando lo estime necesario, a iniciativa propia o a petición escrita de dos terceras partes (2/3) de los miembros.

D. Una vez establecido el quórum, todos los acuerdos, resoluciones y decisiones de la Junta, serán por mayoría simple.

E. Cualquier miembro que votare en contra de cualquier asunto, tendrá derecho a explicar su voto para que conste en acta, si así lo desea.

F. Cualquier miembro que votare afirmativo en cualquier asunto, tendrá derecho a explicar su voto para que conste en acta, si así lo desea.

G. Cualquier miembro podrá abstenerse de votar, en cualquier caso.

REGLA 22-ACTAS

Se llevará récord de todo lo discutido durante las sesiones de la Junta, el cual será custodiado por el secretario de la Junta. Dichos récords constituirán las Actas. El primer asunto para trabajar en cada reunión será la lectura del Acta de la sesión anterior, cuya copia se entregará a los miembros en la reunión. Las mismas no se darán por leídas a menos que medie un acuerdo unánime. Las Actas se aprobarán por mayoría simple de los presentes. Una vez aprobadas, serán firmadas por el presidente y el secretario.

REGLA 23 - COMITÉS Y COMISIONES

Las Juntas podrán nombrar aquellos comités o comisiones, permanente o temporales, que considere conveniente para el mejor desempeño de sus funciones. Dichos comités o comisiones podrán estar integrados por miembros de la Junta solamente, o podrán incluirse en los mismos a terceras personas cuando sea necesario, quienes laborarán sin compensación alguna o "ad honorem".

CAPÍTULO III: DISPOSICIONES SOBRE LOS EXÁMENES DE REVÁLIDA

REGLA 24 - PROPÓSITO

A. El propósito de los exámenes de reválida es determinar si los aspirantes a ejercer la profesión de técnico o mecánico automotriz poseen las destrezas y conocimientos básicos necesarios (competencias mínimas necesarias) para la práctica responsable de la profesión.

B. Un examen de reválida no mide excelencia académica, sino que evalúa la capacidad del examinando para manejar teorías, métodos, técnicas de análisis, instrumentos y herramientas, entre otros aspectos. Se evalúa la aplicación de conocimientos y la utilización de ciertas destrezas identificadas como necesarias para el ejercicio de la profesión.

C. La Junta dispone mediante este Reglamento, todo lo concerniente al contenido de los exámenes, al promedio general necesario para aprobar los mismos, la revisión de estos, la repetición de exámenes en los casos en que un aspirante fracase y cualquier otro dato pertinente con relación a los mismos.

REGLA 25 –FORMATO Y TÉCNICAS DE LAS PREGUNTAS

A. En la preparación de los exámenes de reválida siguen un procedimiento riguroso para asegurar que los mismos sean confiables y válidos.

B. La Junta podrá nombrar un Comité de Examen, que deberá componerse de expertos en las materias que se cubren los exámenes, asesorado por psicólogos(as) expertos en la redacción de preguntas de exámenes. Este comité de expertos incluye personas que representan distintas áreas de la industria, entre ellos; distribuidores de vehículos, talleres de mecánica automotriz, escuelas y técnicos independientes. Dicho comité debe identificar las competencias que deben tener los técnicos y mecánicos automotrices para ofrecer un servicio profesional y responsable.

C. Los exámenes serán redactados y se ofrecerán en cuatro tipos de preguntas de selección múltiple.

1) Preguntas directas

2) Preguntas de completar la información

3) Preguntas de técnico A/ técnico B

4) Preguntas de excepto

D. Esos cuatro (4) tipos de preguntas, se distribuirán en tres (3) habilidades cognitivas:

1) Conocimiento

2) Comprensión

3) Aplicación

E. Los exámenes serán ofrecidos en computadoras, utilizando el contenido del banco de preguntas revisadas y/o preparadas por la Junta, el Comité de Examen o la institución u organización contratada a estos fines.

F. Estos se ofrecerán en español y en inglés cuando el aspirante así lo solicita.

G. Cada pregunta tiene solamente una respuesta correcta.

H. Los exámenes de reválida para la categoría de mecánico automotriz se ofrecerán en una (1) sola parte.

I. Los exámenes de reválida para la categoría de técnico automotriz se ofrecerán en dos (2) partes.

REGLA 26-NOTA DE PASE

A. La nota de pase establecida por la Junta, para los exámenes de reválida para la categoría de mecánico automotriz es, una puntuación mínima del setenta por ciento (70%) de contestaciones correctas del total de preguntas, en su contenido de evaluación o examinación.

B. Una vez aprobado el examen de reválida para la categoría de mecánico automotriz, este solo tiene un (1) año de vigencia para propósito se solicitar la licencia. Pasado un (1) año de haber aprobado el examen de reválida, sin completar el proceso para obtener la misma, tendrá que volver a examinarse.

C. La nota de pase establecida por la Junta, para los exámenes de reválida para la categoría de técnico automotriz es, una puntuación mínima del setenta por ciento (70%) de contestaciones correctas del total de preguntas, en su contenido de evaluación o examinación, para cada una de las dos (2) partes.

D. Cada parte aprobada en el examen de reválida para la categoría de técnico automotriz solo tiene un (1) año de vigencia para propósito se solicitar la licencia, a menos que demuestre justa causa.

E. Si un aspirante fracasa en una de las partes del examen y aprobase la otra, solamente tendrá que examinarse en la parte fracasada. La parte aprobada expirará al término de un (1) año y tendrá que reexaminarse en ambas partes, a menos que demuestre justa causa.

F. Los resultados serán entregados el mismo día, una vez finalice su examen.

G. Aprobar el examen de reválida **no le garantiza** a ningún aspirante que la Junta le apruebe su licencia de técnico o mecánico automotriz. El examen de reválida es solo uno de varios requisitos necesarios para lograr obtener una licencia.

H. Una vez aprobado el examen de reválida, el aspirante debe completar la solicitud y presentar los documentos requeridos en el Portal de Internet de esta Junta.

I. Si el aspirante no aprueba el examen de reválida, puede volver a tomar reexamen sin restricciones de límites de veces para intentar el mismo, luego de pagar los derechos correspondientes al administrador del examen.

REGLA 27 - CONVOCATORIA A EXAMEN

A. Esta Junta podrá delegar la preparación y administración de los exámenes de reválida a un proveedor privado e independiente.

B. La Junta a través de la Secretaría Auxiliar de Juntas Examinadoras del Departamento de Estado, publicará el aviso de exámenes de reválida en un periódico de circulación general, anunciando convocatoria abierta. Una vez se anuncie y se abra la convocatoria a examen, los exámenes podrán ser ofrecidos de manera inmediata.

C. Los exámenes de reválida podrán ser administrados a los aspirantes desde el mismo momento en que se abra la convocatoria.

D. El aspirante seleccionará el tipo de examen al cual cualifica, el día y hora de su preferencia, por libre elección, vía Internet.

E. Al seleccionar el tipo de examen de reválida a tomar, el aspirante deberá certificar en su solicitud que conoce y cumple con todos los requisitos dispuestos por la Ley 40 y el Reglamento de esta Junta.

F. La Junta no será responsable si el aspirante se equivoca al seleccionar el tipo de examen para el cual debe cualificar y le paga al proveedor. El aspirante debe canalizar su reclamo hacia el proveedor de examen antes de intentar el mismo.

REGLA 28- ACOMODO RAZONABLE PARA EXAMEN

La solicitud de acomodo razonable para los exámenes de reválida deberá ser presentada junto con la solicitud de admisión a los exámenes de reválida.

REGLA 29 - PROHIBICIÓN A PREPARACIÓN DE CURSOS, TRAMITE DE SOLICITUD O REVISIÓN DE EXAMEN

Durante su incumbencia y por un periodo de cinco (5) años subsiguientes a la conclusión del término de sus funciones, los miembros de Junta y los miembros del comité de examen, no podrán:

A. Participar, directa o indirectamente, en cursos de preparación para aspirantes a los exámenes de reválida que se administran localmente.

B. Participar en el trámite de solicitud de examen de cualquier aspirante, ya sea preparándolo o representándolo en procesos de reconsideración o revisión alguno.

REGLA 30 - CONFIDENCIALIDAD

Al aceptar sus nombramientos, los miembros de Junta y el Comité de Examen reconocen y se obligan a guardar la más estricta confidencialidad, a abstenerse de divulgar las confidencias, secretos, procesos de deliberación y además información o asuntos que puedan ser o hayan sido de consideración por la Junta o el Comité de Examen en la confección de los exámenes de reválida.

REGLA 31- VIOLACIÓN AL PROCESO DE ACREDITACIÓN

Las conductas que se describen a continuación constituirán, entre otras, violaciones a las normas de administración de los exámenes y estarán sujetas a penalidades de acuerdo con este Reglamento:

A. Falsificar o tergiversar credenciales académicas o cualquier otra información requerida para ser admitido al examen de reválida.

B. Sustituir a un aspirante.

C. Hacer o consentir que un individuo tome el examen de reválida a nombre de alguien más.

D. Falsificar o tergiversar los resultados del examen de reválida.

REGLA 32 - SOLICITUD DE REVISIÓN DE EXAMEN

A. Todo aspirante que obtenga un resultado entre 65% y 69%, tiene el derecho de solicitar por escrito a la Junta Examinadora una revisión de este. La solicitud deberá efectuarse dentro de los próximos treinta (30) días, luego de la notificación de la nota de examen. La JETMA evaluará dicha solicitud y le informará al aspirante de su decisión. En los casos en que proceda la revisión, la Junta autorizará al aspirante a solicitarle al administrador del examen a que le otorgue una cita de revisión de examen. El costo de esta revisión será pagado por el aspirante.

B. La revisión de la Prueba o Examen Escrito consiste en comparar su hoja de contestaciones con la clave, para verificar que el examen fue corregido correctamente. De no estar de acuerdo con los resultados de la revisión realizada por el administrador del examen, el aspirante podrá solicitar una reconsideración a la JETMA dentro de veinte (20) días subsiguientes de haber sido notificado de la decisión. De no estar de acuerdo con la decisión final de la JETMA, podrá solicitar al Tribunal de Primera Instancia que revise la decisión de la Junta a base del récord tomado.

CAPÍTULO IV: ESTRUCTURA Y CONTENIDO DE LOS EXÁMENES DE REY ÁLIDA

REGLA 33 - CONTENIDO

La Junta podrá ajustar el contenido y las áreas a medir en los exámenes de reválida de acuerdo con las necesidades y cambios en la industria de la transportación, con el propósito de proteger y garantizar la mejor salud, seguridad y bienestar del pueblo de Puerto Rico.

REGLA 34 - EXAMEN PARA LA CATEGORÍA DE MECÁNICO AUTOMOTRIZ - ESPECIALIDAD EN EL ÁREA DE MECÁNICA EN VEHÍCULOS AUTOMOTRICES

Los exámenes para la categoría de Mecánico Automotriz de la Especialidad de **Mecánica en Vehículos Automotrices** constarán de cien (100) preguntas distribuidas de la siguiente manera:

A. Reparación de Motor-diez (10) preguntas.

B. Transmisiones y Transejes Automáticos - diez (10) preguntas.

C. Transmisiones Manuales, Cajas de Transferencias y Diferenciales-diez (10) preguntas.

D. Construcción de neumáticos (gomas) y aros (wheel and tire), Servicio a los neumáticos (gomas) y aros (wheel and tire), Sistemas de Monitoreo de presión de neumáticos TPMS (Tire Pressure Monitor System) - cinco (5) preguntas.

E. Suspensión, Dirección y Alineamiento- diez (10) preguntas.

F. Frenos - diez (1 O) preguntas.

G. Electricidad, Electrónica, Llaves inteligentes, Bolsas de aire- quince (15) preguntas.

H. Desempeño del Motor de Gasolina-diez (10) preguntas.

L Desempeño del Motor de Diésel (vehículos y light truck)- cinco (5) preguntas.

J. Híbridos/Eléctricos - diez (10) preguntas.

K. Leyes y Seguridad relacionadas a la profesión - cinco (5) preguntas.

REGLA 35 - EXAMEN PARA LA CATEGORÍA DE TÉCNICO AUTOMOTRIZ ESPECIALIDAD EN EL ÁREA DE MECÁNICA EN VEHÍCULOS AUTOMOTRICES

Los exámenes para la categoría de Técnico Automotriz de la Especialidad de **Mecánica en Vehículos Automotrices** constarán de doscientas (200) preguntas distribuidas de la siguiente manera:

A. Reparación de Motor- veinte (20) preguntas.

B. Transmisiones y Transejes Automáticos - veinte (20) preguntas.

C. Transmisiones Manuales, Cajas de Transferencias y Diferenciales - veinte (20) preguntas.

D. Construcción de neumáticos (gomas) y aros (wheel and tire), Servicio a los neumáticos (gomas) y aros (wheel and tire), Sistemas de Monitoreo de presión de neumáticos TPMS (Tire Pressure Monitor System)- diez (10) preguntas.

E. Suspensión, Dirección y Alineamiento - veinte (20) preguntas.

F. Frenos -veinte (20) preguntas.

G. Electricidad, Electrónica, Llaves inteligentes, Bolsas de aire - treinta (30) preguntas.

H. Desempeño del Motor de Gasolina- veinte (20) preguntas.

T. Desempeño del Motor de Diésel (vehículos y light truck) - diez (1 O) preguntas.

J. Híbridos/Eléctricos - veinte (20) preguntas.

K. Leyes y Seguridad relacionadas a la profesión -diez (10) preguntas.

REGLA 36 - EXAMEN PARA LA CATEGORÍA DE MECÁNICO AUTOMOTRIZ - ESPECIALIDAD EN EL ÁREA DE MECÁNICA EN EQUIPOS PESADOS Y CAMIONES

Los exámenes para la categoría de Mecánico Automotriz de la Especialidad de **Mecánica en Equipos Pesados y Camiones** constarán de cien (100) preguntas distribuidas de la siguiente manera:

A. Reparación de Motor- diez (10) preguntas.

B. Transmisiones Manuales y Diferenciales - diez (10) preguntas.

C. Construcción de neumáticos (gomas) y aros (wheel and tire), Servicio a los neumáticos (gomas) y aros (wheel and tire), Sistemas de Monitoreo de presión de neumáticos TPMS (Tire Pressure Monitor System)- cinco (5) preguntas.

D. Suspensión, Dirección y Alineamiento - diez (10) preguntas.

E. Frenos - diez (1 O) preguntas.

F. Electricidad, Electrónica, ADAS, bolsas de aire - quince (15) preguntas.

G. Desempeño del Motor de Gasolina- cinco (5) preguntas.

H. Desempeño del Motor de Diésel-diez (10) preguntas.

I. Híbridos/Eléctricos-diez (10) preguntas.

J. Instalación y reparación de equipos de camiones (chasis, cajas, equipos) - cinco (5) preguntas.

K. Instalación y reparación de sistemas de potencia auxiliar (sistemas hidráulicos, mecánicos y neumáticos) - cinco (5) preguntas.

L. Leyes y Seguridad relacionadas a la profesión - cinco (5) preguntas.

REGLA 37 - EXAMEN PARA LA CATEGORÍA DE TÉCNICO AUTOMOTRIZ ESPECIALIDAD EN EL ÁREA DE MECÁNICA EN EQUIPOS PESADOS Y CAMIONES

Los exámenes para la categoría de Técnico Automotriz de la Especialidad de **Mecánica en Equipos Pesados y Camiones** constarán de doscientas (200) preguntas distribuidas de la siguiente manera:

A. Reparación de Motor- veinte (20) preguntas.

B. Transmisiones Manuales y Diferenciales - veinte (20) preguntas.

C. Construcción de neumáticos (gomas) y aros (wheel and tire), Servicio a los neumáticos (gomas) y aros (wheel and tire), Sistemas de Monitoreo de presión de neumáticos TPMS (Tire Pressure Monitor System) - diez (1 O) preguntas.

D. Suspensión, Dirección y Alineamiento - veinte (20) preguntas.

E. Frenos - veinte (20) preguntas.

F. Electricidad, Electrónica, ADAS, bolsas de aire-treinta (30) preguntas.

G. Desempeño del Motor de Gasolina-diez (10) preguntas.

H. Desempeño del Motor de Diésel -veinte (20) preguntas.

I. Híbridos/Eléctricos - veinte (20) preguntas.

J. Instalación y reparación de equipos de camiones (chasis, cajas, equipos) - diez (10) preguntas.

K. Instalación y reparación de sistemas de potencia auxiliar (sistemas hidráulicos, mecánicos y neumáticos)- diez (10) preguntas.

L. Leyes y Seguridad relacionadas a la profesión - diez (10) preguntas.

REGLA 38 - EXAMEN PARA LA CATEGORÍA DE MECÁNICO AUTOMOTRIZ - ESPECIALIDAD EN EL ÁREA DE COLISIÓN AUTOMOTRIZ

Los exámenes para la categoría de Mecánico Automotriz de la Especialidad de **Colisión Automotriz** constarán de cien (100) preguntas distribuidas de la siguiente manera:

A. Pintura y acabado - quince (15) preguntas.

B. Análisis no estructural y reparación de daños- quince (15) preguntas.

C. Análisis estructural y reparación de daños- quince (15) preguntas.

D. Análisis de daños y estimados - quince (15) preguntas.

E. Componentes mecánicos y eléctricos (Suspensión y dirección, electricidad, frenos, control de clima automotriz, sistema de enfriamiento del motor, powertrain, combustible, admisión, escape, bolsas de aire, híbridos/eléctricos)-veinte (20) preguntas.

F. Soldadura y fusión de componentes (pegamentos)- diez (10) preguntas.

G. Leyes y Seguridad relacionadas a la profesión - diez (10) preguntas.

REGLA 39 - EXAMEN PARA LA CATEGORÍA DE TÉCNICO AUTOMOTRIZ ESPECIALIDAD EN EL ÁREA DE COLISIÓN AUTOMOTRIZ

Los exámenes para la categoría de Técnico Automotriz de la Especialidad de **Colisión Automotriz** constarán de doscientas (200) preguntas distribuidas de la siguiente manera:

A. Pintura y acabado - treinta (30) preguntas.

B. Análisis no estructural y reparación de daños - treinta (30) preguntas.

C. Análisis estructural y reparación de daños - treinta (30) preguntas.

D. Análisis de daños y estimados - treinta (30) preguntas.

E. Componentes mecánicos y eléctricos (Suspensión y dirección, electricidad, frenos, control de clima automotriz, sistema de enfriamiento del motor, powertrain, combustible, admisión, escape, bolsas de aire, híbridos/eléctricos)- cuarenta (40) preguntas.

F. Soldadura y fusión de componentes (pegamentos)- veinte (20) preguntas.

G. Leyes y Seguridad relacionadas a la profesión - veinte (20) preguntas.

REGLA 40 - EXAMEN PARA LA CATEGORÍA DE MECÁNICO AUTOMOTRIZ - ESPECIALIDAD EN EL ÁREA DE LA MECÁNICA MARINA

Los exámenes para la categoría de Mecánico Automotriz de la Especialidad de **Mecánica**

Marina constarán de cien (100) preguntas distribuidas de la siguiente manera:

A. Reparación de los Motores dentro y fuera de borda - diez (10) preguntas.

B. Sistema de Enfriamiento del Motor- cinco (5) preguntas.

C. Desempeño (Performance) de los Motores dentro y fuera de borda a gasolina- diez (10) preguntas.

D. Desempeño (Performance) de los Motores dentro y fuera de borda a diésel - diez (10) preguntas.

E. Sistemas de Combustible a Gasolina- diez (10) preguntas.

F. Sistemas de Combustible a Diésel - diez (1 O) preguntas.

G. Sistemas de Control de Emisiones - cinco (5) preguntas.

H. Sistemas Eléctricos y Electrónicos-quince (15) preguntas.

I. Sistema de Transmisión de potencia y propela- diez (10) preguntas.

J. Mantenimiento - cinco (5) preguntas.

K. Leyes y Seguridad relacionadas a la profesión- diez (10) preguntas.

REGLA 41 - EXAMEN PARA LA CATEGORÍA DE TÉCNICO AUTOMOTRIZ ESPECIALIDAD EN EL ÁREA DE LA MECÁNICA MARINA

Los exámenes para la categoría de Técnico Automotriz de la Especialidad de **Mecánica Marina** constarán de doscientas (200) preguntas distribuidas de la siguiente manera:

A. Reparación de los Motores dentro y fuera de borda - veinte (20) preguntas.

B. Sistema de Enfriamiento del Motor-diez (10) preguntas.

C. Desempeño (Performance) de los Motores dentro y fuera de borda a gasolina-veinte (20) preguntas.

D. Desempeño (Performance) de los Motores dentro y fuera de borda a diésel - veinte (20) preguntas.

E. Sistemas de Combustible a Gasolina - veinte (20) preguntas.

F. Sistemas de Combustible a Diésel-veinte (20) preguntas.

G. Sistemas de Control de Emisiones - diez (1 O) preguntas.

H. Sistemas Eléctricos y Electrónicos - treinta (30) preguntas.

I. Sistema de Transmisión de potencia y propela - veinte (20) preguntas.

J. Mantenimiento- diez (10) preguntas.

K. Leyes y Seguridad relacionadas a la profesión - veinte (20) preguntas.

CAPÍTULO V: CERTIFICADO DE LICENCIA

REGLA 42 - DOCUMENTOS ESTÁNDARES PARA LA SOLICITUD DEL CERTIFICADO DE LICENCIA

Los siguientes documentos deberán ser presentados por los aspirantes a un certificado de licencia, independientemente al tipo de categoría y al tipo de especialidad, al momento de someter una solicitud.

A. Demostrar ser residente permanente de Puerto Rico.

B. Demostrar ser ciudadano o poseer residencia permanente vigente de los Estados Unidos de América.

C. Subir una fotografía reciente a color 2x2 con el estándar de pasaporte en formato digital de foto (JPG, JPEG, PNG, GIF).

1) La fotografía debe ser en fondo blando o crema.

2) Tomada en los últimos 6 meses.

3) No puede ser rectangular, debe ser cuadrada 2x2.

4) No permite utilizar camisa blanca en un fondo blanco.

5) Si decide escanear la foto, esta debe estar escaneada sola, no sobre un papel u otras superficies.

6) Usar una imagen clara de la cara.

7) No utilice filtros de uso común en las redes sociales.

8) No selfies.

9) Quitarse las gafas o espejuelos para la foto.

10) Envíe una foto de alta resolución que no esté borrosa, granulada o pixelada.

11) No cambies digitalmente la foto.

12) No puede enviar una foto dañada con agujeros, pliegues o manchas.

13) Tener una expresión facial neutra o una sonrisa natural, con ambos ojos abiertos. No debe estar virada.

14) Es una fotografía sola y no debe estar escrita de ninguna manera como, ejemplo, scanned by camscanner, entre otros.

D. Subir a color y en PDF el Certificado de Antecedentes Penales con menos de 30 días de ser emitido.

1) Para verificar su valides se toma en cuenta la fecha del último documento sometido en la solicitud por el aspirante.

2) Si el aspirante decide subir sus documentos en fechas distintas, se considera la fecha del último documento sometido, para entonces determinar si el Certificado de Antecedentes Penales está dentro del término de ser elegible.

E. Subir a color y en PDF la Certificación de ASUME con menos de 90 días de ser emitido.

1) Para verificar su valides se toma en cuenta la fecha del último documento sometido en la solicitud por el aspirante.

2) Si el aspirante decide subir sus documentos en fechas distintas, se considera la fecha del último documento sometido, para entonces determinar si la Certificación de ASUME está dentro del término de ser elegible.

F. Subir a color y en PDF copia de la Declaración Jurada (Affidavit) de acuerdo con el tipo de licencia que se esté solicitando.

1) La declaración jurada (affidavit) será el documento legal para identificar genuinamente la identidad del solicitante, por la cual está deberá tener una fotografía reciente pegada que deberá ser ponchada con el sello del notario como prueba de la autenticidad de la fotografía y el solicitante.

2) En esta, el solicitante declarará conocer, comprender y aceptar seguir fielmente todo lo estipulado en las Leyes que regulan esta profesión, y este Reglamento.

3) En esta, el solicitante declarará conocer, comprender y aceptar el código de ética de esta profesión y los términos de vigencia de su licencia de aprendiz, mecánico o técnico automotriz.

G. Subir a color y en PDF copia de la Certificación Médica para la JETMA.

1) La certificación médica deberá declarar que el solicitante se encuentra en buena condición de salud física y mental, y capacitada para trabajar, y dedicarse a las labores relacionadas a esta profesión. Como ejemplo; la reparación y ajuste de vehículos de transportación motriz, que sea movido por algún tipo de motor, ya sea un motor de combustión interna, externa, eléctrico, híbrido, o cualquier otro tipo de propulsión que permita el movimiento mecánico de los diversos medios de transportación en Puerto Rico, entre otras tareas.

2) Si el solicitante ha sido declarado/a incapacitado/a física o mentalmente por un médico mediante peritaje o por un tribunal competente, y se le certifica a la Junta su incapacidad, la Junta deberá denegar la solicitud de la licencia o renovación. 3) Se dispone que, la licencia podrá otorgarse tan pronto la persona sea declarada nuevamente capacitada y si reúne los demás requisitos dispuestos en este Reglamento.

REGLA 43 - SOLICITUD DEL CERTIFICADO DE LICENCIA PARA LA CATEGORÍA DE APRENDIZ AUTOMOTRIZ

Los aspirantes al certificado de licencia en la categoría de aprendiz automotriz, al solicitar deberá realizar y presentar lo siguiente:

A. Evidenciar poseer mínimo dieciséis (16) o dieciocho (18) años de edad, de acuerdo con el tipo de examen de reválida que intentaron.

B. Dirigirse a la solicitud para licencia de **aprendiz automotriz** en el Portal de Internet de esta Junta para crear una cuenta con su perfil y contestar todas las preguntas que se le suministren en la solicitud.

C. Cumplir con los documentos requeridos en la Regla 42 de este Reglamento.

D. Subir a color y en PDF copia del Diploma o Certificación de haber co1npletado mínimo un 9no grado, para los aspirantes que intentaron el examen de reválida para la Categoría de Mecánico Automotriz.

E. Subir a color y en PDF copia del Diploma o Certificación de haber completado mínimo un 12mo grado, para los aspirantes que intentaron el examen de reválida para la Categoría de Técnico Automotriz.

F. Subir a color y en PDF copia de Transcripción de Crédito Oficial de un curso completo de mecánica automotriz, en una de la Institución Educativa, relacionado a la especialidad del examen de reválida tomado.

G. Subir a color y en PDF copia de la Certificación de Horas de Estudio, emitida por la Institución Educativa, de haber completado curso completo de mecánica automotriz, con mínimo de seiscientas (600) horas contacto/crédito, o un mínimo de seis (6) meses de estudio, para los aspirantes que intentaron el examen de reválida para la Categoría de Mecánico Automotriz. El formulario para esta Certificación de Horas de Estudio será emitido por la Junta.

H. Subir a color y en PDF copia de la Certificación de Horas de Estudio, emitida por la Institución Educativa, de haber completado curso completo de mecánica automotriz, con mínimo de mil doscientas (1,200) horas contacto/crédito, o un mínimo de dos (2) años de estudio, para los aspirantes que intentaron el examen de reválida para la Categoría de Técnico Automotriz. El formulario para esta Certificación de Horas de Estudio será emitido por la Junta.

I. Subir a color y en PDF copia de la evidencia de haber tomado recientemente y fracasado el respectivo examen de reválida de acuerdo con la preparación académica, estudios en la mecánica automotriz, categoría y especialidad de licencia a la cual se encuentra aspirando.

1) Al completar la solicitud, la evidencia de haber tomado y fracasado el examen de reválida no debe tener más de noventa (90) días desde la última vez que se ofreció este.

J. Subir a color y en PDF copia de la Declaración Jurada para la Licencia de Aprendiz Automotriz (Affidavit).

K. Subir a color y en PDF copia de la Certificación Médica para la JETMA.

L. Pagar los derechos de solicitud para este certificado de licencia. Refiérase al Capítulo XI para información de los costos. Este concepto es únicamente por procesar la solicitud y no garantiza la obtención de la licencia a menos que cumpla con todo lo requerido por la Junta.

REGLA 44 - SOLICITUD EXTENSIÓN DEL CERTIFICADO DE LICENCIA DE LA CATEGORÍA DE APRENDIZ AUTOMOTRIZ

Los aspirantes a una extensión del certificado de licencia para la categoría de aprendiz automotriz, al solicitar deberá realizar y presentar lo siguiente:

A. El aspirante tiene derecho a una sola extensión de licencia.

B. Esta extensión de licencia debe solicitarse por lo menos treinta (30) días antes de vencer la actual y vigente licencia de aprendiz automotriz.

C. Una solicitud de extensión de licencia completada posterior al vencimiento de su licencia de aprendiz automotriz no será aprobada por los miembros de Junta, a excepción de justa causa.

D. Dirigirse a la solicitud para la **extensión de licencia de aprendiz automotriz** en el Portal de Internet de esta Junta para crear una cuenta con su perfil y contestar todas las preguntas que se le suministren en la solicitud.

E. Cumplir con los documentos requeridos en la Regla 42 de este Reglamento.

F. Subir a color y en PDF copia de su licencia de Aprendiz Automotriz.

G. Subir a color y en PDF copia de la evidencia de haber tomado recientemente y fracasado el respectivo examen de reválida de acuerdo con la preparación académica, estudios en la mecánica automotriz, categoría y especialidad de licencia a la cual se encuentra aspirando.

l. Al completar la solicitud, la evidencia de haber tomado y fracasado el examen de reválida no debe tener más de noventa (90) días desde la última vez que se ofreció este.

H. Subir a color y en PDF copia de la Declaración Jurada para la Licencia de Aprendiz Automotriz (Affidavit).

I. Subir a color y en PDF copia de la Certificación Médica para la JETMA.

J. Pagar los derechos de solicitud para este certificado de licencia. Refiérase al Capítulo XI para información de los costos. Este concepto es únicamente por procesar la solicitud y no garantiza la obtención de la licencia a menos que cumpla con todo lo requerido por la Junta.

REGLA 45 - SOLICITUD DEL CERTIFICADO DE LICENCIA PARA LA CATEGORÍA DE MECÁNICO AUTOMOTRIZ

Los aspirantes al certificado de licencia en la categoría de mecánico automotriz, al solicitar deberá realizar y presentar lo siguiente:

A. Evidenciar poseer mínimo dieciséis (16) años de edad.

B. Dirigirse a la solicitud para licencia de **mecánico automotriz** en el Portal de Internet de esta Junta para crear una cuenta con su perfil y contestar todas las preguntas que se le suministren en la solicitud.

C. Seleccionar el **área de especialidad** de la licencia a solicitar.

D. Cumplir con los documentos requeridos en la Regla 42 de este Reglamento.

E. Subir a color y en PDF copia del Diploma o Certificación de haber completado mínimo un 9no grado, para los aspirantes que aprobaron el examen de reválida para la Categoría de Mecánico Automotriz.

F. Subir a color y en PDF copia de Transcripción de Crédito Oficial de un curso completo de mecánica automotriz, en una de la Institución Educativa, relacionado **en la especialidad** del examen de reválida aprobado.

G. Subir a color y en PDF copia de la Certificación de Horas de Estudio, emitida por la Institución Educativa, de haber completado curso completo de mecánica automotriz, con mínimo de seiscientas (600) horas contacto/crédito, o un mínimo de seis (6) meses de estudio, para los aspirantes que aprobaron el examen de reválida para la Categoría de Mecánico Automotriz. El formulario para esta Certificación de Horas de Estudio será emitido por la Junta.

H. Subir a color y en PDF copia de la evidencia de haber aprobado el respectivo examen de reválida de acuerdo con la preparación académica, estudios en la 1necánica automotriz, categoría y **especialidad** de licencia para la cual se encuentra aspirando.

1. Al completar la solicitud, el examen de reválida para la categoría de mecánico automotriz, este solo tiene un (1) año de vigencia para propósito se solicitar la licencia. Pasado un (1) año de haber aprobado el examen de reválida, sin completar el proceso para obtener la misma, tendrá que volver a examinarse.

I. Subir a color y en PDF copia de la Declaración Jurada para Licencias Iniciales (Affidavit).

J. Subir a color y en PDF copia de la Certificación Médica para la JETMA.

K. Pagar los derechos de solicitud para este certificado de licencia. Refiérase al Capítulo XI para información de los costos. Este concepto es únicamente por procesar la solicitud y no garantiza la obtención de la licencia a menos que cumpla con todo lo requerido por la Junta.

REGLA 46 - SOLICITUD DEL CERTIFICADO DE LICENCIA PARA LA CATEGORÍA DE TÉCNICO AUTOMOTRIZ

Los aspirantes al certificado de licencia en la categoría de técnico automotriz, al solicitar deberá realizar y presentar lo siguiente:

A. Evidenciar poseer mínimo dieciocho (18) años de edad.

B. Dirigirse a la solicitud para licencia de **técnico automotriz** en el Portal de Internet de esta Junta para crear una cuenta con su perfil y contestar todas las preguntas que se le suministren en la solicitud.

C. Seleccionar el **área de especialidad** de la licencia a solicitar.

D. Cumplir con los documentos requeridos en la Regla 42 de este Reglamento.

E. Subir a color y en PDF copia del Diploma o Certificación de haber completado mínimo un 12mo grado, para los aspirantes que intentaron el examen de reválida para la Categoría de Técnico Automotriz.

F. Subir a color y en PDF copia de Transcripción de Crédito Oficial de un curso completo de mecánica automotriz, en una de la Institución Educativa, relacionado **en la especialidad** del examen de reválida aprobado.

G. Subir a color y en PDF copia de la Certificación de Horas de Estudio, emitida por la Institución Educativa, de haber completado curso completo de mecánica automotriz, con mínimo de mil doscientas (1,200) horas contacto/crédito, o un mínimo de dos (2) años de estudio, para los aspirantes que aprobaron el examen de reválida para la Categoría de Técnico Automotriz. El formulario para esta Certificación de Horas de Estudio será emitido por la Junta.

H. Subir a color y en PDF copia de la evidencia de haber aprobado las dos (2) partes del respectivo examen de reválida de acuerdo con la preparación académica, estudios en la mecánica automotriz, categoría y **especialidad** de licencia para la cual se encuentra aspirando.

1. Al completar la solicitud, cada una de las dos (2) partes del examen de reválida para la categoría de técnico automotriz, solo tiene un (1) año de vigencia para propósito se solicitar la licencia. Pasado un (1) año de haber aprobado las partes del examen de reválida, sin completar el proceso para obtener la misma, tendrá que volver a examinarse.

I. Subir a color y en PDF copia de la Declaración Jurada para la Licencia de Aprendiz Automotriz (Affidavit).

J. Subir a color y en PDF copia de la Certificación Médica para la JETMA.

K. Pagar los derechos de solicitud para este certificado de licencia. Refiérase al Capítulo XI para información de los costos. Este concepto es únicamente por procesar la solicitud y no garantiza la obtención de la licencia a menos que cumpla con todo lo requerido por la Junta.

CAPÍTULO VI: RENOVACIÓN DE LICENCIA

REGLA 47 - NORMAS PARA LA RENO V ACIÓN DEL CERTIFICADO DE LICENCIA PARA LAS CATEGORÍAS DE TÉCNICO O MECÁNICO AUTOMOTRIZ

A. Las licencias expedidas de técnico o mecánico automotriz tendrán un término de vigencia de cinco (5) años, y los titulares o tenedores de estas vienen obligados a renovarlas con un mínimo de treinta (30) días de anticipación a su vencimiento.

B. Si la solicitud de renovación de su licencia de técnico o mecánico automotriz es completada pasado un (1) año a la fecha de su vencimiento, el titular o tenedor viene obligado a pagar el doble de los derechos. Refiérase al Capítulo XT para información de los costos.

C. Si su licencia de técnico o mecánico automotriz cumplió cinco (5) años vencida sin completar su solicitud de renovación, podrá optar por una de dos (2) alternativas:

1) Podrá solicitar una audiencia ante la Junta y demostrar justa causa del porqué no cumplió con renovar su licencia en término, de no demostrar la justa causa, podrá optar por la siguiente alternativa aquí presentada.

2) Podrá comenzar el proceso de obtener una licencia nueva, una vez cumpla con los requisitos exigidos por la Ley 40 y este Reglamento, para aquella persona que la solicita por primera vez.

D. Se considera una solicitud completa para la renovación, cuando el titular o tenedor de la licencia logró subir, cumplir y evidenciar todos los documentos requeridos para lograr procesar la solicitud. Se toma en consideración la fecha del último documento enviado o subido a la solicitud en el Portal de Internet de esta Junta.

E. Abrir un proceso de solicitud de renovación de licencia, sin completar los documentos requeridos, no se considera una solicitud formal de renovación.

F. La evidencia de educación continua a presentar para la renovación, **debe ser** educación continuada tomada y aprobada con posterioridad a la fecha de efectividad de su última licencia de técnico o mecánico automotriz.

G. Todo titular de una licencia de técnico y/o mecánico automotriz de la ley número 40 del 1972, según enmendada, deberá presentar evidencia de haber aprobado estudios de educación continua por medio de charlas, seminarios, adiestramientos y cursos cortos, para mejorarse en la práctica de su profesión por un período no menor de cincuenta (50) horas crédito durante cada término de tiempo de vigencia de su licencia.

REGLA 48 - SOLICITUD DE RENOVACIÓN DEL CERTIFICADO DE LICENCIA PARA LAS CATEGORÍAS DE TÉCNICO O MECÁNICO AUTOMOTRIZ

Los siguientes documentos deberán ser presentados por los técnicos o mecánicos automotrices para renovar un certificado de licencia, independientemente al tipo de categoría y al tipo de especialidad, al momento de someter una solicitud.

A. Dirigirse a la solicitud de renovación de la licencia de **mecánico automotriz o técnico automotriz** en el Portal de Internet de esta Junta para crear una cuenta con su perfil y contestar todas las preguntas que se le suministren en la solicitud.

B. Seleccionar el **área de especialidad** de la licencia a renovar.

C. Cumplir con los documentos requeridos en la Regla 42 de este Reglamento.

D. Subir a color y en PDF copia de su última licencia de mecánico o técnico automotriz.

E. Subir a color y en PDF su evidencia de haber completado **cincuenta (50) horas** de educación continuada, por cada término, según se establece en la Ley 40 de 1972, según enmendada y este Reglamento. La Regla 49 de este Reglamento ofrece siete (7) formas o alternativas para poder lograr, completar y/o evidenciar su educación continuada.

F. Subir a color y en PDF copia de ta Declaración Jurada para la Renovación de Licencias (Affidavit).

G. Subir a color y en PDF copia de la Certificación Médica para la JETMA.

H. Pagar los derechos de renovación para el certificado de licencia. Refiérase al Capítulo XI para información de los costos. Este concepto es únicamente por procesar la solicitud y no garantiza la obtención de la licencia a menos que cumpla con todo lo requerido por la Junta.

REGLA 49 - FORMAS O ALTERNATIVAS PARA COMPLETAR SU EDUCACIÓN CONTINUADA

Con el fin de flexibilizar el proceso para; lograr, alcanzar, completar, presentar o evidenciar, la educación continuada requerida al técnico y/o mecánico automotriz, éste contará con siete (7) formas o alternativas para completar esta. Deberán ser acumuladas en "cursos" o materias relacionados al área de especialidad en que se le otorgó su licencia.

A. **Proveedores Certificados de Educación Continua-** Estos son los programas académicos o "cursos" de proveedores aprobados por esta Junta bajo los paramentos establecidos en este Reglamento. Se debe evidenciar haber participado y aprobado horas-crédito de educación continuada ofrecida por los proveedores certificados por esta Junta Examinadora. La lista de los proveedores certificados se encontrará en el Portal de Internet de esta Junta. A estos, se les requiere solicitar ser un proveedor de educación continuada según los lineamientos establecidos en el Capítulo IX por la Junta a través de este Reglamento. Refiérase al Capítulo IX de este Reglamento para más detalles.

B. **Instituciones Educativas** -Este Reglamento reconoce programas académicos o cursos en la rama de la mecánica automotriz en alguna Institución Educativa, que no sean dirigido al deporte del automovilismo, con el propósito de su mejoramiento personal. Debe ser un programa académico o curso en la rama de la mecánica automotriz acreditado por el Departamento de Educación de los Estados Unidos, el Departamento de Educación de Puerto Rico, otras agencias de acreditación nacional o internacional, o por la Junta de Instituciones Postsecundaria del Departamento de Estado. Por lo tanto, exclusivamente para esos programas académicos acreditados por las agencias mencionadas, **no** se les requiere solicitar ser un proveedor de educación continuada según los lineamientos establecidos en el Capítulo IX, por ya estar reconocidos por la Junta a través de este Reglamento.

C. **Manufactureras de Automóviles** - Este Reglamento reconoce en un cien por ciento (100%) todas las charlas o conferencias, seminarios o talleres, adiestramientos o cursos cortos, educación a distancia, que sean claramente identificable como temas técnicos y, que estén orientados al desarrollo de nuevas habilidades y competencias, que sean ofrecidos por las manufactureras de automóviles en el área de la técnica o tecnología automotriz con fechas posteriores a la fecha de efectividad de la licencia automotriz de esta Junta. Por lo tanto, los Técnicos o Mecánicos Automotrices que opten por presentar estas certificaciones de educación continua, deberán presentar copia de sus certificados, o certificaciones con el total de horas acumuladas en conjunto a algún tipo de transcripción de créditos oficial del manufacturero, que sustenten las certificaciones de horas reales de educación continua. Si el certificado técnico no es claramente identificable como un curso técnico, se debe proveer junto al certificado la descripción oficial de la Manufacturera de dicho curso, de tal manera que los evaluadores puedan decidir si este es adjudicable. Por lo tanto, a las manufactureras de automóviles, **no** se les requiere solicitar ser un proveedor de educación continuada según los lineamientos establecidos en el Capítulo IX, por ya estar reconocidos por la Junta a través de este Reglamento.

D. **Ética Gubernamental** - Este Reglamento reconoce las horas-crédito de programas académicos o cursos de educación continuada ofrecidos por la Oficina de Ética Gubernamental de Puerto Rico con fechas posteriores a la fecha de efectividad de la licencia automotriz de esta Junta. Estos cursos contarán en un cien por ciento (100%), hasta un máximo de veinte (20) horas, por ser admitidos como cursos electivos. Por lo tanto, a estos programas de Ética Gubernamental, **no** se les requiere solicitar ser un proveedor de educación continuada según los lineamientos establecidos en el Capítulo IX, por ya estar reconocidos por la Junta a través de este Reglamento.

E. **Examen de Reválida** - Este Reglamento reconoce el privilegio de presentar como evidencia de educación continua el haber aprobado recientemente el examen de reválida para la categoría y especialidad de la licencia que ostenta. Los resultados de este examen de reválida no deben tener más de noventa (90) días de haberlo aprobado para poder utilizarlo como evidencia de educación continuada. Al aprobar este examen de reválida, se le convalidan las cincuenta (50) horas de educación continuada a presentar durante la renovación de su licencia. Solo puede presentar un examen por renovación.

F. **Certificaciones de entidades** afines-Este Reglamento reconoce el privilegio de presentar evidencia de Certificaciones vigentes de entidades afines reconocidas por esta Junta Examinadora. Se le otorgarán 12.5 horas-crédito por cada Certificación de estas entidades afines. A estas, le deben restar como mínimo un (1) año y tres (3) meses de vigencia al momento de completar la radicación de toda la documentación requerida durante el proceso de la renovación, para poder ser considerados como evidencia de educación continua. Por lo tanto, las entidades afines, **no** se les requiere solicitar ser un proveedor de educación continuada según los lineamientos establecidos en el Capitulo IX, por ya estar reconocidos por la Junta a través de este Reglamento. Las Certificaciones reconocidas son las siguientes:

1) National Institute for Automotive Service Excellence (ASE)

2) American Advanced Technicians Institute (AATI)

3) Automatic Transmission Rebuilders Association (AIRA)

Por Resolución, la Junta podrá aprobar otras entidades afines, una vez sean evaluados como se establece en el Capítulo IX de este Reglamento.

G. **Cursos por sumisión** - Este Reglamento reconoce el privilegio de presentar evidencia de educación continua por sumisión. La sumisión de cursos le permite al técnico y al mecánico automotriz poder someter a la consideración y la evaluación de "cursos" de educación continuada tomada por proveedores no certificados por esta Junta. Debe dirigirse a la Regla 70 para comprender el proceso de presentar este tipo de educación continua y costos asociados.

REGLA 50 -ASISTENCIA A LA EDUCACIÓN CONTINUADA COMPULSORIA

A. Se requiere la asistencia compulsoria a programas de educación continuada a **todo titular** de una licencia de técnico y mecánico automotriz, como condición para poder procesar la renovación de esta. En la Regla 49 se ofrecen siete (7) alternativas.

B. Según se establece en la Regla 49, las cincuenta (50) horas de educación continua compulsoria requeridas **para todo titular** de licencia de técnico o mecánico automotriz, deberán ser acumuladas en el material o cursos relacionados al área de especialidad en la cual se le otorgó su licencia, que a su vez son las áreas de especialidad en que se ofrecen exámenes de revalidas bajo la Ley núm. 40 de 1972, según enmendada.

C. De las cincuenta (50) horas de educación continua compulsoria para todo titular de licencia, ofrecidas por los proveedores de educación continuada que ha sido evaluada y aprobada por esta Junta o el CREC, para su mejoramiento profesional, el técnico o mecánico automotriz **podrá optar** por tomar un mínimo de treinta (30) horas en cursos presenciales y a través de los proveedores certificados de educación continua de esta Junta un **máximo** de veinte (20) horas en educación a distancia (modalidad tipo correspondencia, internet, videoconferencias, híbridos, etc.), o cualquier combinación de horas, donde las horas presenciales sean igual o mayor a treinta (30). No obstante, para situaciones particulares donde las Autoridades Gubernamentales decreten emergencias que impida el ofrecimiento de educación presencial, la Junta mediante Resolución, **podrá**

determinar un término limitado en el cual se podrá aceptar el que toda educación continuada sea ofrecida únicamente a través de las diversas modalidades de la educación a distancia.

D. Del total de las horas de cursos presenciales de educación continua compulsoria para su mejoramiento profesional, presentadas por un técnico o mecánico automotriz a través de los proveedores certificados de educación continua de esta Junta, **solo el 20%** de las horas podrán ser en la modalidad de charlas o conferencias. El restante 80% de las horas deberán ser en la modalidad de seminarios o talleres, adiestramientos o cursos cortos. Ejemplos:

De un total de 50 horas presenciales, solo 10 horas podrán ser en modalidad de charlas o conferencias. De un total de 30 horas presenciales, solo 6 horas podrán ser en modalidad de charlas o conferencias.

E. Igualmente, de las cincuenta (50) horas requeridas, de educación continuada compulsoria para su mejoramiento profesional, el técnico o mecánico automotriz podrá optar por tomar **hasta** un máximo de veinte (20) horas en "cursos" electivos, tomados exclusivamente entre las siguientes áreas indicadas a continuación:

1) Servicio al cliente

2) Ética

3) Administración de empresas o de sus talleres o centros de servicio automotriz

4) Ciencia del comportamiento humano

5) Comunicación

6) Aspectos legales relacionados a la profesión o sus talleres o centros de servicio automotriz. El solicitante deberá identificar si las certificaciones de horas de cursos electivos en estas áreas fueron en la modalidad presencial o educación a distancia. En caso de ser presenciales, se deberá identificar si estas horas fueron en la modalidad de charlas o conferencias, seminarios o talleres, adiestramientos o cursos cortos. El solicitante debe presentar sus horas-crédito certificadas por un proveedor certificado de educación continua compulsoria que esté aprobado por esta Junta Examinadora.

F. Durante el periodo de acumulación de horas-crédito de contacto, los titulares de licencias no se le acreditarán certificaciones de temas de cursos repetidos o duplicados, aunque sean tomados en diferentes fechas, durante el mismo término de tiempo de vigencia de su licencia de técnico o mecánico automotriz.

G. Según lo dispuesto en la Ley Núm. 8 de 2010, conocida como la Ley del Profesional Combatiente, todo técnico o mecánico automotriz, miembro de los componentes de reserva de las fuerzas armadas y de las fuerzas activas en servicio activo regular que se encuentre fuera de Puerto Rico por un periodo mayor a un año, estará exento de cumplir con los requisitos de educación continuada durante ese periodo. Así mismo, todo técnico o mecánico automotriz, miembro de la Guardia Estatal o Guardia Nacional de Puerto Rico en servicio activo estatal en horarios extendidos que impida tomar se educación continua por un periodo mayor a un año, estará exento de cumplir con los requisitos de educación continuada durante ese período. Por lo cual, se prorratearán las horas contactos por año, de manera tal que no se contará el tiempo en el que el profesional estuvo activo. Para disfrutar de la exención, el técnico o mecánico automotriz, deberá presentar evidencia del Servicio que indique dicho periodo, según se define en el Artículo 7 de la Ley núm. 8 de 2010.

CAPÍTULO VII: DEBERES Y DERECHOS GENERALES SOBRE LA PRÁCTICA DE APRENDIZ, MECÁNICO O TÉCNICO AUTOMOTRIZ

REGLA 51- DEBERES DEL APRENDIZ, MECÁNICO O TÉCNICO AUTOMOTRIZ

Esta Regla 51 es cónsono al Reglamento 3590 de proveedores de servicios del Departamento de Asuntos del Consumidor (DACO).

A. El aprendiz, mecánico o técnico automotriz debe exhibir prominentemente y a plena vista del público su licencia vigente, en su lugar de negocio, o en el lugar donde ofrece sus servicios, cuando éstos se prestan a consumidores.

B. El aprendiz, mecánico o técnico automotriz de servicio ambulante deberá mostrarle su licencia vigente al consumidor que lo contrata antes de prestar el servicio.

C. En toda factura entregada por un mecánico o técnico automotriz a un consumidor, debe aparecer impreso o escrito el nombre completo del proveedor del servicio, su número de licencia vigente, su dirección y teléfono, si alguno.

D. En todo anuncio comercial de un mecánico o técnico automotriz debe aparecer su nombre completo, su dirección y su número de licencia.

REGLA 52 - DERECHOS DE UN CONSUMIDOR DE SERVICIO AUTOMOTRIZ

Esta Regla 52 es cónsono al Reglamento 3590 de proveedores de servicios del Departamento de Asuntos del Consumidor (DACO).

A. El consumidor tendrá derecho a examinar la licencia exhibida o mostrado por el mecánico o técnico automotriz antes de que éste le preste el servicio, hacerle preguntas, y anotar la información que estime necesaria.

B. El consumidor tendrá derecho a resolver el contrato de servicios si el mecánico o técnico automotriz no le muestra una licencia vigente.

REGLA 53 - DEBERES DE UN PATRONO DE SERVICIO AUTOMOTRIZ

Esta Regla 53 es cónsono al Reglamento 3590 de proveedores de servicios del Departamento de Asuntos del Consumidor (DACO).

A. El patrono deberá cerciorarse que cada aprendiz, mecánico o técnico automotriz que emplea o contrata, tenga su licencia vigente.

B. El patrono deberá informarle a cada aprendiz, mecánico o técnico automotriz que emplea o contrata, los deberes que le impone las leyes y este Reglamento.

C. El anuncio comercial de un patrono debe expresar que los aprendices, mecánicos o técnicos automotrices que emplea o contrata poseen licencia vigente.

D. Si al lugar de negocios del patrono habitualmente acuden consumidores para contratar los servicios prestados por el aprendiz, mecánico o técnico automotriz, el patrono deberá exhibir prominentemente y a plena vista del público, los certificados de licencias vigentes del aprendiz, mecánico o técnico automotriz que emplea o contrata.

CAPÍTULO VIII: CÁNONES DE ÉTICA

REGLA 54 - CÁNONES DE ÉTICA PARA EL APRENDIZ, MECÁNICO Y TÉCNICO AUTOMOTRIZ

La Junta adopta los siguientes Cánones de Ética. Estos son reglas generales que establecen, entre otras cosas, cómo los aprendices, mecánicos y técnicos automotrices deben comportarse en su trato a las personas que acuden al servicio automotriz y la conducta con la que lo deben identificar. En su práctica profesional, ganar con integridad significa, trabajar en forma legal y ética, en cualquier ubicación y en todo lo que se realiza.

A. **Canon 1 - Competencia profesional**

Se debe observar una práctica de competencia profesional. La competencia profesional se debe fundamental en la práctica de la profesión de aprendiz, mecánico o técnico automotriz, basado en las competencias necesarias para el desempeño de su labor fundado en su pericia, habilidad o aptitud. No debe pedir, ni asumir encargos o tareas para las cuales no tenga ni el conocimiento, la experiencia o la debida preparación.

B. Canon 2 -Apoyo de los Colegas

Se debe estar dispuesto a colaborar en ayudar y, a buscar la ayuda y el apoyo de mis colegas mecánicos y técnicos automotrices, cada vez que necesite orientación. Continuar su educación y esforzarse por reparar el vehículo del cliente o consumidor correctamente, desde la primera vez.

C. Canon 3 - Respeto entre colegas

Se debe observar una práctica de respeto. El respeto entre colegas es fundamental en el ejercicio de cualquier profesión. Un buen profesional aprendiz, mecánico o técnico automotriz no debe desacreditar, insultar, molestar o engañar a sus propios colegas o a otros profesionales. Al expresarse sobre estos, debe hacerlo con respeto y consideración.

D. Canon 4 - Práctica con Integridad

Se debe practicar con integridad el servicio automotriz. Lo que significa que, siempre se trabajará para el mejor interés del consumidor, mi empleador y de mí mismo.

E. Canon 5 - Controles de calidad

Se debe ejercer estrictos controles de calidad. Por ejemplo, se puede ofrecer inspeccionar las piezas antes de la instalación; identificar claramente las piezas usadas o restauradas. Mantener registros de mantenimientos para evitar reparaciones innecesarias; y siga las pautas de garantía para piezas y mano de obra.

F. Canon 6-Servicio al Cliente

Se debe tener el compromiso de proporcionar un excelente servicio al cliente. Esta promesa se puede cumplir, **a modo de ejemplo,** el incluir la programación rápida de citas, controles expertos de mantenimiento de vehículos, pruebas de manejo previas y posteriores al servicio, y estimaciones confiables de precios.

G. Canon 7 - Comportamiento honesto

Se debe observar un comportamiento honesto debido a que en el ejercicio de nuestras funciones como aprendiz, mecánico o técnico automotriz, siempre tendremos acceso a información, contactos, influencias o recursos. La utilización antiética de cualquiera de estos medios puede derivar en comportamientos corruptos o deshonestos, como el manejo del dinero ajeno, la manipulación de personas, informaciones o datos, el robo y el fraude.

Todos estos comportamientos se consideran graves y con consecuencias de procesamientos legales.

H. Canon 8 - La inclusión como práctica cotidiana

Se debe observar una práctica de inclusión debido a que en el ejercicio de nuestra profesión como aprendiz, mecánico o técnico automotriz, debemos tratar con todo tipo de personas (empleados, jefes, colegas, clientes, etc.), de diferente origen étnico o social, de distintas edades y grados de formación, con variadas creencias religiosas u opciones personales.

Debemos aseguramos, por lo tanto, de que nuestras acciones y decisiones de índole profesional no estén sujetas a ningún tipo de prejuicio de este tipo (discriminación, segregación, exclusión, etc.) que pueda menoscabar la dignidad humana de una persona.

l. Canon 9 - Costos de piezas y mano de obra

Se debe estar comprometido a realizar reparaciones de calidad, utilizar piezas y productos confiables, probados para el servicio de los vehículos de sus clientes. Los clientes o consumidores depositan su confianza en el mecánico o técnico automotriz para reparar y reemplazar las piezas del vehículo a un costo razonable, sin inflar injustamente los costos o los gastos de mano de obra.

J. Canon 10- Responsabilidad con sus clientes

Se debe observar un comportamiento de responsable con sus clientes. Debemos aceptar las consecuencias de nuestras acciones. Admitir nuestros errores y deben presentar correcciones rápidamente. No debemos tomar represalias contra quienes intentan hacer lo correcto al formular preguntas o plantear preocupaciones.

K. Canon 11 - Manejo responsable de la información

Se debe observar una práctica de manejo responsable de la información. Esto debido a que la información a la que se tiene acceso; debido al cargo o la función que se desempeña el aprendiz, mecánico o técnico automotriz, debe ser manejada con suma discreción por el profesional, bien ante el personal de la empresa o negocio, bien frente a todos aquellos individuos externos a esta. En ocasiones, hay información confidencial que puede afectar o dañar los intereses propios del negocio o del cliente, por eso un buen profesional será discreto y actuará de acuerdo con las responsabilidades de su función.

L. **Canon 12 - Responsabilidad social**

Se debe observar un comportamiento de responsabilidad social. Un profesional debe rechazar cualquier tarea o prestación de servicios cuando tenga conocimiento de que estos puedan ser empleados de manera perjudicial a los intereses de otras personas, grupos, instituciones o comunidades. La práctica indebida o incorrecta de un aprendiz, mecánico o técnico automotriz, puede afectar negativamente la vida de una persona o comunidad. En estos casos, lo más conveniente es rechazar y, de ser posible, denunciar este tipo de actividades.

M. **Canon 13- Cuidado del medio ambiente**

Se debe observar un comportamiento de responsable al cuidado del medio ambiente debido a que toda actividad en el desempeño indebido de un aprendiz, mecánico o técnico automotriz tiene impacto en el medio ambiente y en las comunidades: ruidos, emisiones de gases, consumo energético, contaminación del agua, producción de desechos. Evitar a toda costa el causar daños medioambientales debe ser la única opción ética en toda actividad profesional.

N. **Canon 14 - Demostrar valentía**

Se debe defender todo aquello que sea correcto. Denunciar las malas acciones cuando las detectamos.

O. **Canon 15 - Cumplir con las Leyes y Reglamentos**

Se debe cumplir con las Leyes del Gobierno de Puerto Rico, las leyes de esta profesión y este Reglamento. Pero eso, es sólo lo mínimo. También esfuércese por vivir según nuestros valores y principios éticos.

REGLA 55 - CUMPLIMIENTO DE LOS CÁNONES

Será deber de los aprendices, mecánicos y técnicos automotrices el fiel cumplimiento de estos Cánones.

REGLA 56 -APLICACIÓN DE LOS CÁNONES

Los cánones aplicarán a todos los aprendices, mecánicos y técnicos automotrices debidamente licenciados por esta Junta.

REGLA 57 - VIOLACIÓN A LOS CÁNONES

Cualquier profesional automotriz licenciado por esta Junta que viole fas referidos cánones estará sujeto a las disposiciones del Capítulo X, sobre Acciones Disciplinarias y Sanciones de este Reglamento.

CAPÍTULO IX: DISPOSICIONES SOBRE LA EDUCACIÓN CONTINUA

REGLA 58 -APLICABILIDAD

Las disposiciones sobre la educación continua de este Reglamento aplican a todos los titulares de una licencia de técnico o mecánico automotriz, al amparo la Ley 40 de 1972, según enmendada, así como aquellos(as) a quienes la Junta Examinadora de Técnicos y Mecánicos Automotrices de Puerto Rico ha suspendido de la profesión, en forma temporal o por un periodo de tiempo específico.

REGLA 59 - CUMPLIMIENTO

A. Todo(a) Técnico y Mecánico Automotriz deberá cumplir con un mínimo de cincuenta (50) horas crédito de educación continua en un periodo de cinco (5) años. Al finalizar cada periodo de cumplimiento, el (la) profesional deberá asegurar que su cumplimiento está acreditado. De haber discrepancia, el (la) profesional deberá evidenciar el cumplimiento.

B. El periodo de cumplimiento de cada profesional comienza al momento del otorgamiento de su licencia y/o renovación de licencia hasta el último día del vencimiento de la misma.

C. Toda notificación se enviará a la dirección postal o la dirección electrónica que consta en los récords de la Junta.

REGLA 60-FACULTADES DE LA JUNTA

A. Establecer mediante este Reglamento los requisitos de Educación Continuada Compulsoria, facultad que no podrá ser delegada.

B. Certificar como proveedores a aquellas personas naturales o jurídicas, instituciones educativas, asociaciones profesionales legalmente constituidas, fabricantes de piezas o productos (aftermarket), y cualquier otra entidad que ofrezca educación continua pertinente a la profesión de Técnico y Mecánico Automotriz, la cual es una reglamentada por esta Junta, y facultad que no podrá ser delegada.

C. Cotejar los programas académicos o "cursos" de educación continua pertinentes a la profesión de los técnicos y mecánicos automotrices de Puerto Rico.

D. Reconocer entidades afines.

E. Suscribir acuerdos con Intuiciones Educativas, asoclaclones profesionales legalmente constituidas, peritos, etc. y otras entidades o contratar expertos en el área de evaluación o pedagogía para que le asistan a esta Junta o al CREC en el cumplimiento de sus facultades y de otras funciones relacionadas con la implementación de este Reglamento.

REGLA 61 - PROHIBICIÓN A LA PARTICIPACIÓN COMO PROVEEDOR DE EDUCACIÓN CONTINUA

A. Durante el periodo de su incumbencia y por un periodo de un (1) año subsiguiente a la conclusión del término de sus funciones, ningún miembro de la Junta podrá ser o solicitar ser proveedor certificado o proveedora certificada de la educación continua para esta Junta a través del proceso establecido en este Capítulo IX.

B. Tampoco podrá tener interés pecuniario o participación en los negocios con las entidades proveedoras de educación continua de esta Junta.

C. Tampoco podrá participar como recurso en las actividades desarrolladas por los proveedores o las proveedoras al amparo del programa de educación continua de esta Junta, con el interés pecuniario o participación en sus negocios.

D. Esto no impedirá a ningún miembro de la Junta a poder continuar ejerciendo su profesión, en el caso de ser un educador, siempre y cuando, no solicite durante su incumbencia ser un proveedor de educación continua para esta Junta.

REGLA 62 -DEBERES Y FUNCIONES

A. La Junta certificará a los proveedores de educación continua o continuada y reconocerá entidades afines.

B. La Junta podrá delegar en el Comité de Revisión de la Educación Continua (CREC) la aprobación de los programas académicos o "cursos" de educación continua o cualquier otro asunto establecido en este Reglamento en relación con la educación continuada.

C. Siempre que exista un Presidente de Junta, este CREC podrá continuar trabajando, a pesar de que existan vacantes en los nombramientos de la Junta Examinadora de Técnicos y Mecánicos Automotrices, ya sea por ausencia o por falta de nombramientos para ocupar vacante, con el fin de no paralizar los trabajos de la Educación Continua.

D. La Junta podrá asumir o delegar funciones a este Comité, para propósito de:

1) Supervisar la custodia y control de todos los documentos, registros, expedientes y equipo relacionados con educación continua que estén bajo el control de la Secretaría Auxiliar.

2) Expedir certificaciones de cumplimiento a tenor con este Reglamento.

3) Asegurarse que aquellas entidades con quien se pacte la ejecución de funciones relacionadas con educación continua cumplan con lo acordado.

4) Mantener documentadas las funciones que se ejerzan, mediante las minutas de las reuniones correspondientes y notas en el expediente correspondiente, debidamente firmadas.

5) Evaluar situaciones de incumplimiento con los términos y requisitos de este Reglamento, y recomendar la acción correspondiente.

6) Someter recomendaciones a la Secretaría Auxiliar sobre cualquier otro asunto relacionado con el descargo de sus funciones y la administración eficiente de este Reglamento.

7) Autorizar reglas, formularios, y trámites para la eficiente implementación de los requisitos de este Reglamento.

8) Desarrollará y establecerá los procedimientos, y la política del programa de Educación Continuada.

9) Cualquier otra función relacionada al propósito de este reglamento, según aprobada por la Secretaría Auxiliar o la Junta.

10) De igual manera, estará facultada para trabajar en los siguientes aspectos:

a) La implantación de los requisitos para la radicación de informes, los cuales incluirán información sobre la asistencia a los programas, las cualidades profesionales del personal que está a cargo de estos y las facilidades físicas con que cuenta.

b) La consideración de solicitudes para la exención de tomar o asistir a programas académicos o "cursos" de educación continuada y de solicitudes para períodos de gracia.

c) La recomendación acerca de acciones disciplinarias relacionadas con el programa de educación continuada.

d) Las recomendaciones en relación con cambios en la reglamentación de la educación continuada, formularios de informe y procedimientos relacionados con el programa de educación continuada.

e) La consideración de otras materias sobre la educación continuada que se considere apropiadas.

f) Aprobar programas académicos o "cursos" de educación continua.

g) Custodiar y mantener bajo control todos los documentos, registros y expedientes.

h) Expedir certificaciones a tenor con este Reglamento.

i) Preparar las minutas de las reuniones.

REGLA 63 - COMPOSICIÓN DEL COMITÉ DE REVISIÓN DE LA EDUCACIÓN CONTINUA (CREC)

La Junta **podrá** establecer, de manera permanente o temporal, un Comité de Revisión de la Educación Continua cuando lo estime necesario o cuando al menos tres (3) miembros de esta Junta no posean como mínimo un Bachillerato Universitario en Educación Técnica, Vocacional o Industrial, sin pretender que esto se establezca como W1 requisito obligatorio a tener que tomar en consideración al momento en que el honorable Gobernador de Puerto Rico designe y nombre a los miembros de esta Junta. La composición del Comité de Revisión de la Educación Continua estará compuesta por un presidente, y hasta cuatro (4) miembros adicionales, los cuales deberán poseer como mínimo un Bachillerato Universitario en Educación Técnica, Vocacional o Industrial, ser conocedores en la metodología de la enseñanza y procesos evaluativos en la educación de adultos, también pueden ser instructores de manufactureras de automóviles.

A. El presidente de la Junta podrá ser el presidente de este Comité y dirigirá los trabajos del Comité de Revisión de la Educación Continua con todas las prerrogativas del cargo y conducirá las reuniones conforme a los procedimientos parlamentarios establecidos. Si el presidente de la Junta no posee como mínimo un Bachillerato Universitario en Educación Técnica, Vocacional o Industrial, tendrá la prerrogativa de declinar presidir este Comité, pero será quien entonces designe al presidente del Comité. Este es el único comité que el presidente de la Junta podrá presidir, debido a las responsabilidades de este CREC otorgadas en la Regla 62 y en adelante.

B. Designación de Miembros para el Comité: Los restantes miembros asociados, que podrán ser hasta cuatro (4), serán nombrados por el presidente del Comité, previa recomendación de la JETMA. De acuerdo con la preparación académica y experiencias, los miembros de la Junta Examinadora también podrán ser nombrados en este Comité, los cuales deberán cumplir como mínimo con un Bachillerato Universitario en

Educación Técnica, Vocacional o Industrial o ser instructores de manufactureras de automóviles.

C. Vicepresidente: Será seleccionado entre los miembros del CREC, quien en ausencia del presidente dirigirá los trabajos del día.

D. Secretario(a): El CREC elegirá un secretario(a) de entre sus miembros, el cual ejercerá su cargo con todas las prerrogativas de este.

E. Vacantes: De surgir vacantes, éstas serán cubiertas por candidatos recomendados por la JETMA o el CREC, nombrados por el presidente del Comité y ratificados por la Junta.

F. Reuniones: El CREC celebrará las reuniones que sean necesarias para el mejor desempeño de sus funciones.

G. Ausencias: Todo miembro que faltare a tres (3) reuniones y/o seminarios (actividad de educación continuada) previamente convocado(a) sin causa justificada, se le solicitará la separación del CREC.

H. Quórum: Será constituido por mayoría simple entre los presentes miembros del Comité.

T. Permanencia: La composición de este Comité no tiene que ser permanente y podrá variar según la asistencia de los miembros presentes en las reuniones donde se están dilucidando asuntos relacionados con la educación continua.

REGLA64-DIETAS

Los miembros del Comité de Revisión de la Educación Continua (CREC) no devengarán salario, honorarios, compensación, remuneración, ni dieta alguna por el desempeño de sus funciones.

REGLA 65 - REUNIONES DEL CREC

El CREC celebrará todas las reuniones que sean necesarias para realizar las evaluaciones y determinaciones sobre las solicitudes de proveedores de educación continuada.

REGLA 66 -INMUNIDAD DEL CREC

Los miembros del Comité de Revisión de la Educación Continua (CREC) disfrutarán de la misma inmunidad que poseen los miembros de la Junta Examinadora de Mecánicos y Técnicos Automotrices, en lo que a responsabilidad civil se refiere, cuando actúen en el desempeño de las facultades y obligaciones que le son concedidas en este Reglamento.

REGLA 67 - PROGRAMAS ACADÉMICOS O "CURSOS" DE EDUCACIÓN CONTINUA PRESENCIALES

La educación continuada es el medio para mantenerse actualizado con las últimas tendencias y los avances tecnológicos en la industria de la transportación, en la que se desempeñan los técnicos y mecánicos automotrices. Esto se logra a través de una participación efectiva de programas académicos o "cursos".

Los programas presenciales de educación continuada se deben desarrollar en los formatos de: charlas o conferencias, seminarios o talleres, adiestramientos o cursos cortos. Están orientados al desarrollo de nuevas habilidades y competencias para alentar y contribuir al mejoramiento académico de toda persona que ejerce la profesión, los cuales definimos de la siguiente manera:

A. **Charlas o Conferencias** - Los temas o "cursos" ofrecidos en esta modalidad de charla o conferencia, el técnico o mecánico automotriz estará expuesto a una disertación sobre algún tema concreto. En esta modalidad, el recurso puede exponer un tema o desarrollar un debate sobre el mismo. Las charlas o conferencias se ofrecerán en un ambiente educativo apropiado donde se logre atraer la atención de los participantes sin distracciones. El tema o "curso" por ofrecer en esta modalidad no tendrá una duración mayor a ocho (8) horas contacto. El participante debe estar presente durante todo el curso.

B. **Seminarios o Talleres** - Los temas o "cursos" ofrecidos en esta modalidad de seminario o taller, el técnico o mecánico automotriz estará expuesto a un material especializado que tiene naturaleza técnica y académica, para la enseñanza en una metodología. El objetivo es llevar a cabo un estudio profundo del tema que se está trabajando, y su desarrollo requiere, y se ve favorecido cuando se permite una interactividad importante entre el instructor y los participantes. El tema o "curso" por ofrecer en esta modalidad tendrá duraciones de cuatro (4) u ocho (8) horas contacto. Al instructor, se le requiere que administre una prueba al iniciar el tema o curso y una prueba al finalizar el tema o curso, para propósitos de medir la efectividad de este. La cantidad máxima de participación permitida en este tipo de modalidad es de cincuenta (50) personas. El participante debe estar presente durante el programa académico o "curso" y aprobar la prueba final. Para los temas o "cursos" de 4 horas contacto, se le requiere aprobar un mínimo de siete (7) contestaciones correctas de un total de diez (10) preguntas. Para los temas o "cursos" de ocho (8) horas contacto, se le requiere aprobar un mínimo de catorce (14) contestaciones correctas de un total de veinte (20) preguntas.

C. Adiestramientos o Cursos Cortos - Los temas o "cursos" ofrecidos en esta modalidad de adiestramientos o cursos cortos, el técnico o mecánico automotriz, estará expuesto a un material especializado para hacerlo diestro, enseñarle e instruirle un área específica de la técnica o mecánica automotriz. Se caracteriza por la investigación, el aprendizaje por descubrimiento y el trabajo en equipo que, en su aspecto externo, se distingue por el acopio (en forma sistematizada) de material especializado acorde con el tema tratado teniendo como fin la elaboración de un producto tangible. Puede variar entre un día o varios días de duración. Se enfatiza en la solución de problemas, capacitación, y requiere la participación de los asistentes. Los temas contendrán aproximadamente un 30% de teoría y el restante porcentaje del programa académico o "curso" debe ser desarrollado en tareas prácticas. El tema o "curso" por ofrecer tendrá una duración mínima de ocho (8) horas contacto. Al instructor, se le requiere que administre una prueba al iniciar el tema o "curso" y una prueba al finalizar el tema o "curso", para propósitos de medir la efectividad de este.

1) La cantidad máxima de participación permitida en este tipo de modalidad es de veinte (20) personas.

2) El participante debe estar presente durante el curso y aprobar la prueba final.

3) Para los temas o "cursos" de ocho (8) horas contacto o un día, se le requiere aprobar un mínimo de siete (7) contestaciones correctas de un total de diez (10) preguntas.

4) Para los temas o "cursos" de dieciséis (16) horas contacto o dos días, se le requiere aprobar un mínimo de catorce (14) contestaciones correctas de un total de veinte (20) preguntas.

5) Para los temas o "cursos" de veinticuatro (24) horas contacto o más, tres días o más, se le requiere un examen con un mínimo de treinta (30) preguntas, las cuales deberá aprobar con un mínimo de setenta por ciento (70%). Ejemplo, deberá aprobar un mínimo de veintiuna (21) contestaciones correctas de un total de treinta (30) preguntas.

6) Adicional a lo mencionado en el anterior punto 5, en los temas o cursos de veinticuatro (24) horas contacto o más, tres días o más, se le requieren un examen práctico, el cual debe ser de formato; aprobado/no-aprobado y también debe ser aprobado.

a) Los exámenes prácticos se desarrollan a través de tareas de evaluación, ya sea ejecuciones en el vehículo, en diagnósticos de componentes o equipos sobre bancos de trabajo.

b) Al evaluar este tipo de examen, el participante debe demostrar su dominio en el proceso o la competencia que está ejecutando en la tarea dada. Si demuestra que ha realizado dicha tarea correctamente, entonces, se determina como Aprobado.

c) Si el participante comete errores en ese examen práctico, el instructor evaluará si esos errores son conducentes a fallar el diagnóstico o no lograr reparar el vehículo correctamente, entonces su evaluación es clasificada No Aprobado.

REGLA 68 - ACREDITACIÓN DE PROGRAMAS ACADÉMICOS "CURSOS" DE EDUCACIÓN CONTINUA

Para propósitos de acreditación, todo programa académico o "curso", ya sea ofrecido en Puerto Rico, Estados Unidos o en cualquiera otra jurisdicción, cumplirá con los siguientes requisitos:

A. Tener un alto contenido intelectual y práctico, relacionado con el ejercicio de la profesión de técnico o mecánico automotriz. Igualmente, con los deberes y obligaciones éticas para los licenciados de esta Junta.

B. Contribuir directamente al desarrollo de las competencias y destrezas profesionales para el ejercicio de la mecánica automotriz.

C. Al ofrecer el programa académico o "curso", incluir materiales educativos relacionados al "curso" para cada participante, los que estarán disponible a entregarse para cada participante, ya sea en forma impresa o electrónica, o en alternativa, proveer instrucciones para acceder a los materiales por la Internet u otros medios. Estos deben contener información que, al leerlos les sirva de repaso del "curso" estudiado.

D. En la descripción y objetivos educativos de cada programa académico o "curso", demostrar que los recursos le han dedicado, o le dedicarán, el tiempo necesario para cumplir con el número de horas crédito solicitado y que, en efecto, el programa académico o "curso" será de utilidad para el mejoramiento del ejercicio de la profesión de técnico o mecánico automotriz.

E. Ser ofrecido en lugares y ambientes propicios, con el equipo electrónico o técnico que sea necesario, el espacio suficiente para la matrícula y que contribuya a lograr una experiencia educativa enriquecedora a los participantes.

F. Brindar a los participantes la oportunidad de hacer preguntas directamente a los recursos o a las personas cualificadas para contestar, ya sea personalmente, por escrito o a través de medios electrónicos.

REGLA 69 - SOLICITUD DE PROVEEDORES

A. La solicitud para la aprobación de cursos ofrecidos por proveedores de educación continua, ya sea ofrecido en Puerto Rico, en Estados Unidos o cualquier otra jurisdicción, será presentada en el formulario provisto por la Junta. Por Resolución, la Junta podrá modificar este formulario para atemperarlo a las necesidades de los tiempos.

B. Todo aspirante a ser proveedor de educación continuada para esta Junta deberá someter su carpeta profesional en formato de lectura electrónica, como el PDF, entre las fechas del 1ro de agosto hasta el 31 de agosto del corriente año en curso, por email al oficial administrativo de esta Junta. Esta Junta promoverá que; la educación continua es un asunto de alta importancia y debe ser planificada. La educación continua de excelencia nunca podrá ser de manera improvisada.

C. Con la solicitud se incluirá la información y los anejos para acreditar.

D. Esta solicitud será presentada estrictamente en el siguiente orden o en el formato que por Resolución establezca la Junta:

1) Portada - Titulo de la Carpeta Solicitud - Esta primera página o portada será utilizada para colocar la siguiente información:

a) Nombre del proveedor

b) Nombre y titulo de la persona contacto

c) Dirección

d) Teléfono

e) Fax

f) Correo electrónico

2) Declaración Jurada.

a) Declaración jurada de que se compromete a cumplir con los propósitos del programa de educación continua, con todos los requisitos establecidos por esta Junta, con la generación de los informes, con este Reglamento, y relevará a la Junta en caso de algún proceso jurídico, ocasionado porque el proveedor no ostente los derechos de autor o los permisos de uso del material utilizado.

3) Descripción de la empresa.

4) Índice de la carpeta solicitud con los cursos, horas y página.

5) Evidencia del pago por los derechos o cuotas de revisión. Refiérase a la Regla 97 para más información. Este concepto es únicamente por procesar la solicitud y no garantiza la obtención de la certificación de proveedor a menos que cumpla con todo lo requerido por la Junta.

6) Copia del certificado de "Good Standing" de la corporación.

7) Certificación de radicación de planillas de contribución sobre ingresos de los pasados cinco (5) años del Departamento de Hacienda de la corporación o empresa que esté sometiendo la solicitud.

8) Certificado de Registro de Comerciante de la corporación o empresa que esté sometiendo la solicitud.

9) Currículo vitae o resume de los recursos. Cada currículo vitae o resume debe ser acompañado con copia clara de transcripción de créditos universitarios y certificaciones que lo cualifiquen como capacitado en el curso o cursos a ofrecer, y que sustenten lo colocado en los currículos vitae o resume.

10) Página con fotografías reciente (menos de 6 meses) de los recursos con sus nombres.

11) Copia avanzada de los materiales a distribuirle y/o mostrarle a los técnicos y mecánicos automotrices participantes, si aplica.

12) Documentar la forma en qué los programas educativos o "cursos" presentados serán de utilidad para el mejoramiento de los técnicos y mecánicos automotrices.

13) Precio de cada programa educativo o "curso", si alguno, solo para fines estadísticos.

El precio del curso es determinado por el proveedor y la Junta no determinará la aprobación o no de un programa educativo basado en su precio. Este ítem es solo para fines estadísticos.

E. Por cada programa educativo o "curso":

1) Título de la materia a presentar

2) Descripción del curso

a) La descripción del curso debe establecer en resumen de qué trata el curso.

Antes de redactarla se deberá analizar la población a ser atendida, sus necesidades cognitivas, afectivas y/o psicomotrices. ¿Qué conocimiento debe adquirir el individuo y por qué?

b) Se le debe dar énfasis a desarrollar una buena descripción de lo que se espera lograr con el tema o curso.

3) Número de horas contacto del curso - Se considera una hora contacto, el ofrecimiento entre 50 a 60 minutos reales de educación continua. El tiempo de registro, recesos, almuerzos o entrega de pergaminos no pueden ser contado dentro de las horas contacto del curso. Ver Regla 72.

4) Objetivos educativos del curso dirigidos al participante.

a) La redacción de los objetivos debe ser específicos, claros, a corto plazo y con un alcance real, con relación al tiempo estimado del curso.

b) Incluya una situación, un sujeto y un verbo.

c) Redacte los objetivos educacionales en oraciones completas y en "bullets". No párrafos.

d) Se recomiendan utilizar las Taxonomías de Benjamín Bloom y/o Norman Webb.

e) El título del curso debe guardar una relación directa con la descripción y los objetivos.

5) Tipo de Formato - En esta sección del bosquejo, se deberá especificar si este se va a ser ofrecido en la modalidad presencial de: charlas o conferencias, seminarios o talleres, adiestramientos o cursos cortos. Por el contrario, si este va a ser ofrecido en la modalidad de educación a distancia (correspondencia, eLearning, On-Line, videoconferencia, virtual, etc.), o educación híbrida (combinando educación a distancia y presencial).

6) Prerrequisitos - Colocar los requisitos para participar del curso. Estos deben ser incluidos como parte de la promoción de los temas, para que el solicitante se evalúe si el curso es para su nivel de preparación o se le requiere tomar algún tema previo.

7) Nombre del recurso(s) a ofrecer el curso

8) Nombre del autor(a) o compilador(a) del material del curso. Este debe ser responsable de contar con los derechos o permisos para el uso del material educativo, si aplica.

9) Fecha de creación o revisión del material del curso

F. De la solicitud y los anejos presentados deberá surgir de que cada programa educativo o "curso" cumple con los requisitos en las Reglas 68 y 69 de este Reglamento.

G. La Junta o el CREC evaluará caso a caso estas solicitudes y, discrecionalmente, podrá aprobarlas.

H. La Junta o el CREC podrá requerir el realizar una presentación o explicación presencial para aclarar dudas y/o confirmar que el programa académico o "curso" cumple con los requisitos en las Reglas 67 y 68 de este Reglamento.

I. La decisión de la Junta será notificada antes del 31 de diciembre del corriente año en curso, a menos que exista justa causa o el solicitante a ser proveedor no esté cumpliendo con lo que se le esté requiriendo. En este caso, se le debe notificar al solicitante la justa causa o el incumplimiento.

J. El solicitante deberá pagar los derechos o cuota para la revisión de su solicitud establecidos en la Regla 97 de este Reglamento.

1) Los derechos o cuotas a pagar podrán ser determinados por Resolución de Junta con el fin de cubrir los costos administrativos.

REGLA 70 - SOLICITUD DE CURSOS POR SUMISIÓN

A. Un técnico o mecánico automotriz podrá presentar una solicitud para la aprobación o acreditación de un programa académico o "curso" que haya sido ofrecido por algún proveedor de educación continua no certificado por esta Junta, en Puerto Rico, Estados Unidos o en cualquier otra jurisdicción.

B. La solicitud será presentada en el formulario provisto por la Junta para estos propósitos.

C. Por cada programa académico o "curso" se debe incluir la siguiente información:

1) Título de la materia

2) Descripción del curso

3) Objetivos educativos del curso

4) Número de horas contacto del curso

5) Tipo de Formato (charla o conferencia, seminario o taller, adiestramiento o curso corto)

6) Nombre del recurso que ofreció el "curso"

7) Lugar, día(s) y horario en que se ofreció el "curso"

8) Cantidad pagada por concepto de matrícula del "curso", si alguno, solo para fines estadísticos.

9) Copia de cualquier material que el proveedor haya provisto que explique el contenido

1 O) Cualquier dato o evidencia sobre el proveedor o el "curso" que sea de utilidad para que la Junta o el CREC pueda evaluar el historial del proveedor y determinar si procede acoger la solicitud, cuando el proveedor no sea un proveedor certificado o reconocido por la Junta como entidad afín.

D. Pagar los derechos o cuota establecido por la Junta para este proceso de sumisión de cursos.

Refiérase a la Regla 98 de este Reglamento para más información. Este concepto es únicamente por procesar la solicitud y no garantiza la aprobación del curso por sumisión a menos que cumpla con todo lo requerido por la Junta.

E. De la solicitud y los anejos presentados, deberá surgir de que, cada programa educativo o "curso" cumple con los requisitos en las Reglas 67 y 68 de este Reglamento.

F. La Junta podrá requerir el realizar una presentación o explicación presencial a través de audiencia, de cada curso para aclarar dudas y/o confirmar que el programa académico o "curso" cumple con los requisitos en las Reglas 67 y 68 de este Reglamento.

G. Todo curso por sumisión a tomarse en consideración deberá ser tomado y aprobado con posterioridad a la fecha de efectividad de su última licencia de técnico o mecánico automotriz.

H. La solicitud deberá ser presentada **con un mínimo de treinta (30) días antes** de iniciar su proceso de renovación de su certificado de licencia.

I. Todo curso por sumisión que sea sometido a evaluación posterior a la fecha de inicio de su solicitud de renovación del certificado de licencia, será considerada como una solicitud tardía y tendrá que pagar el doble de los derechos o cuotas establecidos por la Junta para este proceso de sumisión de cursos. Refiérase a la Regla 98 de este Reglamento para más información.

J. La Junta tendrá un máximo de sesenta (60) días, desde la fecha en que se completó la solicitud, para tomar y notificar una decisión final sobre la evaluación del curso por sumisión.

REGLA 71- CURSOS OFRECIDOS POR ENTIDADES PROFESIONALES PÚBLICAS, PRIVADAS E INSTITUCIONES EDUCATIVAS: REQUISITOS

Las entidades profesionales públicas, privadas o Instituciones Educativas, fabricantes de piezas o productos (aftermarket), con interés en ofrecer un programa académico o "curso" para que se le acredite como educación continuada a sus empleados que sean técnicos o mecánicos automotrices, cumplirán con lo establecido en las Reglas 67, 68 y 69 de este Reglamento.

REGLA 72 - CÓMPUTO DE CRÉDITOS

Esta Junta requiere cincuenta (50) horas crédito de educación continuada mínimas por cada término de cinco (5) año para poder renovar sus certificados de licencia. Estas horas créditos se calcularán de la siguiente manera:

A. Una hora crédito **consistirá** entre cincuenta (50) a sesenta (60) minutos de participación en actividades propias de educación.

B. Los solicitantes a proveedores presentarán a la Junta o al CREC el número de horas crédito contacto del programa académico o "curso". La Junta o el CREC evaluará el contenido intelectual y práctico relacionado a la profesión, para determinar el número de horas crédito contacto a certificar. Se tomará en consideración la naturaleza del "curso", el tiempo que normalmente se requiere para completarlo y el informe que rinda el proveedor respecto al desempeño de quienes tomarán o tomaron el curso.

1) Ejemplo: Un proveedor somete solicitud de un "curso" a ofrecer por cuatro (4) horas crédito. Luego de la evaluación, se determinó otorgarle una (1) hora crédito.

El proveedor debe ofrecer el "curso" en las cuatro horas contacto, según lo presentó y fue evaluado, pero en el certificado a expedir a los participantes, solo le colocará que es válido por una (1) hora crédito para esta Junta.

REGLA 73 - CURSOS DE EDUCACIÓN A DISTANCIA

A. Esta Junta acepta evaluar programas académicos o "cursos" que utilicen mecanismos no tradicionales de enseñanza y aprendizaje, ya sea por correspondencia, computadora, video, grabación, videoconferencias, eLearning, on-line, virtual u otros medios, sujeto a las limitaciones y requisitos establecidos en la Regla 73 de este Reglamento.

B. El proveedor, el técnico o mecánico automotriz que solicite la aprobación, deberá demostrar que el curso cumple con los requisitos establecidos en las Reglas 67, 68, 69 y los fines del programa de educación continua para esta Junta y este Reglamento.

C. El proveedor deberá identificar cuál o cuáles son los métodos que utilizará para confirmar la inscripción del participante (lo que constituye la matrícula). Como ejemplo, la evidencia del pago con la fecha, lo que constituye el registro al curso. El registro a través de los emails. Etc.

D. El proveedor deberá identificar cuál o cuáles son los métodos que utilizará para confirmar la participación durante el curso. Es importante que en cursos en vivo a través de plataformas on-line, videoconferencias, virtuales, etc., se confirme la presencia y atención del participante. Esto evitará que el participante solo ingrese para evidenciar su presencia, pero realmente no se encuentra en atención al curso.

E. El proveedor deberá identificar cuál o cuáles son los métodos que utilizará para confirmar la efectividad y la aprobación del curso por parte del participante. Esto es la evidencia de la terminación satisfactoria del programa por parte del participante. Todo curso en la modalidad de educación a distancia o híbrido, el participante tiene que aprobar un examen con una puntuación no menor del 70% para poder recibir su certificación de créditos-horas.

F. La Junta o el CREC evaluará caso a caso estas solicitudes y, discrecionalmente, podrá aprobarlas.

REGLA 74 - DEBERES DEL PROVEEDOR SOBRE EL APROVECHAMIENTO ACADÉMICO

A. Todo proveedor debe realizar evaluaciones continuas y sistemáticas en cuanto a logros de objetivos educativos, diseño de programas, métodos pedagógicos, contenido de materiales, calidad de los recursos, entre otros.

B. A solicitud de la Junta, el proveedor rendirá informes sobre cómo los mecanismos utilizados logran el aprovechamiento académico de sus cursos, los objetivos del programa, la continua presencia, la participación real y efectiva de los asistentes.

C. La Junta podrá verificar la eficacia de estos mecanismos a través de los procedimientos establecidos en este Reglamento, por lo cual, todo proveedor conservará los documentos y expedientes relacionados con el cumplimiento de esta Regla 74 por el término de cinco (5) años.

D. Asegurarse que los programas son revisados por personas competentes en la materia, distintas a quienes los prepararon, de manera que se cumpla con lo dispuesto en este Reglamento.

E. Promover la participación únicamente de aquellos candidatos que cumplen con los requisitos de preparación anticipada que sea necesaria para el programa. La distribución a tiempo del material del programa estimula la preparación por adelantado. Cumplir con el espíritu de esta norma estimulando:

1) El registro solamente de participantes elegibles.

2) La distribución oportuna de los materiales.

REGLA75-RECURSOS

A. Todo proveedor establecerá los mecanismos necesarios que garantice que los recursos que emplee para proveer la educación continuada posean las calificaciones, competencia profesional y destrezas técnicas, y pedagógicas, que permitan una enseñanza provechosa de los programas académicos o "cursos".

B. La Junta o el CREC podrá verificar en cualquier momento si el proveedor cumple con lo dispuesto en esta Regla 75.

REGLA 76-ACTIVIDADES NO RELACIONADAS CON EDUCACIÓN CONTINUADA

Si el proveedor combina un programa académico o "curso" con otras actividades que no son objeto de acreditación por la Junta, como registro, almuerzo, meriendas, o presentaciones comerciales, éste expresará en los documentos que rinda a la Junta el tiempo exacto dedicado a la educación continuada requerida por la Junta y el tiempo dedicado a otra actividad. El tiempo lectivo de horas contacto del curso no puede verse afectado. De lo contrario, en la certificación deberá colocarse las horas contacto que fueron reales durante el evento. De no cumplirse con esta Regla 76, se considerará una violación grave al proceso de la educación continua.

REGLA 77 - DEBER DE PROVEER ACOMODO RAZONABLE

Todo proveedor ofrecerá acomodo razonable al técnico o mecánico automotriz que lo solicite por razón de algún impedimento según la Ley ADA, para que pueda cumplir con el requisito de educación continua obligatoria.

REGLA 78 - EXPEDIENTES DE LOS CURSOS E INFORMES

A. Todo proveedor conservará por un término mínimo de cinco (5) años, contados a partir de la fecha en que se ofreció el programa académico o "curso", los expedientes e informes sobre los "cursos" que haya ofrecido para propósitos de acreditación y los mantendrá a la disposición de esta Junta para inspección cuando ésta los requiera.

B. Los expedientes e informes por programas académicos o "cursos" presenciales incluirán la información esencial para la acreditación de la educación continua que se detalla a continuación:

1) Identificación de los programas académicos o "cursos" y sus objetivos educativos.

2) Recursos que participaron.

3) Lista de asistencia con los nombres, números de licencia de técnico o mecánico automotriz, y como mínimo las firmas al inicio, y al finalizar el "curso" de quienes tomaron los "cursos. La siguiente imagen es solo un ejemplo sugerido:

[Formulario Omitido- Hoja de Asistencia de Cursos Presenciales]

[Recomendación: Verifique en el website oficial del Departamento de Estado para disponibilidad www.estado.gobierno.pr o en www.FormuPlus.com]

4) Lugar dónde fue efectuó el programa académico o "curso".

5) Copia de la promoción del programa académico o "curso".

6) Número de horas contacto otorgadas. De ser necesario, informe en cumplimiento con la Regla 76.

7) Resumen (tabulación) de las evaluaciones de los cursos realizadas por parte de los técnicos y mecánicos automotrices que lo tomaron, respecto al curso y sus profesores.

8) Registros o informes las certificaciones de participación expedidas y/o certificaciones relacionadas, que documenten cuándo; se inscribió, pagó, se dictó el "curso" se emitió el certificado, número de identificación o conteo del certificado, y horas certificadas, entre otros.

La siguiente imagen es solo un ejemplo sugerido:

[Formulario Omitida- Hoja de Informes de cursos Presenciales]

[Recomendación: Verifique en el website oficial del Departamento de Estado para disponibilidad www.estado.gobierno.pr o en www.FormuPlus.com]

9) Utilización de mecanismos tecnológicos o de otra índole para la enseñanza en forma individual o a distancia, si aplica.

10) Informes sobre aprovechamiento académico de los "cursos" o terminación satisfactoria del programa por parte del participante. Por ejemplo:

a) Sometiendo copia certificada del cuaderno de trabajo completado por el participante.

b) Copia de examen aprobado por el participante.

11) Una copia fiel del material del curso distribuido a los participantes. Si el curso fue ofrecido varias veces, una copia es suficiente para cumplir con este ítem.

12) Cualquier otra información pertinente.

C. Adicional a todo esto lo mencionado en el inciso B de esta Regla 78, los "cursos" de educación a distancia o híbridos deberán:

1) Evidenciar la fecha de inscripción y pago del "curso". Esto puede ser a través de hojas de registro o matrícula.

2) Evidenciar la participación efectiva de los participantes.

3) Número de horas contacto otorgadas. De ser necesario, informe en cumplimiento con la Regla 76.

4) Evidenciar la efectividad y aprobación del curso por los participantes sobre el aprovechamiento académico de los "cursos" o terminación satisfactoria del programa por parte del participante. Por ejemplo:

a) Sometiendo copia certificada del cuaderno de trabajo completado por el participante.

b) Copia de examen aprobado por el participante.

5) Evidenciar fecha de cuándo el participante completó el "curso".

6) Evidenciar cuándo se emitió la certificación.

7) Registros o informes las certificaciones de participación expedidas y/o certificaciones relacionadas, que documenten cuándo; se inscribió, pagó, se dictó el "curso" se emitió el certificado, número de identificación o conteo del certificado, y horas certificadas, entre otros.

La siguiente imagen es solo un ejemplo sugerido:

[Formulario Omitido- Hoja de Informes de Cursos Ofrecidos en Educación a Distancias]

[**Recomendación:** Verifique en el website oficial del Departamento de Estado para disponibilidad www.estado.gobierno.pr o en www.FormuPlus.com]

8) Resumen de las evaluaciones de los cursos realizadas por parte de los técnicos y mecánicos automotrices que lo tomaron, respecto al curso y sus profesores.

D. Para convenlencla y fácil manejo, los expedientes podrán conservarse en formato electrónico.

REGLA 79 - EVALUACIÓN; DETERMINACIÓN

A. La Junta o el CREC evaluará las solicitudes que hayan sido debidamente presentadas.

B. Toda solicitud que no cumpla con los requisitos de este Reglamento o que esté incompleta podrá ser denegada por la Junta o el CREC.

C. En la evaluación de la solicitud, la Junta o el CREC podrá requerirle información adicional al solicitante.

D. La Junta o el CREC podrá conceder la solicitud en todo, o en parte, o denegarla. En cualquiera de los casos, deberá notificar su decisión al solicitante, siguiendo y citando las reglas vigentes en la Sección 5 .4 del Procedimientos para la Concesión de Licencias, Franquicias, Permisos y Acciones Similares, de la Ley 38-2017, según enmendada, conocida como la Ley de Proccdimiento Administrativo Uniforme del Gobierno de Puerto Rico.

REGLA 80 - CERTIFICACIÓN DEL PROVEEDOR DE EDUCACIÓN CONTINUA; DURACIÓN

A. Si la solicitud de proveedor de educación continua es aprobada por la Junta o por el CREC, esta será por el término o duración de cinco (5) años naturales de vigencia. Comenzará a ser vigente desde el uno (1) de enero, por cinco años consecutivos, hasta el 31 de diciembre de ese quinto año. Durante ese término, el proveedor no podrá alterar el título del curso.

B. El proveedor será responsable de mantener al día sus programas académicos o "cursos" aprobados durante la vigencia de la certificación.

C. El proveedor de educación continua podrá someter a evaluación nuevos programas académicos o "cursos" durante el periodo de vigencia de su certificación como proveedor. De ser aprobado una solicitud para añadir un programa académico o "curso", ese programa académico o "curso" añadido, vencerá a la misma fecha en que vence su actual y vigente certificación de proveedor de educación continuada para esta Junta.

D. Deberá pagar, por cada programa académico o "curso", los derechos o cuota establecida por la Junta. Este concepto, es únicamente por procesar la solicitud y no garantiza la aprobación a menos que cumpla con todo lo requerido por la Junta.

E. El proveedor de educación continuada solo podrá ofrecer cursos como certificados por la JETMA dentro del término para el cual se le certificó como proveedor de educación continuada. Una práctica contraria a esto, se considerará una falta grave a este Reglamento por falsa representación.

F. Los cursos de educación continuada que sean vendidos dentro del término de aprobación emitida por la JETMA, deberán completarse por el participante del curso, dentro del mismo término de las fechas para el cual está certificado el proveedor que está ofreciendo la educación continuada. Si el curso es vendido dentro del término de certificación, pero el participante completó dicho curso en fechas posteriores al término de certificación aprobado para el proveedor, el proveedor será responsable de notificarle al participante que ese curso ya no va a ser considerado como un curso de educación continuada certificada.

Una práctica contraria a esto, se considerará una falta grave a este Reglamento por falsa representación.

G. Todo certificado o certificación de educación continuada que emita el proveedor de educación continuada debe ser emitida posterior a evidenciar que el participante del curso aprobó de manera efectiva y legítima dicho curso. Igualmente, solo podrá ser emitida dentro del término de certificación aprobado para el proveedor. Una práctica contraria a esto, se considerará una falta grave a este Reglamento por falsa representación.

H. Ningún proveedor de educación continuada estará autorizado a ceder o prestar, provisional o permanentemente, su certificación como proveedor de educación continuada certificada por la JETMA a otro proveedor de educación continuada que no se encuentre certificado como proveedor de educación continuada por la JETMA. Una práctica contraria a esto, se considerará una falta grave a este Reglamento por falsa representación para ambos proveedores.

REGLA 81- CERTIFICADO

A. El Certificado que expedirá el proveedor de educación continuada al participante que aprobó un programa académico o "curso", deberá contener en el cuadrante superior izquierdo, sus credenciales identificándolo de la siguiente manera, como ejemplo:

Proveedor de Educación Continua para la JETMA, Certificado del 2021 al 2025. El proveedor de educación continuada **NO** está autorizado a otorgarle al participante un certificado con estas credenciales para programas que **NO** estén previamente aprobados por esta Junta. Esto se considerará una falta grave a este Reglamento por falsa representación.

B. En el cuadrante superior derecho, deberá colocarse el número de conteo o identificación única de su certificación.

C. El nombre del proveedor y/o lago de su empresa deberá colocarse en la parte central superior del certificado.

D. Usted está libre de colocar imágenes o promoción de su empresa o auspiciadores, si entiende que debe colocarlos, en el restante del certificado, siempre y cuando luzcan elegantes y no sobre carguen al mismo.

E. Es importante que especifique si las horas otorgadas en el certificado son horas técnicas o electivas.

El siguiente es solo un ejemplo:

[Certificado de Participación- Omitido]

[**Recomendación:** Verifique en el website oficial del Departamento de Estado para disponibilidad www.estado.gobierno.pr o en www.FormuPlus.com]

REGLA 82 - ACCIONES DISCIPLINARIAS RELACIONADAS CON LA EDUCACIÓN CONTINUADA

A. Un Técnico y Mecánico Automotriz que no cumpla con los requisitos de educación continuada establecidos por este reglamento, no se le permitirá renovar su licencia para practicar la profesión en Puerto Rico.

B. La Junta podrá, cuando así lo crea conveniente, auditar la información y solicitar informes sobre educación continuada reclamada u ofrecida, durante por lo menos cinco (5) años subsiguientes a la fecha del informe dichas horas crédito contacto a la Junta; pero deberá someter dicha evidencia solamente si la Junta le requiere que someta la misma.

C. La falsificación, fraude o engaño en la información o documentos sometidos relativos a la educación continuada, o el no cumplir con informes requeridos, o el no cumplir con cualesquiera de las disposiciones de este reglamento, será objeto de acción disciplinaria contra el técnico o mecánico automotriz y/o el proveedor de educación continua, por parte de la Junta, según lo autoriza la Ley 40 de 1972, según enmendada, este Reglamento y el Reglamento Uniforme de las Juntas Examinadoras Adscritas al Departamento de Estado.

D. La falsificación, fraude o engaño en la información o documentos sometidos relativos a la educación continuada, o el no cumplir con informes requeridos, o el no cumplir con cualesquiera de las disposiciones de este reglamento, podrá ser objeto de Multas Administrativas. Además, esta Junta podrá determinar suspender temporalmente o revocar permanentemente una licencia de aprendiz, mecánico o técnico automotriz, o persona natural o jurídica que se desempeñe corno proveedor para esta Junta.

CAPÍTULO X: ACCIONES DISCIPLINARIAS Y SANCIONES

REGLA 83-FACULTAD

A. La Junta podrá investigar, y referir a fiscalía en el Departamento de Justicia del Estado Libre Asociado de Puerto Rico, toda Querella o denuncia sobre las conductas y violaciones constitutivas de delito grave, menos grave tipificadas en un Código Penal, o en la Ley 40 de 1972, según enmendada, relacionadas a la práctica de la profesión regulada por esta Junta Examinadora de Técnicos y Mecánicos Automotrices de Puerto Rico. En este mismo tipo de caso y en toda otra violación a las disposiciones de la Ley 40 de 1972, según enmendada, este Reglamento y el Reglamento Uniforme de las Juntas Examinadoras Adscrita al Departamento de Estado, podrá discrecionalmente y al amparo de lo provisto en la Sección 7.1 de la Ley número 38 del 30 de junio de 2017, según enmendada, proceder a su adjudicación por la vía administrativa, y/o imponer penas de multas, denegación, suspensión, renovación o cancelación de licencias según los procedimiento adjudicativos e investigativos que provee este Reglamento y el Reglamento Uniforme de las Juntas Examinadoras Adscrita al Departamento de Estado.

B. Toda violación a las leyes que rigen esta Junta, a este Reglamento o a los Reglamentos emitidos por el Secretario de Estado, u otro reglamento aplicable, al amparo de estas, podrán ser penalizadas por esta Junta con Multas Administrativas que no excederá de cinco mil dólares ($5,000), por cada violación.

REGLA 84-CONDUCTAS PROHIBIDAS

A continuación, se enumeran las conductas constitutivas de violación grave a este Reglamento y la Ley 40 de 1972, según enmendada:

A. Ejercer, presentarse o anunciarse como aprendiz, mecánico o técnico automotriz sin poseer una licencia expedida por esta Junta.

B. Ejercer como aprendiz, mecánico o técnico automotriz con una licencia vencida, inactiva, suspendida, cancelada o revocada.

C. Proveer información falsa a la Junta, con el propósito de obtener o renovar una licencia de forma fraudulenta o mediante el robo de identidad o credenciales.

D. Emplear, ayudar, permitir, o inducir a una persona a hacer representaciones falsas, o ejercer como aprendiz, mecánico o técnico automotriz licenciado, a una persona que no posea la licencia expedida por esta Junta.

E. Expedir certificaciones de educación continua fraudulentamente, o la venta de horas de educación continuada, con el propósito de colaborar al empleo, ayudar, permitir, o inducir a una persona a hacer representaciones falsas, o ejercer como aprendiz, mecánico o técnico automotriz licenciado, a una persona que no posea legalmente la licencia expedida por esta Junta o ayudarlo al proceso de renovación no legítimo.

F. Dar a la Junta información fraudulenta, falsa, o incorrecta, mientras se declara bajo juramento durante un proceso investigativo de esta Junta.

G. Exhibir o permitir que se exhiba su licencia en un establecimiento en donde no presta habitualmente sus servicios como aprendiz, mecánico o técnico automotriz.

H. Usar su licencia para certificar trabajos que no hayan sido realizados por el mismo técnico o mecánico automotriz o bajo su supervisión directa.

l. Obstruir o impedir, ejerciendo fuerza o intimidación, que se realicen las funciones y actividades de esta Junta o de alguna agencia reglamentaria.

J. Ser convicto de delito grave o de cualquier otro delito menos grave que conlleve depravación moral.

K. En casos en los cuales su conducta profesional, sus actuaciones o condiciones físicas o mentales constituyan un peligro para la salud pública.

L. Demostrar negligencia o conducta profesional impropia cuando actúa como preceptor a tenor de las leyes y este Reglamento.

M. Violar los requisitos legales o este Reglamento en el ejercicio de su profesión como aprendiz, mecánico o técnico automotriz

N. Ser convicto a otras violaciones de ley lo cual comprometan su capacidad para ejercer como profesional de la técnica o mecánica automotriz adscrito a esta Junta y al Departamento de Estado.

REGLA 85 - MULTAS Y SANCIONES ADMINISTRATIVAS

A. La Junta podrá imponer Multas Administrativas a toda persona natural o jurídica, o proveedor para esta Junta, que incurra en infracción a cualquier disposición de este Reglamento. Cada día que subsista la misma infracción, se considerará como una infracción por separado.

B. La imposición de Multa Administrativa se aplicará mientras dicha infracción no haya sido sometida por la Junta al Departamento de Justicia para que el infractor sea procesado criminalmente de acuerdo con la ley.

C. La negativa del infractor al pago de la Multa Administrativa será causa para que se adopte cualquier otro remedio concedido u otras leyes aplicables, para sancionar la información cometida y para que se suspenda la licencia de aprendiz, mecánico o técnico automotriz.

D. La cuantía de las Multas Administrativas que van a ser aplicadas por esta Junta, serán las siguientes:

1) Por violación menos grave

    a) Primara infracción $250.00

    b) Reincidencia $500.00

    c) Cada reincidencia adicional $1,000.00

2) Por violación grave

    a) Primara infracción $2,500.00

    b) Reincidencia $3,500.00

    c) Cada reincidencia adicional $5,000.00

El monto de las multas administrativas podrá modificarse mediante orden administrativa o carta circular del Departamento de Estado.

E. Además de las Multas Administrativas, esta Junta podrá determinar suspender temporalmente o revocar permanentemente una licencia de aprendiz, mecánico o técnico automotriz, o persona natural o jurídica que se desempeñe como proveedor para esta Junta.

F. Cualquier penalidad o sanción administrativa impuesta por la Junta, por violaciones o faltas a las leyes que gobiernan la práctica de la profesión de aprendiz, mecánico o técnico automotriz, a la educación continuada legítima, a este Reglamento o a otros reglamentos aplicables del Departamento de Estado, permanecerán en el expediente del aprendiz, mecánico o técnico automotriz, , o persona natural o jurídica que se desempeñe como proveedor para esta Junta, por un periodo no menor a siete (7) años y formarán parte del reporte de "Good Standing".

REGLA 86 - OBSTRUCCIÓN A FUNCIONES DE LA JUNTA

Toda persona, natural o jurídica, que obstruya o impida, ejerciendo fuerza o intimidación, que se realicen las funciones y actividades de esta Junta, o las disposiciones de este Reglamento, o al Reglamento Uniforme de las Juntas Examinadoras Adscrita al Departamento de Estado, podrá ser referida al Departamento de Justicia para su debido procesamiento criminal.

REGLA 87 -ÓRDENES DE CESA Y DESISTA

La Junta en consulta con la Oficina de Asuntos Legales del Departamento de Estado y en casos específicos podrán emitir órdenes de cese y desista de conductas violatorias a disposiciones de este Reglamento, y requerir el auxilio del Tribunal de Primera Instancia para que ordene el cumplimiento de estas.

REGLA 88 - FORMULACIÓN DE QUEJAS Y QUERELLAS

A. Solicitud de Investigación y Forma de Iniciar una Queja

Una reclamación se podrá iniciar con una Queja debidamente juramentada, donde se expresen los hechos que motivan la reclamación. Cualquier persona, mediante una Queja, podrá solicitar a la Junta que inicie la investigación de una posible violación a las disposiciones de Ley, los Códigos de Ética Profesional y Reglamentos que rigen la profesión. La Junta solicitará los documentos e información necesarios para entender en el caso. En caso de que la parte reclamante sea recibida en la Secretaría Auxiliar para propósitos de consulta u orientación, y se entendiera que el asunto amerita la presentación de una Queja, el mismo pasará inmediatamente a la atención de la Presidencia de la Junta para la determinación. Nada de lo dispuesto en este Capítulo limitará la facultad de la Junta para llevar a cabo una investigación por iniciativa propia cuando lo crea necesario y conveniente para poner en vigor las disposiciones de alguna Ley o Reglamento.

B. Presentación de Quejas

La presentación de una queja ante la Junta deberá ser por escrito mediante el formulario de presentación de querella debidamente notarizado, y presentarse mediante correo certificado o entregar en persona en la Oficina de esta Junta Examinadora.

C. Contenido de la Solicitud de Investigación o Queja

La Queja o solicitud de investigación deberá contener:

1) El nombre, dirección, correo electrónico y número de teléfono de la parte reclamante.

2) El nombre, dirección, correo electrónico y número de teléfono de la persona o institución contra la cual se reclama.

3) Una relación de hechos clara y concisa de la situación o acción administrativa en que se fundamenta la reclamación para creer que se ha violado alguna ley o reglamento, y que justifica una intervención por parte de la Junta.

4) Referencia a las disposiciones legales aplicables y al remedio que se solicita, si se conocen.

5) Constancia de que la parte contra la cual se reclama no ha corregido su acción o que ha transcurrido un período de tiempo irrazonable sin que se haya tomado acción alguna, o que se haya tomado una determinación o decisión inadecuada.

Quedan exceptuadas del requisito de juramentación de la Queja, las presentadas por la propia Junta, los presidentes de los cuerpos legislativos, el Contralor de Puerto Rico, Oficina de Ética Gubernamental, los jefes de agencias, los jueces de los Tribunales de Justicia o cualquier funcionario público con competencia en el ejercicio de sus funciones, todos los demás deberán acompañar con la Queja una declaración jurada ante notario autorizado a ejercer la práctica notarial en Puerto Rico indicando que lo que se afirma en la solicitud es cierto, según el mejor conocimiento del/la reclamante.

D. **Asuntos Excluidos**

No se investigará una Queja cuando:

l) Se refiera a algún asunto fuera de la jurisdicción o competencia de la Junta.

2) De la faz de la misma se desprenda que es carente de mérito.

3) La parte reclamante desista voluntariamente de su reclamación.

4) La parte reclamante no tenga legitimación activa para instarla por no ser parte afectada.

5) El asunto está siendo considerado, adjudicado o investigado por el Comité o la Comisión de Ética Profesional o por otro foro que al momento de presentarse la Queja y a juicio de la Junta representaría una duplicidad de esfuerzos y recursos actuar sobre la misma.

De recibirse alguna Queja que no plantee una controversia que se pueda adjudicar o que se refiera a algún asunto fuera de la jurisdicción de la Junta, se orientará a la parte reclamante y, en caso de estimarlo procedente, se realizará el referido correspondiente al foro competente para atender el asunto.

E. Evidencia

La reclamación deberá ser acompañada de toda la evidencia que tenga disponible al momento de presentar la misma. Se deberá también informar sobre la existencia de evidencia adicional que se conozca y que esté bajo el control de la parte reclamada.

F. Representación Legal

La parte querellante/reclamante podrá presentar una queja por derecho propio o representada por abogada/o licenciada/o de igual modo, la parte querellada podrá comparecer representada por abogada/o, o por derecho propio. Toda corporación deberá comparecer por conducto de un/a abogada/o.

G. Evaluación y Determinación de Investigar

De entender la Junta que existe causa suficiente para iniciar una investigación formal, deberá notificarlo así a la parte reclamante y a la parte que será objeto de investigación, con expresión de los hechos alegados y una cita de la disposición estatutaria y reglamentaria que le confiere facultad para realizar la investigación. Previo a determinar que procede una investigación formal, la Junta podrá realizar gestiones encaminadas a obtener información que le permita evaluar los méritos de una queja o solicitud de investigación. De entender que hay méritos en el reclamo, la queja será reclasificada a una Querella con su correspondiente número de identificación.

H. Determinación de no investigar

De entender la Junta que no hay causa y que no procede realizar una investigación deberá así notificarlo a la parte reclamante expresando las razones para ello y apercibiéndole de su derecho a solicitar reconsideración y revisión de dicha determinación.

I. Confidencialidad de la Investigación y el Expediente Correspondiente

Las investigaciones realizadas por la Junta tendrán carácter confidencial. Esta disposición tiene como propósito proteger el progreso de las investigaciones, que no se entorpezca o interfiera indebidamente la investigación y que no se afecte la capacidad de la Junta de adquirir información de posibles víctimas o testigos sobre conducta que atente contra los derechos ciudadanos con el efecto de impedir un efectivo cumplimiento de la Ley. El carácter confidencial se extiende al expediente que levante la Junta. Dichos expedientes no estarán sujetos a descubrimiento de prueba y se considerarán información privilegiada, todo esto observando el debido proceso de Ley con relación a la parte contra quien se querellan.

J. Métodos de Investigación

La Junta podrá iniciar las investigaciones que estime pertinentes en cualquier momento.

Podrá compeler mediante la Junta o de un Oficial Examinador a cualquier parte o agencia a producir cualquier tipo de información y documentos que estime pertinentes mediante requerimiento, expedir citaciones compulsorias a testigos, hacer inspecciones oculares, tomar juramentos y recibir testimonios jurados, hacer investigación de campo y en agencias, y entrevistar testigos. Los métodos de investigación a utilizarse no estarán limitados a los arriba descritos, pudiendo utilizarse los que la Junta determine, a través de su Oficial Examinador o comité designado.

Cada requerimiento especificará el término que tendrá la parte requerida para producir la información solicitada y la apercibirá que sólo se considerarán extensiones de tiempo fundamentadas por justa causa y presentadas dentro del término original. Además, deberá advertir que la persona que desobedezca, impida o entorpezca voluntariamente el desempeño de las funciones de la Junta en el cumplimiento de sus deberes, se expondrá a que a través del Secretario de Estado se invoque el auxilio de cualquier tribunal para sancionar con multa que no excederá de cinco mil ($5,000) dólares o con pena de reclusión que no excederá de seis (6) meses, o ambas penas, a discreción del tribunal.

K. Aviso de Infracción

Sin menoscabo de la autoridad para proceder con una Querella conforme dispone este Reglamento, en caso de que la investigación arroje el incumplimiento con una norma vigente, la Junta tendrá la facultad de optar por emitir un aviso de infracción, el cual contendrá lo siguiente:

1) Nombre completo del infractor. Este incluirá, de ser posible, ambos apellidos.

2) Dirección física y postal, correo electrónico, y número de teléfono del infractor. Se incluirá cualquier método de comunicación cuya información esté disponible, como correo electrónico y fax.

3) Una descripción de la actuación u omisión constitutiva de la violación.

4) Disposiciones legales y reglamentarias por las cuales se le notifica el aviso de infracción.

5) Una advertencia a los efectos de que la Junta podrá, de no corregirse la infracción dentro del término concedido, notificar formalmente una querella y las posibles sanciones y remedios.

6) Las circunstancias del/a empleado/a, o funcionario/a, que emite el aviso, incluyendo su nombre completo y su cargo en la Junta.

L. Querella

Luego de completado el procedimiento investigativo y entenderse que existe prueba suficiente para la presentación formal de una Querella, o en caso de no corregirse una conducta que haya sido objeto de un aviso de infracción, o en cualquier otro caso que se entienda que existe justificación, la Junta procederá a notificar la Querella dirigida a la parte querellada. Toda querella será diligenciada mediante correo electrónico.

1) Presentación de la Querella

La Junta, a iniciativa propia o a instancia de una querella debidamente fundamentada de cualquier persona, podrá iniciar cualquier procedimiento de formulación de cargos contra toda persona o profesional que viole las disposiciones de la Ley o de sus reglamentos. Toda querella a esos efectos deberá presentarse por escrito, juramentada ante un notario y radicarse ante el Secretario de Actas. Quedan exceptuadas del requisito de juramentación, aquellas querellas presentadas por los presidentes de los cuerpos legislativos, el Contralor de Puerto Rico, Oficina de Ética Gubernamental, los jefes de agencias, los jueces de [os Tribunales de Justicia o cualquier funcionario público con competencia en el ejercicio de sus funciones.

2) Contenido de la Querella

El querellante deberá incluir como mínimo en su querella la siguiente información:

a) Su nombre completo, dirección postal, residencial, correo electrónico y teléfono, así como aquellos datos del querellado que le sean conocidos.

b) Relación sucinta y clara de los hechos que dan origen a la Querella.

c) Disposiciones legales o reglamentarias por las cuales se imputa la violación.

d) Remedio solicitado.

e) Fecha de presentación de la querella.

t) La querella deberá ser notificada por el querellante al querellado y certificación de envío y archivo de copia de la notificación debidamente cumplimentada.

3) Contestación a la Querella

La parte querellada tendrá veinte (20) días laborables, contados a partir de la fecha de recibo de la Querella para contestar las alegaciones de la misma. De necesitar una prórroga deberá solicitarla exponiendo sus fundamentos que acrediten justa causa, antes del vencimiento del término. Se concederán prórrogas no mayores de diez (10) días laborables.

4) Oficial Examinador/a

Cuando se presente una Querella, y la Junta lo entienda necesario, designará a un/a Oficial Examinador/a que conducirá el procedimiento adjudicativo.

5) Descubrimiento de Prueba

Los siguientes principios serán aplicables al descubrimiento de prueba:

a) Las reglas de Procedimiento Civil y las de Evidencia se utilizarán como guía y aplicarán en la medida en que el/la Oficial Examinador/a estime necesario para llevar a cabo los fines de la justicia.

b) Limitaciones. El descubrimiento podrá ser limitado en su frecuencia, extensión y alcance conforme a las necesidades de las partes y a las características del caso y considerando posibles perjuicios, conforme a la discreción del/la Oficial Examinador/a. Éste/a podrá, a iniciativa propia y por solicitud de las partes, emitir órdenes de descubrimiento u órdenes protectoras según sea pertinente. Para ello, considerará si el descubrimiento solicitado es acumulativo, oneroso o si la información puede obtenerse de forma más conveniente por la parte solicitante.

6) Conferencia con antelación a la vista

En casos que considere complejos, o a solicitud de parte, el/la Oficial Examinador/a podrá señalar la celebración de una conferencia preliminar, dirigida por él/ella y en la cual se discuta:

a) La posibilidad de transacción.

b) La simplificación de las controversias y estipulación de hechos.

c) Enmiendas a las alegaciones producción, revisión e intercambio de pruebas.

d) Calendario de descubrimiento pendiente, de vista adjudicativa o inspecciones oculares.

e) Cualesquiera otros asuntos a discutir por las partes.

f) El/la Oficial Examinador/a emitirá una resolución para establecer los acuerdos a los que se llegó.

7) Conferencia preliminar entre abogadas/os

El/la Oficial Examinador/a, podrá, a su discreción, ordenar que las/los abogadas/os celebren entre ellos una conferencia preliminar en la cual discutan dichos asuntos y los presenten en un informe con un término de cinco (5) días previo a la conferencia con antelación a la vista. De presentarse dicho informe, el mismo regirá los procedimientos durante la vista a menos que por causa justificada y en bien de la justicia el/la Oficial Examinador/a autorice algo diferente,

8) Naturaleza de la vista adjudicativa

De ser necesario para la adjudicación de la controversia se llevará a cabo una vista adjudicativa en que las partes tendrán la oportunidad de presentar su evidencia y argumentar sus posiciones. La vista será pública, a menos que una parte someta una solicitud fundamentada por escrito para que la misma sea privada, y así lo autorice el/la Oficial Examinador/a, si entiende que una vista pública puede causar daño irreparable a la parte peticionaria.

9) Notificación de vista adjudicativa

Las partes serán notificadas de la celebración de la vista adjudicativa con al menos quince (15) días de antelación a la celebración de la misma. En caso de mediar circunstancias excepcionales expuestas en la notificación, podrá notificarse en un término menor.

La notificación incluirá lo siguiente:

a) La fecha y hora de la vista, la cual se celebrará siempre en la Secretaria Auxiliar a menos que por circunstancias especiales se disponga y especifique lo contrario. Se incluirá el salón específico donde se celebrará la vista.

b) La naturaleza y propósito de la vista, expresando las disposiciones legales y reglamentarias que autorizan su celebración.

c) Se apercibirá del derecho de cada parte a presentarse representadas de abogada/o sin que ello sea una obligación, y su derecho a ser oídas, a exponer sus posiciones y a presentar su prueba.

d) Una referencia a las disposiciones legales o reglamentarias presuntamente infringidas, si se imputa una infracción a las mismas, y a los hechos constitutivos de tal infracción.

e) Se apercibirá de que, de no comparecer, se podrán imponer sanciones administrativas, incluyendo, pero no limitándose a multas, anotación de rebeldía y otras.

f) Se apercibirá de que la vista sólo podrá ser suspendida mediante solicitud escrita que fundamente justa causa, presentada con no menos de cinco (5) días antes del señalamiento.

g) La notificación podrá incluir la citación de testigos y órdenes para la producción de información que el/la Oficial Examinador/a estime pertinente.

10) Citación de testigos

Las partes que interesen la citación de testigos para la vista deberán solicitar del/la Oficial Examinador/a una orden al efecto. La solicitud debe justificar su necesidad y presentarse con expresión de los nombres y direcciones o instrucciones para localizar a los testigos, con al menos diez (10) días de antelación a la vista.

Las citaciones serán diligenciadas personalmente o por correo certificado con acuse de recibo. Ninguna persona citada como testigo estará excusada de comparecer, excepto por circunstancias extraordinarias acreditadas ante el/la Oficial Examinador/a, quien determinará sobre tal solicitud.

11) Récord de la vista

La grabación, junto con el expediente adjudicativo y todos los documentos que éste contenga, constituirá el récord del procedimiento. De entenderlo necesario el Oficial Examinador solicitará un taquígrafo para los procedimientos. En tal caso, el transcriptor someterá a la Secretaría Auxiliar una transcripción la cual deberá estar debidamente certificada, a los efectos de que la misma es fiel y exacta. La Secretaría Auxiliar mantendrá un archivo confidencial de grabaciones.

12) Rebeldía

Si una parte debidamente citada no comparece a la conferencia con antelación a la vista, a la vista o a cualquier otra etapa durante el procedimiento adjudicativo, el/la Oficial Examinador/a podrá declararla en rebeldía y continuar el procedimiento sin su participación.

13) Informe del/la Oficial Examinador/a

En un término de sesenta (60) días desde que la prueba haya quedado sometida, el/la Oficial Examinador/a rendirá un informe en el cual incluirá las recomendaciones de determinaciones de hechos y conclusiones de derecho. Además, se consignarán recomendaciones para la disposición final del caso, tales como imposición de sanciones y/o acciones correctivas en caso de que se haya determinado violación de ley. Dichas recomendaciones deberán expresarse detalladamente en cuanto a su extensión y alcance.

REGLA 89-PROCEDIMIENTOS

A. **Vistas Públicas o Administrativas:**

Toda vista pública o administrativa a celebrarse por la Junta se regirán por el presente Reglamento y por las disposiciones de la Ley Núm. 38-2017, según enmendada. Los procedimientos podrán ser conducidos por un panel examinador compuesto por no menos de tres miembros de la Junta, presidido por el presidente de la Junta, o cualquier miembro de la Junta que éste así lo designe. La Junta podrá delegar estas funciones en un Oficial Examinador designado o contratado por el Departamento de Estado a solicitud de la Junta.

B. Terminada la vista, y dentro de un término que no podrá exceder de sesenta (60) días después de haber finalizado la vista, el panel examinador y/o el oficial Examinador deberán someter sus determinaciones y recomendaciones a la Junta. La Junta tendrá un término de 90 días para emitir su resolución final. Dichas recomendaciones y determinaciones deberán ser claras y deberán precisar los fundamentos en que se basan las mismas.

C. **Reconsideración:**

Si la parte promovente no estuviese conforme con la decisión de la Junta, podrá dentro de los veinte (20) días siguientes a fecha de recibo de la decisión, solicitar su reconsideración por escrito, a través de correo certificado con acuse de recibo. La Junta deberá considerar la solicitud dentro de los quince (15) días de presentada la misma. Si la rechazare de plano o no actuare dentro de los quince (15) días, el término para solicitar revisión comenzará a correr nuevamente desde que se notifique dicha denegatoria o desde que expiren esos quince (15) días, según sea el caso. Si se tomare alguna determinación en su consideración, tendrá que completarse dentro de los noventa (90) días siguientes a la presentación de la solicitud de reconsideración y el término para solicitar revisión empezará a contarse desde la fecha en que se archive en autos una copia de la notificación de la Resolución resolviendo definitivamente la solicitud de reconsideración. Si la Junta luego de acoger una solicitud de reconsideración, dejare de tomar alguna acción sobre ella dentro del término de noventa (90) días antes indicado, perderá jurisdicción sobre la misma y el término para solicitar revisión judicial empezará a contarse a partir de la expiración de dicho término de noventa (90) días salvo que la Junta Examinadora, por justa causa y dentro de esos noventa (90) días, prorrogue el término para resolver por un periodo que no excederá de treinta (30) días adicionales.

D. Una parte adversamente afectada por una resolución final de la Junta podrá solicitar revisión ante el Tribunal de Apelaciones dentro de un término de treinta (30) días contados a partir de la fecha del archivo en autos de la copia de la notificación de la resolución final o a partir de la fecha aplicable cuando el término para solicitar revisión judicial haya sido interrumpido mediante la presentación oportuna de una solicitud de reconsideración.

Dentro de dicho término la parte solicitante notificará a la Junta.

REGLA 90 - NOTIFICACIÓN POR PARTE DE AGENCIAS REGLAMENTARIAS SOBRE VIOLACIONES A LEY O REGLAMENTO

Las agencias administrativas que empleen profesionales ejerciendo como aprendiz, mecánico o técnico automotriz, la cual es una práctica regulada por esta Junta, podrán referir a esta Junta los nombres y datos de aquellos que hayan incurrido en violaciones a disposiciones en este Reglamento, al Reglamento Uniforme de las Juntas Examinadoras Adscrita al Departamento de Estado, Reglamentos internos de las Agencias de Gobierno, detectadas durante las inspecciones periódicas o rutinarias de estas agencias.

REGLA 91- NOTIFICACIÓN POR PARTE DE PATRONOS, PÚBLICOS O PRIVADOS, SOBRE VIOLACIONES A LEY O REGLAMENTO

Los patronos, públicos o privados, que empleen profesionales ejerciendo como aprendiz, mecánico o técnico automotriz, la cual es una práctica regulada por esta Junta, podrán referir a esta Junta los nombres y datos de aquellos que hayan incurrido en violaciones a disposiciones en este Reglamento, al Reglamento Uniforme de las Juntas Examinadoras Adscrita al Departamento de Estado.

REGLA 92 - SOLICITUD DE PRÓRROGA

Cuando una persona natural o jurídica, o agencia entienda que el acto administrativo no puede ser corregido en el término señalado, deberá solicitar prórroga por escrito dentro del término concedido. Toda solicitud de prórroga deberá estar acompañada de un memorando explicativo donde se justifique la razón o razones para solicitar la misma. No se concederá prórroga alguna si se ha solicitado fuera del término para cumplir con la acción correctiva ordenada. Tampoco se concederá en aquellos casos en que el/la solicitante no acompañe evidencia acreditativa y fehaciente de haber iniciado ya el procedimiento de corrección de las acciones u omisiones o actuación administrativa señalados o no haya notificado debidamente a la parte reclamante.

CAPÍTULO XI: DERECHOS O CUOTAS A PAGAR

REGLA 93 - DERECHOS A PAGAR POR LICENCIAS DE PRIMERA VEZ

Mediante esta Regla 93 se establece Jos derechos a pagar al Estado, por los servicios que se brindan en esta Junta Examinadora de Técnicos y Mecánicos Automotrices de procesar la solicitud de licencias **por primera** vez para aprendiz, mecánico o técnico automotriz.

A. Procesar solicitud para el Certificado de Licencia de Aprendiz- pagar $30.00 dólares

B. Procesar solicitud para el Certificado de Licencia de Mecánico - pagar $40.00 dólares

C. Procesar solicitud para el Certificado de Licencia de Técnico-pagar $60.00 dólares

REGLA 94 - DERECHOS A PAGAR POR RENO V ACIÓN DE LICENCIAS

Mediante esta Regla 94 se establece los derechos a pagar al Estado, por los servicios que se brindan en esta Junta Examinadora de Técnicos y Mecánicos Automotrices de procesar la solicitud de la **renovación o extensión** de licencias para aprendiz, mecánico o técnico automotriz.

A. Procesar solicitud para la Extensión de Licencia de Aprendiz - pagar $30.00 dólares

B. Procesar solicitud de renovación del Certificado de Licencia de Mecánico - pagar $30.00 dólares

C. Procesar solicitud de renovación del Certificado de Licencia de Técnico - pagar $50.00 dólares

REGLA 95 - DERECHOS A PAGAR POR RENOVACIÓN TARDÍA DE LICENCIAS

Mediante esta Regla 95 se establece los derechos a pagar al Estado, como establecimiento de multa, por los servicios que se brindan en esta Junta

Examinadora de Técnicos y Mecánicos Automotrices de procesar la solicitud de la **renovación tardía** de licencias para mecánico o técnico automotriz.

A. Procesar con multa solicitud de renovación tardía del Certificado de Licencia de Mecánico

- pagar $60.00 dólares por término.

B. Procesar con multa solicitud de renovación tardía del Certificado de Licencia de Técnico

- pagar $100.00 dólares por término.

REGLA 96 - DERECHOS A PAGAR POR EXPEDICIÓN DE TARJETA (CARNÉ) DE CERTIFICACIÓN DE LICENCIAS

Mediante esta Regla 96 se establece los derechos a pagar al Estado, por los servicios que se brinda en esta Junta Examinadora de Técnicos y Mecánicos Automotrices de expedir la Tarjeta (carné) de Certificación de Licencias, a tenor de la Ley 220 de 1996.

A. Procesar expedición de !a Tarjeta (carné) de Certificación de Licencias - pagar $5.00 dólares.

B. El Departamento de Estado, de acuerdo con sus recursos y disponibilidad, establecerá el proceso administrativo para el cobro de los derechos a pagar y el proceso de la expedición de la Tarjeta (carné) de Certificación de Licencias.

REGLA 97 - CUOTA A PAGAR POR SOLICITUD DE PROVEEDOR DE EDUCACIÓN CONTINUA

Mediante esta Regla 97 se establece la cuota a pagar al Estado, por los servicios que se brinda en esta Junta Examinadora de Técnicos y Mecánicos Automotrices por, procesar y evaluar, la solicitud para ser un proveedor de educación continuada certificado.

A. Procesar y evaluar, la solicitud para ser un proveedor de educación continuada – pagar $1,000.00 dólares.

1) Esto costo incluye la radicación de solicitud y evaluación hasta un máximo diez (10) programas académicos o "cursos".

2) El pago de esta cuota es únicamente por procesar la solicitud y no garantiza la aprobación de la solicitud para ser un proveedor de educación continuada de esta Junta.

3) De ser aprobada la solicitud, **esta tendrá vigencia de cinco (5) años,** bajo los términos expuestos en el Capítulo TX de este Reglamento.

B. Por cada programa académico o "curso", adicional a los primeros diez (10), a procesar y evaluar, en la solicitud para ser un proveedor de educación continuada - pagar $100.00 dólares por "curso".

C. Una vez expedida la certificación de aprobación de los "cursos", correspondientes a los incisos A y B de esta Regla 97, durante el término de los cinco (5) años, si el proveedor requiere un procesamiento y evaluación de programas académicos o "cursos" adicionales, este tendrá que pagar una cuota por el proceso. -pagar $200.00 dólares por "curso".

1) De evaluarse y aprobarse el programa académico o "curso" solicitado, este tendrá vigencia solo hasta la fecha de vigencia de la solicitud original aprobada bajo los parámetros establecidos en los incisos A y B de esta Regla 97.

REGLA 98 -CURSOS POR SUMISIÓN; CUOTA A PAGAR POR SOLICITUD

Mediante esta Regla 98 se establece la cuota a pagar al Estado, por los servicios que se brinda en esta Junta Examinadora de Técnicos y Mecánicos Automotrices por, procesar y evaluar, la solicitud de los cursos por sumisión para la educación continuada de esta Junta.

A. Procesar y evaluar, la solicitud de los cursos por sumisión - pagar $30.00 dólares por cada curso.

1) El pago de esta cuota es únicamente por procesar la solicitud y no garantiza la aprobación de la solicitud de los cursos por sumisión para la educación continuada de esta Junta.

B. Procesar y evaluar, la solicitud tardía de los cursos por sumisión - pagar $60.00 dólares por cada curso.

1) El pago de esta cuota es únicamente por procesar la solicitud y no garantiza la aprobación de la solicitud de los cursos por sumisión para la educación continuada de esta Junta.

CAPÍTULO XII: OTRAS DISPOSICIONES

REGLA 99 -PROCEDIMIENTOS, ACCIONES O RECLAMACIONES

Todo procedimiento, acción o reclamación ante la Junta de Técnicos y Mecánicos Automotrices de Puerto Rico (JETMA), la Secretaría Auxiliar, el Secretario de Estado o el Tribunal de Justicia, iniciada con anterioridad a la fecha de vigencia de este Reglamento se continuará tramitando hasta que recaiga una determinación final sobre dichos trámites, conforme con la Ley y las disposiciones reglamentarias vigentes al momento de su inicio.

REGLA 100 - DENEGACIONES

La Junta, siguiendo los lineamientos de la Ley 40-1972, según enmendada y este Reglamento, deberá denegar la expedición de una licencia, suspender una licencia o denegar la renovación de una licencia a toda persona que no cumpla con lo establecido en la Ley 40-1972, según enmendada, este Reglamento, el Reglamento Uniforme de las Juntas Examinadoras Adscritas al Departamento de Estado o cualquier otra Ley aplicable a la profesión. La Junta, siguiendo los lineamientos de la Ley 40-1972, según enmendada y este Reglamento, deberá denegar y/o suspender la certificación de proveedor de educación continua a todo proveedor que no cumpla con lo establecido en la Ley 40-1972, según enmendada, este Reglamento, el Reglamento Uniforme de las Juntas Examinadoras Adscritas al Departamento de Estado o cualquier otra Ley aplicable a la profesión. En cualquiera de los casos, deberá notificar su decisión al solicitante, siguiendo y citando las reglas vigentes en la Sección 5.4 del Procedimientos para la Concesión de Licencias, Franquicias, Permisos y Acciones Similares, de la Ley 38-2017, según enmendada, conocida como la Ley de Procedimiento Administrativo Uniforme del Gobierno de Puerto Rico.

REGLA 101- CLÁUSULA DE SAL VEDAD

Cualquier asunto no cubierto por este Reglamento, será resuelto por la JETMA en conformidad a las leyes, el Reglamento Uniforme de las Juntas Examinadoras Adscrita al Departamento de Estado, resoluciones, órdenes ejecutivas pertinentes y en todo aquello que no esté previsto en las mismas, se regirá por las normas de una sana administración pública y los principios de equidad y buena fe.

REGLA 102 - CLÁUSULA DE SEP ARABILIDAD

Si cualquier cláusula, párrafo, subpárrafo, oración, palabra, letra, regla, disposición, sección, subsección, título, capítulo, subcapítulo, inciso, acápite o parte de este Reglamento fuera anulada o declarada inconstitucional, la resolución, dictamen o sentencia a tal efecto dictada no afectará, perjudicará, ni invalidará el remanente de este Reglamento. El efecto de dicha sentencia quedará limitado a la cláusula, párrafo, subpárrafo, oración, palabra, letra, regla, disposición, sección, subsección, título, capítulo, subcapítulo, inciso, acápite o parte de esta que así hubiere sido anulada o declarada inconstitucional. Si la aplicación a una persona o a una circunstancia de cualquier cláusula, párrafo, subpárrafo, oración, palabra, letra, regla, disposición, sección, subsección, título, capítulo, subcapítulo, inciso, acápite o parte de este Reglamento fuera invalidada o declarada inconstitucional, la resolución, dictamen o sentencia a tal efecto dictada no afectará ni invalidará la aplicación del remanente de este Reglamento a aquellas personas a circunstancias en las que se pueda aplicar válidamente. Es la voluntad expresa e inequívoca de esta Junta Examinadora de Técnicos y Mecánicos Automotrices de Puerto Rico (JETMA) que los tribunales hagan cumplir las disposiciones y la aplicación de este Reglamento en [a mayor medida posible, aunque se deje sin efecto, anule, invalide, perjudique o declare inconstitucional alguna de sus partes, o aunque se deje sin efecto, invalide o declare inconstitucional su aplicación a alguna persona o circunstancias. La JETMA hubiera aprobado este Reglamento sin importar la determinación de separabilidad que el Tribunal pueda hacer.

REGLA 103 - ENMIENDAS

Este Reglamento podrá ser enmendado pasado cinco (5) años en todo o en parte por la JETMA, siempre y cuando el nlismo sea aprobado por una mayoría de dos terceras (2/3) partes de sus miembros y cumpla con las disposiciones de la Ley número 38 del 30 de junio de 2017, según enmendada, conocida como Ley de Procedimiento Administrativo Uniforme del Gobierno, o por la vigencia de una nueva Ley que así lo amerite.

REGLA 104-VIGENCIA

Este Reglamento entrará en vigor treinta (30) días luego y una vez se radique ante el Departamento de Estado de Puerto Rico, al cumplirse los trámites correspondientes de conformidad con lo dispuesto en la Ley número 38 del 30 de junio de 2017, según enmendada, conocida como Ley de Procedimiento Administrativo Uniforme del Gobierno.

REGLA 105 - APROBACIÓN

Mediante la Resolución JETMA: 2020-10.2 del 18 de noviembre de 2020, la Junta establece que este Reglamento fue revisado inicialmente por el asesor legal de la Oficina de Juntas Examinadoras. Que, luego de adoptar las recomendaciones legales, los miembros de esta Junta presentaron este a la participación ciudadana para recibir sus comentarios y recomendaciones, sobre las normas y las reglas que regirá el funcionamiento de esta Junta.

Ejemplos
[Modelo de Certificado- Omitido]

[Hoja de Asistencia de Cursos Presenciales- Omitido]
[Hoja de Informes de Cursos Presenciales- Omitido]
[Hoja de Informes de Cursos Ofrecidos en Educación a Distancia- Omitido]
[**Recomendaciones:** Verifique en el website oficial del Departamento de Estado para disponibilidad www.estado.gobierno.pr o en www.FormuPlus.com]

Con el fin de cumplir con lo establecido en las Secciones 2.1 y 2.2 de la Ley 38-2017, según enmendada, el 8 de octubre de 2020 se publicó el edicto en referencia a este Reglamento, el cual se mantuvo en participación ciudadana por treinta y siete (37) días. En este proceso hubo una participación de 162 exponentes de comentarios y recomendaciones. De estos, el 99.3% fueron positivos para la adopción y aprobación de este.

Luego de adoptar las recomendaciones positivas ofrecidas por la participación ciudadana, este Reglamento ha sido aprobado y firmado por unanimidad por los miembros de la Junta Examinadora de Técnicos y Mecánicos Automotrices de Puerto Rico, en reunión ordinaria debidamente constituida, hoy, 18 de noviembre de 2020.

[Firma Omitida]
Presidente: Carlos Julio Domínguez Nieves

[Firma Omitida]
Vice residente: Miguel A Cumba Pereda
Representante del Secretario de Educación

[Firma Omitida]
Secretario: Waldemar Forestier González
Representante del Secretario del Departamento
Transportación y Obras Públicas

[Firma Omitida]
Miembro: Sabino Díaz Marcano

[Firma Omitida]
Miembro: Echdian Cruz Díaz

[Firma Omitida]
Hon. Raúl Márquez Hernández
Secretario de Estado

Reg. 8644 Reglamento Uniforme de las Juntas Examinadoras Adscritas al Departamento de Estado del Estado Libre Asociado de Puerto Rico [RUJEDEPR]

ESTADO LIBRE ASOCIADO DE PUERTO RICO
DEPARTAMENTO DE ESTADO

Número: 8644
Fecha: 14 de septiembre de 2015
Aprobado: Hon. David E. Bernier Rivera
Secretario de Estado
Por: Francisco J. Rodríguez Bernier
Secretario Auxiliar de Servicios

Introducción y Perspectiva Histórica

El Plan de Reorganización número 7 del 1950 dispuso la transferencia de las funciones de la Oficina Administrativa de Juntas Examinadoras - agencia adscrita a la Oficina del Secretario Ejecutivo para ese año al Secretario de Estado.

Actualmente, el Departamento de Estado brinda apoyo administrativo a veintitrés (23) Juntas Examinadoras. Otras Juntas están adscritas al Departamento de Salud, que certifica y regula a los profesionales de dicha área. También existe otro organismo similar en el Tribunal Supremo el cual administra el Ejercicio de la Abogacía.

El Departamento de Estado, por medio de la Secretaría Auxiliar de Juntas Examinadoras, es responsable de proveer el apoyo administrativo, secretaria!, legal y operacional a cada Junta, así como custodia los expedientes de las Juntas, prepara agendas de trabajo, recibe y verifica las solicitudes que someten los candidatos a licencias profesionales y emite certificaciones de registro.

Además, mantiene un registro de las licencias expedidas por las Juntas Examinadoras y califica las partes teóricas de los exámenes que ofrecen algunos de estos organismos.

De igual forma, la Secretaría Auxiliar de Juntas Examinadoras es responsable de notificar a la ciudadanía asuntos relacionados con las Juntas, como por ejemplo, la celebración de exámenes y de vistas públicas. Para esto, se publican convocatorias del Departamento de Estado en los principales rotativos del país indicando la fecha límite para solicitar el examen, el lugar, el día en que habrá de celebrarse, las fechas límite para solicitar, requisitos y costos. Las juntas examinadoras se crean mediante leyes y sus miembros son nombrados por el (la) Gobernador (a) del Estado Libre Asociado de Puerto Rico, con el consejo y consentimiento del Senado.

Actualmente existen sobre 200,000 profesionales que poseen licencias expedidas por las Juntas Examinadoras adscritas al Departamento de Estado.

Capítulo I - Disposiciones Generales

Artículo 1.1 - Título

Este Reglamento se conocerá y citará como *Reglamento Uniforme de las Juntas Examinadoras adscritas al Departamento de Estado de Puerto Rico* (RUJEDEPR).

Artículo 1.2 - Base Legal

Al momento de la promulgación del presente Reglamento, están adscritas al Departamento de

Estado del Estado Libre Asociado de Puerto Rico las siguientes Juntas Examinadoras:

1. Junta Acreditadora de Actores Profesionales (Ley Núm. 1 34-1986, según enmendada)

2. Junta Examinadora de Agrónomos (Ley Núm. 20-1941, según enmendada)

3. Junta Examinadora de Arquitectos y Arquitectos Paisajistas (Ley Núm. 173-1988, según enmendada)

4. Junta Examinadora de Barberos y Estilistas en Barbería (Ley Núm. 146-1968, según enmendada)

5. Junta Examinadora de Especialistas en Belleza (Ley Núm. 431-1950, según enmendada)

6. Junta Examinadora de Contadores Públicos Autorizados (Ley Núm. 93-1945, según enmendada)

7. Junta Examinadora de Corredores y Vendedores de Bienes Raíces (Ley Núm. 10-1994, según enmendada)

8. Junta Examinadora de Delineantes (Ley Núm. 54-1976, según enmendada)

9. Junta Examinadora de Diseñadores y Decoradores {Ley Núm. 125-1973, según enmendada)

10. Junta Examinadora de Evaluadores de Bienes Raíces {Ley Núm. 277-1991, según enmendada)

11. Junta Examinadora de Geólogos [Ley Núm. 163-1996, según enmendada)

12. Junta Examinadora de Ingenieros y Agrimensores [Ley Núm. 173-1988, según enmendada)

13. Junta Examinadora de Operadores de Plantas de Aguas {Ley Núm. 53-1978, según enmendada)

14. Junta Examinadora de Peritos Electricistas [Ley Núm. 115-1976, según enmendada)

15. Junta Examinadora de Planificadores Profesionales (Ley Núm. 160-1996, según enmendada)

16. Junta Examinadora de Maestros y Oficiales Plomeros (Ley Núm. 88-1939, según enmendada)

17. Junta Examinadora de Químicos (Ley Núm. 97-1983, según enmendada)

18. Junta Examinadora de Contratistas de Selladores y Reparación de Techos (Ley Núm. 281-2000, según enmendada)

19. Junta Examinadora de Técnicos de Electrónica (Ley Núm. 99-1975, según enmendada)

20. Junta Examinadora de Técnicos y Mecánicos Automotrices (Ley Núm. 40-1972, según enmendada)

21. Junta Examinadora de Técnicos de Refrigeración y Aire Acondicionado (Ley Núm. 36-1970, según enmendada)

22. Junta Examinadora de Profesionales del Trabajo Social (Ley Núm. 171-1940, según enmendada)

23. Junta Reguladora de Relacionistas (Ley Núm. 204-2008)

Este Reglamento se promulga en virtud de las disposiciones de la Ley Núm. 41-1991, conocida como *"Ley de Juntas Examinadoras adscritas al Departamento de Estado"* según enmendada por la Ley Núm. 189-2007 y por la Ley Núm. 152-2008, al igual que en virtud de la Ley Núm. 8-2010, conocida como la *"Ley del Profesional Combatiente",* la Ley Núm. 107-2003, conocida como *"Ley para la Administración de Exámenes de Reválida en el Estado Libre Asociado de Puerto Rico",* Ley Núm. 88-2010 conocida como *"Ley para disponer que los aspirantes a tomar el examen de reválida de todas las profesiones que así lo requieran tendrán oportunidades ilimitadas para tomar y aprobar los mismos",* Ley Núm.

284-2011 conocida como *"Ley para Establecer que los Requisitas Educativos en Puerto Rico sean Medidos. Acreditados, Licenciados y Aprobados en Créditos y en Horas, por Cualquier Entidad u Organismo Regulador o Acreditador de las Distintas Profesiones y Oficios"*, el Reglamento Núm. 7501 conocido como *"Reglamento de Gastos de Viaje del Departamento de Hacienda"* y la Ley Núm. 170-1988, según enmendada, conocida como *"Ley de Procedimiento Administrativo Uniforme"*, y por cada una de las leyes que regulan la admisión y el ejercicio de cada profesión en particular.

Se aclara que este reglamento en forma alguna varía lo dispuesto en cada una de las leyes orgánicas o reglamentos que regulan cada profesión u oficio. Entendiéndose por ello que de existir conflicto o discrepancia entre lo dispuesto en este reglamento y cualquiera de dichas leyes habilitadoras y sus reglamentos, prevalecerá lo dispuesto en las últimas.

Artículo 1.3 - Propósito

Este Reglamento se promulga con el propósito de uniformar y facilitar los procesos de las Juntas Examinadoras adscritas, o a adscribirse, al Departamento de Estado de Puerto Rico, respetando aquellas diferencias que puedan emanar de las distintas leyes y reglamentos que regulan cada profesión en particular.

Mediante este Reglamento se declaran y establecen las normas básicas y generales que regirán el funcionamiento de la Juntas de Examinadoras adscritas al Departamento de Estado de Puerto Rico recogidas en un sólo documento de manera uniforme, facilitándole así tanto al ciudadano como a los propios funcionarios públicos la mayor y cabal comprensión del complejo proceso administrativo detrás de la expedición de una licencia profesional. El reglamento incluye además los rubros de licenciamiento, la administración de exámenes, las disposiciones sobre educación continua, los costos para la obtención de las licencias y certificados, los procedimientos adjudicativos, medidas disciplinarias, nuevas disposiciones y cánones sobre Ética para los componentes de cada Junta y otras disposiciones generales.

Se establecen, además, disposiciones esenciales compatibles con los conceptos y enfoques modernos en la regulación de las profesiones y la prestación de servicios, y se establece el procedimiento administrativo de las Juntas para reglamentar la admisión, suspensión o separación del ejercicio de las profesiones u oficios adscritos al Departamento.

Artículo 1.4 - Alcance y Apoyo del Departamento de Estado

El Secretario de Estado será el Secretario Ejecutivo de las Juntas Examinadoras adscritas, o a adscribirse, al Departamento de Estado con facultad de participar sin derecho a voto en todas las reuniones de Juntas. El Secretario de Estado podrá delegar tal responsabilidad en otro funcionario.

El Departamento de Estado, a través de su Secretaría Auxiliar, será el responsable de proveer el apoyo administrativo, secretaria!, legal y operacional a las juntas examinadoras adscritas al Departamento de Estado, y de cualquier Junta que en el futuro se cree o le sea transferida. En tal carácter, proveerá asistencia a las Juntas Examinadoras en las siguientes áreas de funcionamiento:

1. Custodiar todos los registros, récords, libros de actas y otros documentos de las Juntas.

2. Dar publicidad periódica según lo disponga cada ley habilitadora, ya sea en la página web del

Departamento o en un periódico de circulación general, al Registro de todos los aspirantes admitidos a las diversas profesiones de las Juntas Examinadoras adscritas al Departamento.

3. Elevar a la página web del Departamento información relacionada con las Juntas Examinadoras, incluyendo el registro de nombramientos en línea, la base de datos de los profesionales, solicitudes de licencia, resoluciones de las juntas y cualesquiera otros documentos e información relacionada.

4. Recibir y enviar toda correspondencia oficial de las Juntas e informar a los presidentes de Juntas de los asuntos que requieran atención inmediata; la correspondencia adicional se revisará en cada reunión ordinaria.

5. Proveer los salones para las reuniones, según sea el caso de las Juntas.

6. Gestionar el local para la administración de exámenes de reválida y gestionar la publicación de avisos o convocatorias para dichos exámenes.

7. Proveer y facilitar el proceso de investigación y adjudicación de querellas administrativas a profesionales adscritos a las Juntas mediante la contratación de oficiales examinadores.

8. Tomar juramentos de fidelidad y de toma de posesión del cargo a los miembros de Juntas

Examinadoras nombrados por el Gobernador.

9. Referir al Departamento de Justicia los emplazamientos y demandas en las acciones que se incluyen como parte demandado al Secretario de Estado, a las Juntas Examinadoras o sus miembros cuando estos últimos sean demandados en su carácter oficial.

10. Representar a las Juntas Examinadoras ante los Concilios o Entidades Profesionales, Regionales o Internacionales y propiciar la participación de

los miembros de Juntas Examinadoras en sus respectivas reuniones periódicas, según lo permitan las condiciones económicas prevalecientes.

11. Brindar apoyo legal especializado en cuanto a consultas de las Juntas relacionadas a sus respectivas funciones ministeriales y a asuntos relacionados a la promoción de legislación ante la Rama Legislativa; según el Secretario estime que van acorde a la política pública del Estado Libre Asociado de Puerto Rico.

Artículo 1.5 - Definiciones

A los fines de este Reglamento, las siguientes palabras o frases tendrán el significado que a continuación se expresa:

1. **Agencia** - significa cualquier junta, cuerpo, tribunal examinador, corporación pública, comisión, oficina independiente, división, administración, negociado, departamento, autoridad, funcionario, persona, entidad o cualquier instrumentalidad del Estado Libre Asociado de Puerto Rico u organismo administrativo autorizado por ley a llevar a cabo funciones de reglamentar, investigar, o que pueda emitir una decisión, o con facultades para expedir licencias, certificados, permisos, concesiones, acreditaciones, privilegios, franquicias, acusar o adjudicar, excepto:

a. El Senado y la Cámara de Representantes de la Asamblea Legislativa

b. La Rama Judicial

c. La Oficina del Gobernador y todas sus oficinas adscritas

d. La Guardia Nacional de Puerto Rico

e. Los gobiernos municipales o sus entidades o corporaciones

f. La Comisión Estatal de Elecciones

g. El Negociado de Conciliación y Arbitraje del Departamento del Trabajo y Recursos Humanos

h. La Junta Asesora del Departamento de Asuntos del Consumidor sobre el Sistema de

Clasificación de Programas de Televisión y Juguetes Peligrosos.

2. **Acomodo Razonable (Reválida)** - Significa el ajuste lógico y razonable a las condiciones establecidas para la administración de los exámenes de reválida, que atenúen el efecto que pudiera tener la condición de un impedimento en la capacidad del aspirante, sin que resulte en cualquiera de los siguientes:

a. Alterar fundamentalmente la naturaleza de los exámenes de reválida o la habilidad de la Secretaría Auxiliar de Juntas Examinadoras para determinar, mediante los exámenes de reválida, si el aspirante cumple con los requisitos esenciales de elegibilidad para ejercer una profesión u oficio en el Estado Libre Asociado de Puerto Rico, y si el aspirante posee el conocimiento y las destrezas evaluadas en los exámenes de reválida;

b. Imponer una carga indebida a la Secretaría Auxiliar de Juntas Examinadoras;

c. Comprometer la seguridad de los exámenes de reválida;

d. Comprometer la validez, integridad y confiabilidad de los exámenes de reválida.

3. Acomodo Razonable (Educación Continua) - Es el ajuste lógico y razonable a los requisitos establecidos en este Reglamento, que atenúe el efecto que pudiera tener un impedimento en la capacidad del técnico o profesional a tomar un curso de educación continua de cualquiera de la Juntas Examinadoras y obtener un aprovechamiento efectivo del mismo, sin que dicho ajuste resulte en cualquiera de los siguientes:

a. Alterar fundamentalmente el objetivo del programa de educación continua obligatoria, que es alentar y contribuir al mejoramiento profesional mediante el aprovechamiento efectivo de todo curso ofrecido, conforme dispone este Reglamento;

b. Imponer una carga indebida las Juntas Examinadoras en la función administrativa de certificar el cumplimiento del requisito de educación continua.

4. Aspirante - Personas que cumplen con los requisitos de estudios y/o de experiencia requeridas

que interesan ser admitidas al ejercicio de una de las profesiones u oficios reglamentadas por las Juntas Examinadoras adscritas al Departamento de Estado.

5. Aspirante cualificado con impedimento - Aquel aspirante que tiene un impedimento y que;

a. Con o sin un acomodo razonable está capacitado para funcionar bajo las normas y prácticas regulares y aplicables a la administración de los exámenes de reválida; o

b. Con la remoción de barreras arquitectónicas, de comunicación o transporte, o con el beneficio de la asistencia y los servicios auxiliares razonables, cumpla con los requisitos esenciales de elegibilidad para ejercer una profesión u oficio en el Estado Libre Asociado de Puerto Rico y esté capacitado para demostrar que posee el conocimiento, las destrezas y las habilidades evaluadas en el examen de reválida.

6. Concilios - Son organizaciones o entidades profesionales regionales o internacionales, en su mayoría sin fines de lucro, y en otros casos relacionadas al gobierno que representan los intereses de diversas profesiones en sus jurisdicciones, en cuanto a la evaluación y medición de los estándares que rigen las distintas profesiones.

7. Cliente - Se refiere a la persona, natural o jurídica, que recibe servicios en el contexto de una relación profesional, los cuales pueden incluir niños, adolescentes, adultos, parejas, familias, grupos, organizaciones, comunidades, u otra población o entidad.

8. Citación - Documento expedido para ordenar a un(a) testigo, a un (a) reclamante o a cualquier parte, su comparecencia a algún procedimiento adjudicativo.

9. Colegio o Instituto - Cualquier organización creada por Ley o de acuerdo a las leyes de Puerto Rico que se cree para agrupar a técnicos o profesionales de una misma profesión u oficio.

10. Conflicto de intereses - Aquella situación en que el interés personal o económico está o puede razonablemente estar en pugna con el interés público. Aplica a los miembros de las Juntas así como a los miembros de los comités nombrados por éstas. Se entiende por apariencia de conflicto de interés aquella situación en que el miembro de la Junta o Comité crea la percepción de que la confianza pública ha sido o pudiera ser quebrantada, según lo pueda interpretar un número significativo de observadores imparciales, por lo cual entienden que no se ha actuado objetivamente.

11. Curso autorizado o acreditable - Curso de educación continua aprobado por la Junta al cumplir con todos los requisitos aplicables establecidos Capítulo 5 de este Reglamento.

12. Curso de Educación Continua ("Curso") - Es toda actividad educativa dirigida a los técnicos y profesionales para llenar sus necesidades de mejoramiento profesional, y diseñada con el fin de que éstos adquieran, desarrollen y mantengan los conocimientos y las destrezas necesarias para el desempeño de su oficio o profesión dentro de los más altos niveles de calidad y competencia.

13. Delito que conlleva depravación moral - Se refiere a cualquier conducta o acto inmoral, indecoroso y carente de profesionalismo de un profesional licenciado o aspirante a licencia por el cual ha sido convicto de un delito grave o menos grave que conlleve el menosprecio al orden jurídico vigente y la violación de las normas aceptadas de la práctica profesional, mediante el abandono, explotación, daño o abuso y que tiende a traer reproche o descrédito a las diversas profesiones adscritas.

14. Departamento - Departamento de Estado del Estado Libre Asociado de Puerto Rico.

15. Denuncia - imputación o queja radicada ante las Juntas por una persona natural o jurídica con respecto a una alegada violación a la Ley, este Reglamento, Código de Ética o el reglamento particular de la profesión u oficio.

16. Desestimación con perjuicio - acción de declarar sin lugar una causa de acción en donde la parte demandante pierde su derecho a reclamar nuevamente fundándose en la misma causa de acción.

17. Desestimación sin perjuicio - acción de declarar sin lugar una causa de acción sin que la parte demandante pierda su derecho a reclamar nuevamente fundándose en la misma causa de acción.

18. Días Laborables - Son los cinco días de la semana de lunes a viernes, excepto cuando alguno de ellos sea feriado o haya sido declarado como tal por el Estado Libre Asociado de Puerto Rico. En el cómputo de términos o límites de tiempo fijados, se excluirá el primer día y se contará el último. Todo plazo de entrega vencerá a las 4:30 p.m. del último día laborable del término correspondiente, disponiéndose que si éste fuera un día no laborable, vencerá el término al día laborable siguiente. La hora se determinará de acuerdo con el reloj ponchador de la Secretaría Auxiliar de Juntas.

19. División -Secretaría Auxiliar de Juntas Examinadoras adscritas al Departamento de Estado.

20. Divulgación efectiva - Se refiere a anunciar el ofrecimiento del curso a todos los miembros de la profesión mediante la publicación en un periódico de circulación general en Puerto Rico, o cualquier otro medio de divulgación alterno, tales como cartas circulares o publicaciones de Colegios, Institutos, o de Instituciones Públicas o Privadas en medios escritos o electrónicos.

21. Documentos confidenciales - Se refiere a los documentos clasificados como confidenciales tales como: Preguntas de exámenes, claves, notas y otros datos para la administración de reválidas, proveyéndose que una persona tendrá derecho a revisar los resultados de su examen. Incluye, además, opiniones o consultas legales sobre un asuntos consultados por la Junta a la Oficina de Asuntos Legales del Departamento de Estado.

22. Educación Continua - Actividad educativa diseñada y organizada para llenar las necesidades de los profesionales, con el propósito de que adquieran, mejoren y desarrollen los conocimientos y destrezas necesarias para el desempeño de sus funciones dentro de los más altos niveles de competencia profesional.

23. Examinador - Miembro de las Juntas o persona en quién las Juntas delegan, para administrar un examen de reválida.

24. Educación a distancia - Metodología de estudio mediante la cual el estudiante y el profesor se encuentran en espacios físicos distintos. Los educandos utilizan sistemas de apoyo diferentes a los estudiantes presenciales y se encuentran en un entorno no institucional la mayor parte del tiempo al realizar sus actividades académicas. Utiliza metodología electrónica para la enseñanza, asesoramiento académico, asesoramiento en investigación, apoyo y servicios administrativos, evaluación y otras interacciones entre los estudiantes y la facultad. El proceso de enseñanza aprendizaje puede ser sincrónico o asincrónico mediados por tecnologías de información y de comunicación. Es altamente planificado y requiere de técnicas especiales de diseño de cursos, de enseñanza y de comunicación entre estudiante-profesor y estudiante-estudiante.

25. Entidad Afín - Organización profesional localizado fuera de Puerto Rico que agrupa a los miembros de una profesión u oficio y que ofrecen a sus miembros programas de educación continua directamente o a través de sus proveedores certificados, cuyos programas sean de reconocida calidad o que hayan sido evaluados por las Juntas y encontrados que cumplen sustancialmente con los requisitos de este Reglamento.

26. Entidad profesional privada - Entidad jurídica privada cuyos miembros se dedican principalmente al ejercicio de la profesión u oficio.

27. Entidad profesional pública - Cualquier entidad adscrita a alguna de las tres ramas de gobierno estatal o federal, o a algún municipio.

28. Examen de Reválida - Prueba escrita o administrada mediante un computador de ejecución, utilizada para evaluar a los aspirantes al ejercicio de una profesión u oficio, cuyo propósito es determinar si el aspirante posee los conocimientos y destrezas mínimos para el ejercicio competente de dicha profesión u oficio.

29. Funcionario/a Autorizado/a - Persona autorizada para realizar los actos administrativos de una agencia, la cual pueda ser un/a Investigador/a, Técnico/a Legal, Abogado/a, o cualquier otro funcionario de la División delegado por el Secretario o las Juntas para dicha función.

30. Información confidencial - Toda información obtenida durante la relación entre el profesional adscrito y un cliente bajo la expectativa de que ésta no será divulgada.

31. Impedimento - Un impedimento físico o emocional que afecte sustancialmente una o más de las actividades principales de la vida del aspirante, y que limite sustancialmente la habilidad del aspirante para demostrar, en igualdad de condiciones con respecto al resto de los aspirantes, que posee el conocimiento, las destrezas y las habilidades evaluadas en los exámenes de reválida, que son necesarias para ser admitido al ejercicio de una profesión u oficio en el Estado Libre Asociado de Puerto Rico. Conlleva además la existencia de un historial previo del impedimento o la existencia de un historial previo en el que se considere que tiene un impedimento, aun cuando no lo tenga al momento. Incluye dos tipos de impedimento:

a. Impedimento físico - Desorden o condición fisiológica o pérdida anatómica que afecta uno o más de los sistemas del cuerpo humano.

b. Impedimento mental - Desorden mental o psicológico reconocido generalmente por la Medicina.

32. Institución de Educación Superior - Cualquier universidad, escuela profesional o institución educativa que ofrezca un programa de educación conducente al grado de bachillerato, maestría y/o doctorado autorizada por el Consejo de Educación de Puerto Rico para operar en Puerto Rico. En caso de instituciones extranjeras, ésta debe estar acreditada por una entidad acreditadora reconocida por el Departamento de Educación de los Estados Unidos o una entidad homóloga en caso de otros países.

33. Interventor/a - Significa aquella persona que no sea parte original en cualquier procedimiento adjudicativo que la División lleve a cabo y que haya demostrado su capacidad o interés en el procedimiento conforme requieren este Reglamento.

34. Junta, Juntas, Junta Examinadora o Juntas Examinadoras - Juntas Examinadoras adscritas al Departamento de Estado de Puerto Rico por virtud de la Ley Número 45-1991, según enmendada y cuyas leyes orgánicas les requieran establecer requisitos de registro para el ejercicio de una profesión u oficio en el Estado Libre Asociado de Puerto Rico. En singular, cualquiera de ellas.

35. Justa Causa- Cualquier evento, motivo, razón o circunstancia que este fuera del control de los miembros de las juntas examinadoras o del personal administrativo del Departamento y que impida cumplir a los mismos con sus deberes ministeriales inmediatos. Esto incluye, situaciones de emergencia tales como desastres naturales, enfermedades prolongadas o sucesos inciertos e inesperados.

36. Ley 170 (o Ley 170 de 1988) - Ley Núm. 170-1988, según enmendada, conocida como Ley de Procedimiento Administrativo Uniforme del Estado Libre Asociado de Puerto Rico.

37. Ley Habilitadora o Ley Orgánica - aquellas leyes particulares a cada profesión u oficio que al momento de la vigencia de este reglamento establecen todo lo concerniente a la reglamentación de dicha profesión u oficio.

38. Miembro o Funcionario - Se refiere a cada uno de los miembros o funcionarios que integran las Juntas.

39. Negligencia Crasa - Error, acción u omisión de carácter grave de cualquier profesional licenciado o certificado que ponga en peligro o cause daño a la salud, seguridad o bienestar de personas como consecuencia de, o inherentes a, servicios profesionales ofrecidos o que debieron haber sido provistos por el profesional.

40. Normas Éticas - Disposiciones que rigen la conducta del profesional adoptadas por las Juntas y contenidas en el código de ética o conducta de este reglamento y de cada profesión.

41. Oficial Examinador/a - Funcionario/a, que será licenciada/o en Derecho, designado/a por el Secretario o su designado para investigar y examinar la prueba de alguna queja, evaluar los méritos de la misma y hacer una recomendación a la Junta sobre la adjudicación formal de los hechos y el derecho a base del expediente del caso y conforme a este Reglamento.

42. Orden o Resolución - Cualquier decisión o acción de aplicación particular que adjudique derechos u obligaciones de una o más personas específicas, que ordene la realización de un acto y/o el cese y desista y/o mostrar causa y/o que imponga penalidades y/o sanciones administrativas y/o cualquier orden especifica de acuerdo a las circunstancias de cada caso.

43. Orden Interlocutoria - Acción que disponga de algún asunto procesal, pero no resuelva con carácter final una controversia.

44. Orden o Resolución parcial - Acción que adjudique algún derecho u obligación sin poner fin a la totalidad de una controversia, sino a un aspecto específico de la misma.

45. Parte - cualquier persona natural o jurídica o grupo con capacidad para comparecer ante las Juntas.

46. Parte querellante - En los procedimientos adjudicativos, será siempre la parte que invoque o solicite un remedio adecuado a su determinada queja o querella.

47. Parte querellada - Persona natural o jurídica, agencia o entidad privada contra la que se presenta una queja o querella.

48. Participación Activa -Proceso que seguirán las Juntas para solicitar la opinión de los Colegios o Instituciones al aprobar o enmendar su respectivo reglamento de educación continua, siempre que dichas Instituciones también lleven a cabo funciones de educación continua.

49. Período de cumplimiento - Período establecido para ampliar los requisitos de créditos de educación continua por las Juntas Examinadoras en sus respectivos reglamentos de educación continua.

50. Proveedor - Persona natural o jurídica que ofrece cursos de educación continua cuyo ofrecimiento se lleve a cabo de conformidad con este Reglamento.

51. Persona - Persona natural o jurídica independientemente de su denominación y de la forma que esté constituida.

52. Proveedor de Educación Continua - Organizaciones profesionales, tales como Colegios o Asociaciones legalmente constituidas o instituciones educativas acreditadas, que hayan sido evaluados por las Juntas y designadas por éstas para ofrecer educación continua en Puerto Rico, exceptuando aquellas Profesiones que por disposición de su ley habilitadora la educación continua, éste ofreciendo está a cargo de un colegio o instituto en particular.

53. Queja o solicitud de investigación - Cualquier reclamación, reclamo o solicitud presentada por una persona mediante comunicación escrita, vía facsímil o correo electrónico o cualquier otro medio disponible, con el propósito de hacer valer un derecho y solicitar un remedio.

54. Querella - Reclamación formal (i. e., lo cual es referido a un Oficial Examinador) presentada a la Junta con el propósito de hacer valer el derecho de un reclamante, la política pública y solicitar un remedio adecuado. Incluirá acciones iniciadas para hacer cumplir las leyes y reglamentos, así como normas, protocolos y guías internas adoptadas en cumplimiento de ley. La Querella se fundamenta en una Queja que, luego de una evaluación inicial, la Junta entiende que tiene méritos.

55. Querellante - Se refiere a cualquiera de las siguientes:

a. Persona que alega haber sido directamente perjudicado por el servicio prestado por un profesional licenciado o certificado por las Juntas Examinadoras o en el caso de un menor de edad o incapacitado mental, su tutor o representante legal.

b. Profesional Licenciado o certificado de las Juntas Examinadoras que tiene conocimiento de una violación al Código de Ética, la Ley o los

Reglamentos y que ha agotado sus recursos de intervención directa para remediar la situación o que estima que su intervención directa no habrá de remediar los daños o el peligro que dicha violación pueda representar.

c. Persona, institución, agencia u organización que intenta proteger a un individuo o al público en general, de comportamiento falto de ética o de cualquier violación a la Ley o los Reglamentos por parte de un profesional.

d. Cualesquiera de los Miembros de las Juntas Examinadoras, el Secretario de Estado de Puerto Rico y otros funcionarios públicos del sistema judicial de Puerto Rico.

56. Querellado - Profesional licenciado o certificado que es objeto de una querella.

57. Quórum - es la proporción o número de asistentes que se requiere para que una sesión de los Miembros de Juntas Examinadoras, dentro del procedimiento parlamentario pueda comenzar, tomar o adoptar una decisión válida.

58. Reciprocidad - Acuerdos entre jurisdicciones para otorgar un "trato igual" para expedir licencias o certificados a solicitantes de otras jurisdicciones sujetos al crédito/convalidación de los respectivos requisitos que incluyen grados académicos, cursos, adiestramientos, experiencia y exámenes de reválida con el fin de otorgar la respectiva licencia o certificado.

59. Requerimiento de información - Comunicación a cualquier persona, en la cual se le requiere la producción de documentos, objetos o información pertinente a alguna investigación en progreso.

60. Secretario - Secretario de Estado de Puerto Rico o el funcionario por él delegado para actuar como Secretario Ejecutivo de todas las Juntas Examinadoras, con facultad en ley para participar, sin derecho a voto, en todas sus reuniones.

61. Secretario/a de las Juntas - Miembro de las Juntas escogido por sus compañeros por un término determinado para ejercer las funciones de dicha posición.

62. Secretaría Auxiliar - Secretaría Auxiliar de Juntas Examinadoras.

63. Técnico o Profesional - Toda persona que ha obtenido una licencia de una de las Juntas Examinadoras adscritas al Departamento de Estado, cuya Ley Orgánica le requiera cumplir requisitos de registro.

64. Transmisión electrónica - Procedimiento en el cual un ciudadano transmite una solicitud o información por medio electrónico incluyendo la transmisión digital de un documento mediante un computador para completar una solicitud de licencia u examen.

Capítulo 2 - Composición y Funcionan1iento de las Juntas

Artículo 2.1 - Composición de las juntas

1. Las Juntas Examinadoras como organismos gubernamentales adscritos al Departamento de Estado serán responsables de salvaguardar los mejores intereses del pueblo contribuyendo en la admisión de profesionales competentes que brindarán servicios directos e indirectos a la ciudadanía, con aquellos poderes para reglamentar la admisión, suspensión o separación del ejercicio de las diversas profesiones adscritas, según lo establezcan cada una de sus leyes habilitadoras.

2. Las Juntas estarán integradas por miembros nombrados por el Gobernador de Puerto Rico, con el consejo y consentimiento del Senado. Cuando un miembro de las Juntas que en fecha posterior a su nombramiento, confirmación y posesión del cargo cambie de área de desempeño profesional, y no haya la oportunidad de desempeñarse en otra de las posiciones de las Juntas que no requiera ser un miembro de dicha profesión, dicho miembro presentará al Gobernador su renuncia a los fines de que se nombre un nuevo miembro.

3. Ningún miembro de las Juntas podrá ser dueño, accionista o pertenecer a la Junta de Síndicos o Junta de Directores de una universidad, colegio o escuela técnica donde realicen estudios conducentes a su grado profesional.

Artículo 2.2 Vacantes

1. Toda vacante que ocurra antes de expirar el término de nombramiento del miembro que la ocasione, será cubierta de la misma forma que éste fue nombrado y ejercerá sus funciones por el término que fue nombrado su antecesor. Cuando una vacante ocurra por razón de la expiración del término de nombramiento, el Presidente de la Junta deberá notificar tal hecho al Gobernador, y al Colegio o Asociación correspondiente, si la hubiere, de cada profesión con no menos de sesenta (60) días de anterioridad a la fecha de expiración de dicho nombramiento de forma tal que se agilice el proceso de nombramiento del nuevo miembro.

2. Separación del cargo- El Gobernador, por iniciativa propia o por petición de la Junta, podrá separar del cargo a cualquier miembro de una Junta por negligencia en el desempeño de sus funciones como miembro de la misma, por negligencia en el ejercicio de su profesión u ocupación, por haber sido convicto de delito grave o de delito menos grave que implique depravación moral o cuando se le haya suspendido, cancelado o revocado su licencia.

Artículo 2.3 Dietas

Los miembros de las Juntas no devengaran salario, honorarios, compensación o remuneración alguna por el desempeño de sus funciones. Sin embargo, los miembros de las Juntas, incluso los que sean funcionarios o empleados públicos, tendrán derecho, si así lo establece su ley habilitadora, a dieta por día o fracción de día por cada reunión a la que asistan, según sea establecido en su respectiva ley habilitadora. El Presidente de cada Junta, por su parte, y si así lo permite su ley habilitadora, recibirá una dieta equivalente al ciento treinta y tres por ciento (133%) de la dieta que recibirán los demás miembros de las Juntas. Además, se les rembolsarán los gastos de transportación en que incurran necesariamente en el desempeño de sus funciones, sujeto a los reglamentos del Departamento de Hacienda que sean aplicables.

Artículo 2.4 Viajes

Sección 1 - Procedimiento

Todo miembro de las Juntas Examinadoras adscritas al Departamento de Estado de Puerto Rico que solicite un viaje oficial ya sea dentro de la jurisdicción del Estado Libre Asociado de Puerto Rico o fuera de ésta deberá cumplir con las disposiciones establecidas en el Reglamento 7501 de Gastos y Viajes del Departamento de Hacienda y las disposiciones establecidas en este reglamento.

El Procedimiento será el siguiente:

1. Se deberá someter por escrito una solicitud firmada y fechada con un mínimo de 90 días con antelación del viaje con copia de la Resolución de las Juntas que evidencie la aprobación interna por la mayoría de los presentes (quórum) en sesión ordinaria o extraordinaria dirigida al Secretario de Estado con copia a la División de Finanzas del Departamento de Estado con un resumen sucinto y sencillo de los propósitos del viaje un resumen detallado de los costos estimados del viaje incluyendo, costo de registro, transportación aérea (si aplica), transportación terrestre, alojamiento y gastos estimados de desayuno, almuerzo y cena.

2. Una vez sometida la petición el Secretario de Estado tendrá treinta (30) días para aprobar o denegar la petición del viaje mediante comunicación escrita a la Junta Examinadora peticionaria.

3. El Secretario de Estado como Secretario Ejecutivo de las Juntas Examinadoras tendrá discreción de denegar o aprobar la respectiva petición de acuerdo a los mejores intereses del Pueblo de Puerto Rico, siempre salvaguardando los aspectos de una sana administración y uso de fondos públicos como el criterio rector para su determinación.

4. De ser aprobada la solicitud el Departamento, éste, siguiendo la directriz vigente del Gobernador al momento de esta aprobación, cursará, de ser necesario, la solicitud al Secretario de la Gobernación para su aprobación final, y desembolsará la cantidad aprobada treinta (30) días antes del viaje a los peticionarios miembros de Juntas.

5. Si el peticionario miembro de Juntas presenta su solicitud pasados los noventa (90) días con antelación de acuerdo al inciso (a) podrá correr el riesgo de que su solicitud no sea tramitada a tiempo. En ese caso deberá incurrir en gastos personales para cubrir su deber ministerial y el Departamento desembolsará la cantidad correspondiente no más tardar de treinta (30) días luego de consumado el viaje, mediante la presentación de copia de recibos de los gastos incurridos.

Sección 2 · Estipendio

Sujeto a las normas y reglas del Departamento todo miembro de las Junta Examinadoras que tenga una gestión o reunión oficial que a requerimiento de las funciones de su puesto, tenga que viajar en asuntos oficiales en Puerto Rico, tendrá derecho si así lo permite la ley habilitadora a dietas para gastos de desayuno, almuerzo, comida, millaje y alojamiento, de acuerdo con la hora de salida y regreso a su residencia oficial o privada, según sea el caso, conforme a la siguiente escala:

Partida antes de	Regreso después de	Cantidad
Desayuno	6:30 a.m. 8:00 a.m.	$6.00
Almuerzo	12:00 p.m. 1:00 p.m.	$10.00
Comida	6:00 p.m. 7:00 p.m.	$11.00

El horario establecido anteriormente, es para determinar la parte o partes de la dieta que tendrá derecho a reclamar el miembro conforme al período en el cual realiza la misión oficial, independientemente de cuál sea el horario establecido por el Departamento como jornada regular de trabajo. Se les computará la dieta desde el momento que salen de su residencia privada u oficial hasta el momento que regresen a la misma.

Sección 3 · Miembros designados(as) a viajar en Puerto Rico; gastos en Alojamiento

El miembro designado(a) a viajar en asuntos oficiales en Puerto Rico tendrá derecho, si así lo permite la ley habilitadora, al rembolso de los gastos de alojamiento realmente incurridos mediante la presentación de facturas comerciales, recibos o las evidencias correspondientes. En caso de que les sea imposible obtener esta evidencia presentará una certificación al efecto. El importe diario a rembolsar por alojamiento será: sesenta dólares ($60.00). El miembro que decida viajar diariamente a su residencia oficial o privada en lugar de permanecer en la residencia temporera se le rembolsará el importe de alojamiento más la dieta aplicable de haber permanecido en su residencia temporera.

Para estos casos el importe diario a rembolsar por alojamiento será: sesenta dólares ($60.00). El miembro que durante el viaje hacia su residencia temporera u oficial o privada y que por circunstancias imprevistas se vea en la necesidad de utilizar algún lugar de alojamiento, tendrá derecho al rembolso de dicho gasto.

Los miembros que estén de vacaciones fuera de su residencia privada y se les requiera realizar una misión oficial, se les rembolsarán los gastos de transportación en que incurran. Si durante las vacaciones se encuentran fuera de Puerto Rico y se les requiere realizar una misión oficial en el lugar donde se encuentren de vacaciones, se les rembolsarán los gastos de transportación, dietas y cualquier gasto (excursiones, taquillas, entre otros) que pueda ocasionar dicha encomienda.

Sección 4 - Uso de automóvil propio

El miembro que fuere autorizado(a) a usar su propio automóvil en asuntos oficiales de su cargo se le rembolsará el importe de los gastos de viaje en que incurra de acuerdo con la tarifa establecida por el Reglamento de Gastos de Viaje del Departamento de Hacienda, previa presentación de licencia y registración del vehículo a su nombre.

Sección 5 - Pasajeros (as) adicionales en automóvil propio

Por cada funcionario(a), persona visitante o persona particular que además del/la dueño(a) haya sido autorizado(a) a viajar en el mismo automóvil en asuntos oficiales, se concederá al/la dueño(a), dos centavos (.02C) adicionales por milla recorrida. Cuando se reclame pago adicional por pasajero(a) que además del/la dueño(a) viajen en el mismo automóvil, deberá indicarse en el comprobante de viaje los nombres de todos(as) los(as) pasajeros(as) que tengan órdenes de viaje.

Estos(as) últimos(as) no podrán recibir pago alguno por concepto de gastos de transportación.

Sección 6 - Transportación de carga en automóvil propio

En los casos en que para realizar la gestión oficial sea imprescindible transportar material, equipo o cualquier otra propiedad del Departamento en el vehículo privado en exceso de cien (100) libras, se concederá el pago adicional según establecido en el Reglamento de Gastos de Viaje del Departamento de. Para tener derecho a esta compensación deberá especificarse en la Orden de Viaje.

Sección 7 - Cómputo de millaje para rembolso

Para determinar la cantidad a pagar por concepto de millaje se utilizará la Tabla de Distancia en Millas, entre pueblos e importe de Millaje a Pagar, preparada por el Departamento de Hacienda.

Cuando se viaje dentro de los límites jurisdiccionales de un pueblo a otros lugares que no aparezcan en la tabla antes indicada, la cantidad a rembolsar por concepto de millaje se computará a base del número de millas recorridas según se determine de la lectura de la cuenta millas del automóvil. La División de Finanzas determinará la razonabilidad de las millas reclamadas por el/la miembro, usando como guía las distancias en millas entre pueblos, experiencias anteriores, o una herramienta tecnológica confiable.

Sección 8 - Dietas para asuntos oficiales fuera de Puerto Rico

Las dietas para viajes en asuntos oficiales fuera de Puerto Rico y el rembolso de los gastos de la transportación y alojamiento se computarán de acuerdo con el reglamento de Gastos de Viajes del Departamento de Hacienda, Reglamento Núm. 7501 del 2008. No se pagarán gastos que se consideren extravagantes, excesivos o innecesarios, se definen como sigue:

1. Extravagante: Gasto fuera de lo común, contra razón, ley o costumbre, que no se ajuste a las normas de utilidad y austeridad del momento.

2. Excesivo: Gasto por artículos, suministros o servicios cuyos precios cotizados sean mayores que aquellos que normalmente se cotizan en el mercado al momento de adquirirlos o comprarlos o cuando exista un producto sustituto más barato e igualmente durable, que pueda servir para el mismo fin con igual resultado o efectividad.

3. Innecesario: gasto por materiales o servicios que no son indispensables o necesarios para que el (la) miembro pueda desempeñar las funciones que por ley se le han encomendado.

Artículo 2.5 - Reuniones de la Juntas

1. La Juntas celebrarán, y sin limitarse a, no menos de doce (12) reuniones anuales ordinarias para atender resolver sus asuntos oficiales.

2. Aquellas juntas con mayor demanda de solicitudes deberán hacer los arreglos pertinentes para reunirse de manera bimensual siendo la primera reunión entre el primero (1) y el quince (15) de cada mes y la segunda reunión entre el dieciséis {16) y el último día del respectivo mes.

Artículo 2.6 - Estructura y funcionamiento interno de las Juntas

1. La Juntas elegirán un presidente/a, un vicepresidente/a y un secretario/a de entre los miembros confirmados que la integran. El vicepresidente ejercerá las funciones del presidente en caso de ausencias temporeras de

éste. Los oficiales ocuparán sus puestos por el término de la fecha que reste de su nombramiento, contado desde la fecha de su respectiva elección, pudiendo ser reelecto por dos (2) términos adicionales consecutivamente salvo que la ley habilitadora de cada junta disponga lo contrario.

2. La Juntas adoptarán un reglamento para su funcionamiento interno y levantarán actas de sus reuniones mediante un método apropiado. Cada acta será firmada por dos (2) de los miembros que hayan asistido a dicha reunión, además de que en cada reunión se dará lectura y aprobaran las actas de la reunión anterior, salvo que se den por leídas cuando hayan sido circuladas con anterioridad.

Artículo 2.7 -Facultades, funciones y deberes de las Juntas y sus miembros

La Juntas tendrán las siguientes facultades, funciones y deberes, además de cualesquiera otras dispuestas en la Ley Núm. 45 de 5 de agosto de 1991 (Ley de Juntas Examinadoras) y las que establezcan sus respectivas leyes orgánicas.

1. Facultades de las Juntas:

a. Autorizar el ejercicio a los profesionales solicitantes que cumplan con todos los requisitos establecidos en su ley habilitadora y este Reglamento, y expedirles la licencia o el certificado, según corresponda, bajo la firma del Presidente de la Junta.

b. Denegar, suspender o revocar cualquier licencia o certificado a toda persona que no cumpla con las disposiciones de las leyes y los cánones de ética que reglamentan el ejercicio de cada profesión.

c. En aquellos casos que así lo establezcan las leyes orgánicas de cada profesión u oficio en particular; (i) podrá ofrecer los exámenes de reválida a los aspirantes a licencia o certificado a cada profesión adscrita por lo menos dos (2) veces al año; (ii) designar fechas, lugar y hora de dichos exámenes; {iii) notificar los resultados de los exámenes en un término razonable no mayor de sesenta {60) días laborales, después de haber sido administrados los mismos.

En el caso de las Juntas que delegan el ofrecimiento y administración de los exámenes de reválida a los Concilios y sus proveedores, éstos serán ofrecidos y evaluados de acuerdo a los procedimientos establecidos por dichos Concilios.

d. En aquellos casos que así lo establezcan las leyes orgánicas de cada profesión u oficio en particular, podrá autorizar o denegar la recertificación y/o la reactivación de profesionales adscritos según requerido y conforme con los términos y condiciones establecidos por la disposiciones de educación continua de este reglamento y la Ley Núm. 284 de 30 de diciembre de 2011 conocida como "Ley para Establecer que los Requisitos Educativos en Puerto Rico sean Medidos, Acreditados, Licenciados y Aprobados en Créditos y en Horas, por Cualquier Entidad u Organismo Regulador o Acreditador de las Distintas Profesiones y Oficios".

e. Sólo en aquellos casos que así lo establezcan específicamente las leyes orgánicas de cada profesión u oficio en particular, podrá establecer los requisitos, evaluar y reconocer certificados de especialidades dentro de cada profesión otorgados por agencias e instituciones educativos reconocidas por instituciones acreditadoras en Puerto Rico, Estados Unidos o internacionalmente, que cumplan con los criterios establecidos por las Juntas dentro de este Reglamento.

f. Preparar y mantener actualizado un registro oficial de las licencias de cada profesional licenciado y de los certificados que se expidan.

g. Desarrollar y mantener un sistema de información confidencial sobre las licencias y certificados denegados, expedidos, suspendidos o revocados, incluyendo los resultados de reválida de las características de los revalidados en cuanto a edad, sexo, escuela de donde provienen, índice académico al iniciar y finalizar sus estudios profesionales o técnicos y cualesquiera otras características o datos que las Juntas estimen necesarios y convenientes para mantener actualizado un sistema de información confiable y adecuado.

h. Establecer relaciones estadísticas sobre los datos en el sistema de información, manteniendo la confidencialidad de los datos individuales de las personas afectadas.

i. Aprobar y promulgar, mediante reglamento o resolución aprobada por los miembros de las Juntas, las normas que sean necesarias para reglamentar el ejercicio profesional y la ocupación de cada profesión con el propósito de proteger y garantizar la mejor salud, seguridad y bienestar del pueblo.

j. Iniciar investigaciones o procedimientos administrativos por iniciativa propia, o por querella debidamente juramentada, o querella formal del Secretario de Estado, o Secretario de Justicia, o de los respectivos Colegios o Asociaciones profesionales de cada profesión, o por alguna agencia estatal y/o federal contra un profesional o aspirante de las Juntas que incurra en violación a las disposiciones de las leyes, reglamentos y cánones de ética que reglamentan cada profesión las cuales serán referidas de ser necesario al Oficial Examinador para el trámite correspondiente.

k. Establecer los mecanismos de consulta y coordinación que sean necesarios para llevar a cabo sus funciones y para cumplir con los propósitos de la Ley Núm. 41 de 5 de agosto de 1991, conocida como "Ley de Juntas Examinadoras adscritas al Departamento de Estado" y con los propósitos de sus respectivas leyes orgánicas, incluyendo la recomendación sobre la contratación por el Secretario de los servicios profesionales y técnicos que sean esenciales para las Juntas.

l. Establecer los procedimientos y mecanismos convenientes para lograr un intercambio de información con aquellas instituciones de educación superior de Puerto Rico y del exterior que tienen programas, colegios o escuelas dedicadas a la formación y educación de profesionales sobre los últimos avances, desarrollos, descubrimiento y estudios en el campo de cada profesión.

m. Lograr acuerdos o convenios con juntas examinadoras o entidades similares de otras jurisdicciones para el intercambio de información sobre las licencias o certificados de cada profesión otorgados, denegados, suspendidos, o revocados y sobre otras sanciones impuestas a sus miembros.

n. Entrar en convenios o acuerdos de reciprocidad para el ejercicio de las diversas profesiones con organismos o entidades competentes y oficiales de otras jurisdicciones.

o. Participar en conjunto con agencias gubernamentales, organizaciones y asociaciones profesionales en actividades dirigidas a promover el mejoramiento de los estándares de la práctica de las profesiones, para la protección de la salud y el bienestar público.

p. Mantener un registro de todas las instituciones de educación superior de Puerto Rico que tengan colegios o programas acreditados; y de las instituciones educativas acreditadas o reconocidas por la autoridad competente que ofrecen programas de sobre las diversas profesiones.

q. Adoptar un sello oficial el cual tendrá forma circular y se hará adherir o imprimir este sello en el original de todo documento oficial expedido por las Juntas.

r. Adoptar las reglas y reglamentos necesarios para la aplicación en conformidad con las disposiciones de la ley Núm. 170 de 12 de agosto de 1988, según enmendada, conocida como "ley de Procedimiento Administrativo Uniforme para el Estado Libre Asociado de Puerto Rico".

s. Periódicamente, y según las Juntas lo estimen necesario para salvaguardar el bienestar del pueblo de Puerto Rico, colaborar con la Asamblea legislativa, las agencias reglamentarias estatales y/o federales para iniciar investigaciones y promover legislación para medir y mejorar el funcionamiento de las Juntas Examinadoras y sus profesionales en el sector público y privado.

t. Rendir al Gobernador, por conducto del Secretario de Estado, un informe anual sobre los trabajos y gestiones realizadas durante el año a que corresponda que podrá incluir, sin que se entienda como una limitación: datos estadísticos de las licencias y certificados expedidas, denegadas y revocadas, querellas investigadas y resueltas, querellas pendientes de resolución a la fecha del informe, ingresos por cualesquiera conceptos recibidos por las Juntas a menos que la ley habilitadora de las Juntas disponga lo contrario, y cualquier otra información que le requiera el Secretario, o que, a juicio de las Juntas, resulte pertinente.

u. Evaluar, valorar, autorizar y determinar el número de créditos a acreditar, o denegar las actividades de educación continua para las diversas profesiones, en aquellos casos en que sus leyes habilitadoras le concedan tal autoridad y vigencia.

v. Evaluar, recomendar o denegar a proveedores de educación continua en las diversas profesiones, en aquellos casos en que sus leyes habilitadoras le concedan tal autoridad y vigencia.

w. Citar testigos a comparecer ante ésta en pleno o ante cualquiera de sus miembros, o ante un Oficial Examinador, a quien se le haya encomendado la investigación de un asunto o el examen de algún documento, para que presten testimonio o presenten cualquier libro, expediente, registro, récord o documento de cualquier naturaleza relacionado con un asunto dentro de la jurisdicción de las Juntas. Toda citación expedida por las Juntas deberá llevar el sello oficial de la misma y estar firmada por el Presidente de ésta.

x. Las Juntas podrán solicitar al Secretario de Justicia el acudir el Tribunal de Primera Instancia en solicitud de auxilio a su poder de citación.

y. Delegación de Funciones - Las Juntas podrán delegar en uno o más Oficiales Examinadores cualesquiera de sus poderes y funciones de naturaleza investigativa y adjudicativa incluyendo la facultad de solicitar juramentos, citar testigos y requerir la entrega de evidencia documental y de otra índole. {Ver Capítulo Núm. 6 del Reglamento). Las Juntas podrán nombrar comités de profesionales a quienes podrán delegar las funciones que no hayan sido determinadas como indelegables por las leyes y reglamentos correspondientes.

2. Deberes de los miembros de la Junta:

a. Velar y cooperar por el fiel cumplimiento de la ley y de los reglamentos por los que se rigen la Juntas.

b. Asistir a todas las reuniones de las Juntas con puntualidad y participar en sus deliberaciones.

c. Desempeñar y realizar todas las funciones antes mencionadas y otras encomiendas y responsabilidades que le sean asignadas por el presidente, o por las Juntas.

d. Firmar, en original o con sello electrónico, las actas de las reuniones; por lo menos dos (2) de los miembros que hayan estado presentes.

e. El presidente Firmará, en original o con sello electrónico, las licencias o certificados permanentes que expidan las Juntas.

f. Otros documentos y certificaciones podrán ser firmados por el presidente, un miembro de las Juntas, o un representante autorizado.

g. La mayoría de los miembros, firmarán o autorizarán electrónicamente el registro de los facsímiles de las licencias expedidas por la Juntas, que se mantendrá en la Secretaría Auxiliar de Juntas Examinadoras del Departamento.

h. Actuar siempre de forma respetuosa e imparcial en todas las gestiones y reuniones y en la toma de decisiones oficiales de las Juntas.

i. Manejar en forma confidencial y no develar información recibida por las Juntas o sobre asuntos discutidos en las reuniones de las Juntas, investigaciones administrativas, exámenes de reválida, o vistas públicas, entre otras.

j. No hacer expresiones públicas o privadas que comprometan, atenten o develen información sobre los miembros de las Juntas, las decisiones tomadas o asuntos discutidos; salvo por previa autorización de las Juntas y/o el presidente.

3. Oficiales de las Juntas:

a. El presidente será el principal oficial y portavoz de las Juntas, seguido por el vicepresidente y el secretario.

b. Los demás miembros de la Juntas actuarán como vocales.

c. El presidente, vicepresidente y secretario ocuparán sus puestos por el término mínimo de un (1) año, contando desde la fecha de su elección, pudiendo ser reelectos a términos subsiguientes según lo determinen los miembros de la Junta, a menos que la ley habilitadora de las Juntas disponga lo contrario.

d. Anualmente, aproximadamente en el mes noviembre, o en cualquier momento con quórum las Juntas se podrán reunir para seleccionar los puestos de presidente, vicepresidente y/o secretario, a menos que la ley habilitadora de las Juntas disponga lo contrario.

e. En caso de ausencia, incapacidad o muerte, el vicepresidente sustituirá al presidente y se elegirá un nuevo vicepresidente. Estas personas ocuparán los respectivos cargos por el término para el cual fueron electos sus antecesores.

4. Deberes del Presidente:

El presidente tendrá como deberes:

a. Cumplir y hacer cumplir las leyes y reglamentos por los cuales se rigen las Juntas.

b. Representar a la Juntas en todos aquellos actos oficiales que requieran la presencia del organismo.

c. Convocar a los miembros de las Juntas a reuniones ordinarias o extraordinarias "motu proprio", cuando la mayoría de los miembros que constituyan quórum lo solicite o cuando así sea necesario.

d. Planificar, citar, y dirigir las sesiones de las Juntas.

e. Preparar con el Secretario de la Junta y presentar un informe anual dirigido al Secretario de Estado sobre las actividades de las Juntas, según descrito en los Deberes de la Juntas.

f. Tomar juramento a toda persona que fuere citada y requerida por las Juntas a declarar ante dichos organismos.

g. Examinar, supervisar y dirigir los trabajos de las Juntas así como la custodia de todo otro récord de las Juntas, velando porque éstos estén en orden, y que todas las actividades de las Juntas estén al día.

h. Coordinar y dirigir la revisión de este Reglamento, de forma tal se mantenga a tono con las necesidades de la práctica de cada profesión en Puerto Rico y Estados Unidos.

i. Refrendar las certificaciones de los actos oficiales de las Juntas que soliciten al Secretario de Estado.

5. Deberes del Vicepresidente

a. Presidir las sesiones de la Juntas en ausencia del presidente y asumir todos sus deberes y responsabilidades en caso de ausencia, enfermedad, incapacidad o muerte del presidente.

b. Ayudar al presidente en sus funciones, cuando éste así se lo requiera y desempeñar cualquier otra función especial que le encomiende el presidente.

6. Deberes del Secretario - El Secretario de las Juntas tendrá los siguientes deberes y facultades:

a. Realizará todas aquellas funciones que le sean encomendadas o delegadas por el Presidente, las Juntas en pleno o en virtud de Ley o Reglamento;

b. Firmará junto al Presidente todo documento oficial emanado de las Juntas y cualquier otro documento autorizado por leyes y reglamentos relacionados. Firmará personalmente o a través del personal administrativo por él designado, toda certificación de copia de documentos existentes en las Juntas así como certificaciones de licencia ("Good Standing");

c. Certificará la asistencia por sesiones de los miembros de la Juntas;

d. Llevará un libro de actas de las sesiones, las que deberán ser aprobadas por las Juntas en la próxima reunión ordinaria y firmadas por el Presidente y el Secretario;

e. Velará porque las actas y el registro de las reuniones no públicas sean privilegiadas y confidenciales, excepto para las Juntas o sus designados para el cumplimiento de esta Ley, las decisiones de licenciamiento y órdenes de disciplina con sus determinaciones de hechos y conclusiones de derecho;

f. Será el encargado de establecer los mecanismos necesarios para el registro de las licencias permanentes que expida la Juntas;

g. Mantendrá un registro de certificados y licencias provisionales, si alguna, que expidan las Juntas; y

h. Tendrá a su cargo y bajo su custodia y responsabilidad todos los documentos, libros de registros y archivos pertenecientes a las Juntas, incluyendo el Registro de Resoluciones, que permanecerán en la Secretaría.

Artículo 2.8 - Sesiones Extraordinarias

Las Juntas podrán celebrar las reuniones extraordinarias que sean necesarias durante el año para cumplir con sus deberes ministeriales y el mejor desempeño de sus funciones, previa convocatoria que deberá cursarse a los miembros con no menos de veinticuatro (24) horas de antelación.

Artículo 2.9 - Convocatorias

Las sesiones de las Juntas serán citadas por el Presidente, con por lo menos cinco (5) días de antelación a la fecha en que haya de celebrarse la reunión, excepto por consentimiento unánime de los miembros de la Junta, pero en ningún caso, la convocatoria podrá hacerse con menos de veinticuatro (24) horas de antelación a la reunión.

Artículo 2.10 - Quórum

En cualquier reunión de las Juntas citada debidamente, formaran quórum la mayoría de los miembros en cuyo caso general será la mitad más uno (1), a menos que la ley habilitadora de las Juntas disponga lo contrario, disponiéndose además, que en caso de una orden o resolución para suspender, cancelar o revocar una licencia o certificado o de una orden fijando un período de prueba a un profesional por tiempo determinado, se requerirá el voto afirmativo de la mayoría de todos los miembros. Ningún miembro podrá delegar su representación en otro miembro de Junta, ni en ninguna otra persona. El Presidente en estos casos a tenor con el artículo 2.9 de este capítulo podrá convocar a sesión extraordinaria cuando lo estime necesario, a iniciativa propia o a petición escrita de la mitad de los miembros.

Artículo 2.11 - Actas

Se llevará récord de todo lo discutido durante las sesiones de las Juntas el cual será custodiado por el Secretario de cada respectiva Junta. Dichos récords constituirán las Actas. El primer asunto a tratar en cada reunión será la lectura de las Actas de la sesión anterior, cuya copia se entregará a los miembros de la reunión. Las mismas no se darán por leídas a menos que medie un acuerdo unánime. Las Actas se aprobarán por mayoría de los miembros presentes. Una vez aprobadas serán firmadas por el Presidente y el Secretario.

Artículo 2.12 .Comités

Las Juntas podrán nombrar aquellos comités permanentes o temporales que considere conveniente para el mejor desempeño de sus funciones. Dichos comités podrán estar integrados por miembros de la Juntas solamente, o podrán incluirse en los mismos a terceras personas cuando sea necesario quienes laborarán sin compensación alguna o *"ad honorem"*.

Los comités deberán someter por escrito sus informes y recomendaciones a la Junta sobre los asuntos que les fueren encomendados. La Juntas luego de estudiarlos podrán o no adoptarlos.

Artículo 2.13 - Registros y Récords de las juntas

1. Se mantendrá un registro, manual o electrónico, donde se anotarán en orden cronológico, todas las solicitudes de licencia y de certificados recibidos.

2. Se mantendrá un solo expediente por persona natural. El expediente individual de cada solicitante podrá ser en papel o en medios electrónicos, incluirá los siguientes documentos y estará identificado con la numeración que aparece en el registro de solicitudes y contendrá: la solicitud de licencia o certificado con anotación de la acción tomada sobre la misma; copia fotostática o electrónica del diploma o certificación de registrador del colegio o universidad donde se graduó; transcripción de créditos en original sometida por la escuela; certificado de buena conducta; evidencia y resultados de las calificaciones de los exámenes tomados; certificaciones

sobre educación continua; declaraciones juradas, correspondencia cursada y todo otro documento relacionado con la solicitud.

3. Se mantendrá un registro de los certificados de horas de educación continua relacionadas a cada profesional adscrito como requisito previo a la renovación de su licencia o certificado, en aquellos casos en que la ley habilitadora de la profesión u oficio le reconozca tal autoridad.

4. Se mantendrá un registro de los profesionales que soliciten licencia por reciprocidad.

5. Se mantendrá un registro de las certificaciones internas otorgadas.

6. Se mantendrá un registro de los certificados expedidos.

7. Se mantendrá un registro de todas las instituciones de educación superior de Puerto Rico que tengan colegios o programas acreditados. Además se mantendrá un registro al día respecto a los colegios y universidades acreditadas relacionadas a las profesiones adscritas. Se revisará ese récord anualmente.

8. Se mantendrá, en colaboración con las máximas autoridades acreditadoras correspondientes, un registro de las instituciones educativas acreditadas y reconocidas que ofrecen programas educativos.

9. Se mantendrá un sistema de información confidencial sobre las licencias y certificados expedidos denegados, suspendidos o revocados incluyendo los resultados de la reválidas, la características de los revalidados en cuanto a edad, sexo, escuela de proveniencia, índice académico al iniciar y finalizar sus estudios profesionales, y cualesquiera otras características o datos que las Juntas estimen necesarios y convenientes para mantener actualizado dicho sistema de información.

10. Se producirán estadísticas sobre los datos en el sistema de información, manteniendo la confidencialidad de los datos personales protegidos estatutariamente.

11. Se establecerá un registro de toda licencia o certificado que se prepare en duplicado. Las características, descripción e información requerida a mantenerse en todos y cada uno de los registros mencionados anteriormente están en un registro la Secretaría Auxiliar de Juntas Examinadoras.

Capítulo 3 - Disposiciones sobre los Exámenes de Reválida

I. Parte General Sobre los Exámenes

Artículo 3.0 - Aplicabilidad

Este capítulo aplicará a aquellas Juntas Examinadoras cuyas leyes habilitadoras establezcan requisitos de reválida y le concedan a dicha Junta la potestad para establecer el proceso en que se llevará a cabo. Aquellas profesiones que no requieren reválida como requisito para adquirir su licencia estarán exentos del cumplimiento de este Capítulo.

Artículo 3.1 - Propósito

El propósito de los exámenes de reválida es determinar si los aspirantes a ejercer determinada profesión u oficio poseen la competencia mínima necesaria. Se evalúa además la aplicación de conocimientos y la utilización de ciertas destrezas identificadas como necesarias para el ejercicio de las profesiones u oficios. Toda persona que interese tomar la reválida para obtener una de las licencias o certificados de las Juntas adscritas deberá ser mayor de edad para ejercer en Puerto Rico y haber obtenido el grado correspondiente de entrada a la profesión de una institución debidamente acreditada de acuerdo a la ley habilitadora de cada Junta.

Artículo 3.2 - Orientación al aspirante

La Juntas prepararán y publicarán una guía o manual con la información necesaria al aspirante con las Normas y procedimientos que rigen la administración de los exámenes, el tipo de exámenes, los métodos de evaluación y la calificación mínima requerida para su aprobación. Esta guía o manual se entregará a toda persona que solicite ser admitida para la reválida, previa presentación de un giro o cheque expedido a nombre del Secretario de Hacienda o tarjeta de crédito o débito, o directamente a la entidad correspondiente que administre el examen delegado por las Juntas según sea el caso. Las Juntas determinarán el costo de dicho manual tomando como base los gastos de su preparación y publicación. Copia de esta guía será provista con la notificación para tomar el examen. Cuando las Juntas delegan la preparación y administración de exámenes de reválida a organismos especializados en tales gestiones, el manual de orientación será provisto por dichos organismos, bajo los términos que estos indiquen.

Artículo 3.3 - Formato y técnicas de las preguntas

Los exámenes podrán incluir preguntas escritas de discusión, selección múltiple y ejecución. Las Juntas determinarán, de acuerdo con normas científicas, la proporción, el número y el peso que habrán de tener las preguntas de acuerdo con los estándares mínimos en las profesiones y en ocasiones de acuerdo a estándares que rigen la profesión en otras jurisdicciones. Las Juntas determinarán, además, el período de tiempo necesario para contestar cada parte de los exámenes de reválida el cual también podrá estar sujeto a estándares de otras jurisdicciones según sea el caso particular de cada profesión.

Las Juntas podrán utilizar consultores o agencias dedicadas a preparar, evaluar, y administrar exámenes de reválida, tales como expertos en asuntos de medición, psicometría y administración, pero retendrá la responsabilidad sobre el contenido de dichos exámenes según sea la profesión y sobre la determinación de la calificación mínima que deberá obtenerse para aprobar la reválida. En el caso de las Juntas que delegan la preparación y administración de los exámenes de reválida a los Concilios, la responsabilidad sobre el contenido de dichos exámenes y sobre la determinación de la calificación mínima que deberá obtenerse para aprobar la reválida recaerá en dichos Concilios.

Artículo 3.4 Puntuación Mínima para aprobar

La puntuación mínima para aprobar los exámenes será establecida por las Juntas, o por los Concilios a que éstas lo deleguen, y será notificada a los aspirantes en el aviso de examen.

Artículo 3.5 Pago de derechos

Los aspirantes deberán someter su solicitud de examen acompañada de los derechos correspondientes establecidos por el Departamento de Estado ya sea mediante pago electrónico a través del portal de la agencia o mediante un giro certificado dirigido al Secretario de Hacienda con los aranceles correspondientes de acuerdo con el Capítulo Núm. 8 de este reglamento. En el caso de los exámenes preparados y administrados por los Concilios Nacionales, los derechos serán pagados a dichos Concilios Nacionales directamente por los aspirantes.

Artículo 3.6 - Convocatorias a Exámenes

1. La Juntas determinarán fecha, hora y lugar de los exámenes, los cuales serán ofrecidos por lo menos dos (2) veces al año.

2. Las Juntas a través de la Secretaría Auxiliar de Juntas Examinadoras del Departamento de Estado, publicarán los avisos de exámenes en un periódico de circulación general con por lo menos sesenta (60) días calendarios de anticipación a la fecha del examen.

3. La Juntas a través de la Secretaría de Juntas Examinadoras del Departamento de Estado, podrán elegir el publicar una convocatoria abierta para exámenes de reválida y ofrecer los mismos una vez hayan diez (10) aspirantes calificados. En dicho caso, la fecha de examen será notificada a los aspirantes con por lo menos 45 días calendarios en antelación a la fecha del examen.

4. En el caso de las Juntas que delegan la preparación y administración de exámenes a los Concilios, las convocatorias a exámenes serán publicadas a través del Internet por dichos Concilios.

Artículo 3.7 - Solicitud

Todo aspirante interesado en tomar algún examen de reválida deberá presentar la solicitud de examen que determine el Secretario o la entidad delegada para la administración del examen. La solicitud deberá presentarse mediante transmisión electrónica (http://www.estado.gobierno.pr) o en persona según determine cada Junta Examinadora en la fecha que establezca el aviso de examen y deberán acompañarse los documentos que se requieran para el examen que se vaya a tomar. El día límite de presentación será evidenciado el recibo de la transmisión electrónica o por el matasello del correo, respectivamente.

Artículo 3.8 - Certificación

El aspirante deberá certificar en su solicitud de examen que conoce y cumple todos los requisitos dispuestos por ley o reglamento para la profesión u oficio al que aspira y sobre los requisitos de colegiación en casos aplicables.

Artículo 3.9 - Obligación continua de informar

Todo aspirante que presente una solicitud de admisión al examen de reválida estará obligado a complementarla posteriormente, por cualquier hecho, circunstancia o información relevante que sustancialmente altere o haga inexacta la información, hecho o circunstancia originalmente afirmada.

Esta obligación será de naturaleza continua, mientras esté pendiente la concesión de la licencia o certificado correspondiente.

Artículo 3.10 - Prohibición; cursos de preparación, trámite de solicitud o revisión

Durante su incumbencia y por un periodo de cinco (5) años subsiguientes a la conclusión del término de sus funciones en las Juntas, los miembros no podrán:

1. Participar, directa o indirectamente, en cursos de preparación para aspirantes a los exámenes de reválida que se administran localmente;

2. Participar en el trámite de solicitud de examen de cualquier aspirante, ya sea preparando o representándolo en proceso de reconsideración o revisión alguno.

Artículo 3.11 - Prohibición; relación de parentesco por afinidad o consanguinidad

Durante su incumbencia los miembros de las Juntas no podrán participar en el trámite de solicitud de examen de cualquier aspirante o en los procesos de preparación, discusión y reconsideración de los exámenes de reválida cuando:

1. Algún aspirante sea pariente suyo dentro del cuarto grado de consanguinidad o segunda por afinidad, o

2. La relación del miembro con un aspirante, por motivo de índole profesional, de parentesco, de amistad o de cualquier otra naturaleza, lo ponga en una situación de conflicto o de intereses encontrados, o

3. El miembro considere que su participación en tales procesos podría representar un problema de apariencia de conflictos o de intereses encontrados.

Artículo 3.12 - Confidencialidad

Al aceptar sus nombramientos, los miembros de las Juntas, reconocen y se obligan a guardar la más estricta confidencialidad, a abstenerse de divulgar las confidencias, secretos, procesos de deliberación y demás información o asuntos que puedan ser o hayan sido objeto de consideración por las Juntas.

Artículo 3.13 -Documentos Confidenciales

Se considerarán documentos confidenciales;

1. las preguntas de exámenes, claves y otros datos para administrar exámenes de reválida.

2. documentos de resultados de exámenes para certificaciones profesionales o licencias.

Artículo 3.14 - Conducta Prohibida

Cualquier persona que cometa o intente cometer actos que lesionen o puedan afectar de forma adversa el proceso de examen de reválida podrá ser descalificada como aspirante al ejercicio de la profesión u oficio, o podrá estar sujeta a cualquier otra sanción apropiada. Además, las Juntas podrán anular contestaciones o invalidar exámenes de detectarse alguna irregularidad durante su ofrecimiento.

Artículo 3.15 - Violación a la seguridad del examen

Quedará totalmente prohibido el incurrir en cualquier conducta que viole la seguridad del material del examen, que incluya, pero no se limite a:

1. sacar sin autorización cualquier material de la sala de examen.

2. reproducir o reconstruir antes o durante la administración del examen, cualquier parte del examen que se haya de administrar o que se esté administrando; o reproducir o reconstruir, después de terminada la administración del examen, cualquier parte del examen que las Juntas no hayan autorizado al aspirante a retener luego de haber concluido el examen;

3. ayudar por cualquier medio a reproducir o reconstruir cualquier parte del examen de reválida en contravención al inciso (b) anterior;

4. Comprar, vender, distribuir, recibir, poseer o, de algún modo, manejar sin autorización cualquier parte de un examen de reválida, ya bien sea anterior, que se esté administrando o que se vaya a administrar.

Artículo 3.16 -Violación a las normas de administración

Las siguientes actuaciones, entre otras, constituirán una conducta que viola las normas de administración de los exámenes y estarán sujetas a penalidades;

1. comunicarse con cualquier otro aspirante durante el proceso de administración del examen de reválida;

2. copiar respuestas de otros aspirantes o permitir que otros copien sus respuestas durante el examen;

3. tener consigo durante la administración del examen de reválida libros, notas, material escrito o impreso o datos de cualquier índole, que no sean los materiales distribuidos o autorizados por las Juntas o Concilios Nacionales para los exámenes.

4. tener consigo, durante la administración del examen de reválida, cualquier equipo electrónico, ya sean celulares, teléfonos inteligentes o "smartphones" o tabletas de comunicación o cualquier otro artículo de esa índole,

Artículo 3.17 -Violación al proceso de acreditación

Las conductas que se describen a continuación constituirán, entre otras, violaciones a las normas de administración de los exámenes y estarán sujetas a penalidades de acuerdo con este Reglamento:

1. Falsificar o tergiversar credenciales académicas o cualquier otra información requerida para ser admitido al examen de reválida;

2. Sustituir a un aspirante;

3. Hacer o consentir que un individuo tome el examen de reválida en nombre de alguien más;

Artículo 3.18 -Comunicación con miembros de las Juntas o entidad administradora

Ningún aspirante se podrá comunicar directamente o a través de terceras personas con los miembros de las Juntas, con el personal de las Juntas o entidades autorizadas a la distribución o administración del examen con respecto a cualquier asunto confidencial relacionado con la identificación del aspirante, la preparación, el contenido, la administración, la corrección y la evaluación de los exámenes de reválida y sus contestaciones.

II. Derechos de los Aspirantes que no Aprueben el Examen

Artículo 3.19 -Solicitud de revisión

Todo aspirante reprobado en un examen de reválida tendrá derecho a someter a las Juntas o a la entidad administradora del examen según sea el caso de la Junta, una petición de revisión de examen dentro del término de treinta (30) días contados a partir de la fecha que reciba los resultados, o dentro del tiempo estipulado por la entidad administradora del examen. La calificación mínima para solicitar revisión será determinada por cada Junta o Concilio y será informada de manera correspondiente previo al proceso de la administración del examen. La solicitud debe venir acompañada de los derechos correspondientes.

Artículo 3.20 -Preguntas de selección múltiple

En las pruebas de selección múltiple la revisión consistirá en verificar que la hoja de contestaciones se haya corregido correctamente.

Artículo 3.21 -Consideración de la solicitud de revisión

Las revisiones solicitadas serán consideradas por la entidad administradora del examen o por las propias Juntas, según sea el caso, en sesión ordinaria o extraordinaria con el quórum establecido por Ley.

Artículo 3.22 -Solicitud de reconsideración

Si las Juntas o la entidad administradora reafirman el resultado de "no aprobado", el examinado que no esté conforme podrá solicitar reconsideración o audiencia ante la Junta correspondiente dentro de los veinte (20) días siguientes de haber sido notificado de la decisión. Si la Junta o entidad se reafirma en su decisión, el examinado podrá solicitar revisión judicial a tenor con la Ley 170 de 12 de agosto de 1988, según enmendada, Ley de Procedimiento Administrativo Uniforme.

III. Informes

Artículo 3.23 -Informe sobre los resultados de reválidas

Luego de cada examen de reválida, la Junta a través entidad delegada preparará informe de los resultados de cada examen y certificarán los mismos al Secretario.

Artículo 3.24 -Notificación

Luego de certificados los resultados, la Secretaría Auxiliar o la entidad delegada correspondiente notificará los mismos a los aspirantes.

Artículo 3.25 -Disposición de libretas y exámenes

Concluida cada reválida y transcurrido el término para solicitar una reconsideración, se podrá disponer de todas las libretas de contestaciones. Las libretas y hojas de contestaciones de los aspirantes que soliciten revisión podrán destruirse una vez concluido el trámite.

Artículo 3.26 -Exámenes de reválida preparados por Concilios

Las Juntas que por ley o por resolución utilicen los exámenes de reválida preparados por los Concilios regirán sus procedimientos de administración según lo que dispongan dichos Concilios.

Artículo 3.27 -Idioma.

Los exámenes que se ofrecen a los aspirantes a las distintas profesiones u oficios serán administrados en español o en inglés, de así solicitarlo el aspirante. Disponiéndose que las Juntas que por ley o resolución utilicen los exámenes de reválida preparados por Concilios, las mismas vendrán obligadas a emplear el idioma en que el Concilio de que se trate ofrezca el examen.

Artículo 3.28 -Penalidades

Toda violación al presente Capítulo podrá ser castigada con multas administrativas según dispuesto en la Sección 7.1 de la Ley Núm. 170 de 12 de agosto de 1988, según enmendada y el Capítulo Núm. 7 de este reglamento.

IV. Acomodo Razonable para los exámenes de reválida

Artículo 3.29 -Propósito.

Es política pública del Estado Libre Asociado, firmemente establecida, fomentar el empleo de personas con impedimentos físicos o mentales y potenciar su participación e integración a la sociedad.

Es importante para las personas con impedimentos físicos o mentales sentirse parte de la sociedad y saber que, independientemente de sus limitaciones, gozan de los mismos derechos y prerrogativas que nuestras leyes garantizan a los demás ciudadanos. La Ley Número 41-1991, designó al Secretario de Estado del Estado Libre Asociado, Secretario Ejecutivo de las Juntas Examinadoras adscritas al Departamento de Estado. El Artículo cuarto de la referida ley autorizó al Secretario de Estado a adoptar reglamentación para uniformar los procesos relacionados a la administración de exámenes de reválida.

Al amparo de esta autoridad, se aprueba este reglamento, en el cual se recoge el procedimiento a utilizarse ante las solicitudes de acomodo razonable que presenten los ciudadanos que solicitan los exámenes de reválida ofrecidos por las Juntas Examinadoras adscritas al Departamento de Estado.

Uno de los objetivos de las Juntas Examinadoras del Departamento de Estado es administrar los exámenes de reválida sin incurrir en discrimen contra un aspirante cualificado que tenga algún impedimento. El aspirante cualificado para tomar los exámenes de reválida podrá presentar una solicitud de acomodo razonable si por razón de tener impedimento está limitado en su capacidad para demostrar, en igualdad de condiciones, que posee el conocimiento y las destrezas para ser admitido al ejercicio de una profesión o un oficio en el Estado Libre Asociado de Puerto Rico, bajo las normas y prácticas establecidas para la administración de los exámenes de reválida.

Artículo 3.30 -Tipos de solicitudes para los aspirantes que requieran acomodo razonable

1. Solicitudes regulares

La solicitud de acomodo razonable para los exámenes de reválida deberá ser presentada junto con la solicitud de admisión a los exámenes de reválida.

Todo aspirante interesado deberá presentar una solicitud de acomodo razonable utilizando los formularios establecidos para ello por la Secretaria Auxiliar de Juntas Examinadoras y/o la entidad autorizada a distribuir los exámenes.

Esta solicitud incluirá lo siguiente;

a. Una declaración jurada del aspirante; que describa la naturaleza del impedimento al momento de presentar su solicitud; que describa detalladamente el acomodo razonable que solicita y que indique mediante una explicación, cómo el acomodo atenuaría el efecto de este impedimento al tomar los exámenes de reválida;

b. Una certificación médica, con el número de licencia del médico, de un médico cualificado que haya brindado regularmente tratamiento al aspirante por razón de su impedimento en la que se describa: la naturaleza del impedimento al momento en que el aspirante presenta su solicitud y el acomodo recomendado a la luz de este impedimento.

c. Una certificación de la escuela donde el aspirante haya cursado sus estudios en la cual se describan, de forma detallada, los acomodos razonables concedidos al aspirante mientras este cursaba sus estudios en tal escuela, más las fechas cuando tales acomodos fueron concedidos o, cuando el impedimento haya surgido después de haber completado sus estudios, el aspirante deberá explicar de forma detallada, cuando se originó el mismo y de ser aplicable;

d. Una certificación de cualquier institución que administre exámenes o evaluaciones de naturaleza académica, que le haya concedido al aspirante algún acomodo razonable. La certificación deberá: (1) identificar la institución que administró el examen; (2) el tipo de examen; (3) la fecha del examen; (4) el acomodo solicitado; y (5) detallar el acomodo concedido;

e. Una autorización de relevo que autorice a la Secretaría Auxiliar de Juntas Examinadoras o a la entidad administradora a obtener todo documento que esté relacionado con el impedimento del aspirante, que este en poder de cualquier persona o institución, incluyendo, pero sin limitarse a, todas las autoridades e instituciones que sometan certificaciones y/o declaraciones juradas bajo esta sección del reglamento;

f. Cualquier otro documento que apoye su solicitud.

2. Solicitudes presentadas por aspirantes suspendidos

Toda solicitud de acomodo razonable presentada, en los casos de aspirantes suspendidos que soliciten nuevamente ser admitidos a tomar los exámenes de reválida, deberá cumplir con todos los términos y requisitos expuestos en la ley habilitadora, reglamentos de la profesión regulada y este reglamento. La evaluación y determinación que se haga sobre cada una de estas solicitudes posteriores será independiente y separada para cada examen de reválida al que un aspirante solicite un acomodo razonable. Los acomodos razonables, que hayan sido concedidos con anterioridad a un aspirante podrán ser considerados al evaluarse una solicitud posterior de acomodo razonable presentada por el mismo aspirante. Sin embargo, estos acomodos razonables concedidos con anterioridad no serán determinantes ni concluyentes en la evaluación que se haga de la solicitud posterior.

3. Solicitudes de Emergencia

Un aspirante podrá presentar una solicitud de emergencia de acomodo razonable, luego del término prescrito para presentar una solicitud regular de acomodo razonable, solo si cumple con todas y cada una de las condiciones siguientes:

a. El aspirante presentó su solicitud de admisión a los exámenes de reválida debidamente completada, y dentro del término dispuesto para ello;

b. El aspirante a la fecha de la presentación de su solicitud de admisión a los exámenes de reválida, no tenía o desconocía que tenía el impedimento en el que se basa para solicitar un acomodo razonable mediante este proceso de emergencia; y

c. El aspirante, luego de adquirir o conocer su impedimento, somete a la Secretaría Auxiliar de Juntas Examinadoras o la entidad administradora del examen correspondiente con la mayor brevedad posible, los documentos siguientes;

i. una solicitud juramentada de acomodo razonable en la cual explica las circunstancias en que surgió su impedimento, y la fecha cuando le fue diagnosticado;

ii. una solicitud completa de acomodo razonable, según se dispone en esta sección del reglamento; y

iii. el aspirante presentó su solicitud de emergencia de acomodo razonable no más tarde de los diez (10) días naturales anteriores a la fecha de la administración del examen de reválida, para el cual solicita el acomodo razonable.

4. Criterios generales para la revisión de decisiones emitidas sobre acomodo razonable por la Secretaría Auxiliar de Juntas Examinadoras.

Los acomodos razonables deberán ser concedidos al aspirante si su solicitud cumple con cada uno de los criterios siguientes:

a. El solicitante es un aspirante cualificado con algún impedimento;

b. El acomodo solicitado es razonable y adecuado para atenuar el efecto del impedimento y es compatible con cada uno de los requisitos en la definición de acomodo razonable dispuesta en este Reglamento; y

c. El aspirante cumplió con todos los requisitos impuestos por este Reglamento.

5. Reconsideración ante el Secretario de Estado sobre una decisión adversa de acomodo razonable

a. De no estar conforme con la decisión del Secretario Auxiliar o la entidad administradora del examen sobre su petición de acomodo razonable, el aspirante podrá presentar una solicitud de reconsideración ante el Secretario de Estado.

b. El aspirante podrá presentar una solicitud de vista que deberá ser presentada por escrito y en la misma fecha cuando se presente la reconsideración de la decisión. La solicitud de vista deberá expresar las razones que justifiquen la celebración de la vista y, además, deberá incluir la lista y las copias de todas las pruebas que el aspirante se proponga presentar en tal vista.

c. De pretenderse presentar evidencia testifical, se remitirá un resumen de lo que se proponen declarar los testigos y se indicará si éstos son testigos periciales o no. En caso de anunciar la presentación de evidencia pericial, se acompañará el "curriculum vitae" del perito o los peritos a ser presentados. Recibida la solicitud, el Secretario de Estado o el Oficial Autorizado por éste, determinará si se justifica la celebración de la vista solicitada.

d. La solicitud de reconsideración deberá ser presentada por escrito ante el Secretario de Estado o el Oficial Autorizado por éste, dentro de los diez (10) días naturales siguientes a la notificación al aspirante de la decisión de la Secretaría Auxiliar o la decisión de la entidad administradora del examen.

e. El Secretario de Estado resolverá la reconsideración a base del expediente. Se notificará mediante correo electrónico al aspirante, de no contar con el correo electrónico en el expediente se notificará con una copia de la decisión al aspirante mediante correo certificado con acuse de recibo o mediante entrega personal a la dirección provista por el aspirante en su solicitud de acomodo razonable.

6. Decisiones del Secretario Auxiliar de Juntas Examinadoras sobre las solicitudes de emergencia

Una solicitud de emergencia de acomodo razonable será considerada por el Secretario Auxiliar de Juntas Examinadoras y deberá ser referida directa e inmediatamente de la entidad administradora del examen al Departamento de Estado.

7. Recurso de Certiorari

El aspirante podrá solicitar la revisión de la decisión final del Secretario de Estado ante el Tribunal de Apelaciones de Puerto Rico mediante un recurso de certiorari, de conformidad con las disposiciones de la Ley 170.

8. Confidencialidad

Toda información y documentos contenidos en la (s) solicitud (es) de acomodo razonable para los exámenes de reválida serán para uso exclusivo de la Secretaría Auxiliar de Juntas Examinadoras y se conservarán en un sobre identificado como confidencial que formará parte del expediente.

9. Facultad Adicional

El Secretario Auxiliar de Juntas Examinadoras con el consentimiento del Secretario de Estado podrá tomar medidas para atender situaciones particulares no previstas por el estado de derecho vigente, en la forma que, a su juicio, sirva a los mejores intereses de todas las partes.

Capítulo 4 -Disposiciones Sobre Procedimiento Administrativo para la Obtención de La Licencia.

Artículo 4.1 -Propósito

La Ley 170 establece un Procedimiento Administrativo Uniforme para todos los Departamentos,

Instrumentalidades Administrativas, Juntas, Oficinas y Corporaciones Públicas del Estado Libre Asociado de Puerto Rico. Esta Ley 170 dispone en su Capítulo V que las Agencias deberán establecer un procedimiento rápido y eficiente en la expedición de licencias, franquicias, permisos, endosos y cualesquiera gestiones similares.

Dando cumplimiento a lo establecido en la Ley 170 y a tenor con las facultades de la Ley 320 del 13 de abril de 1946 que adscribe las Juntas Examinadoras al Departamento de Estado del Estado Libre Asociado de Puerto Rico, se desarrolla esta sección del reglamento para establecer las normas de tramitación y los términos dentro de los cuales se completará el proceso de consideración de las licencias, renovación de licencias, permisos, endosos y otros trámites de las Juntas Examinadoras adscritas al Departamento de Estado.

Artículo 4.2 -Términos

Las Juntas Examinadoras adscritas al Departamento de Estado tramitarán la expedición de licencias, acreditaciones, certificaciones, notificaciones, permisos y otros similares dentro de los términos establecidos a continuación salvo justa causa:

Nuevas Licencias .... 60 días

Acreditaciones .... 30 días

Permisos .... 30 días

Renovaciones de Licencias .... 45 días

Licencias Provisionales .... .45 días

Certificaciones .... 15 días

Duplicados .... 15 días

Notificaciones .... 15 días

Impugnación a Requisitos de Presentación .... 30 días

Solicitud de Revisión de Examen .... 90 días

Solicitud de Reconsideración de Examen ....45 días

Reconsideración por Junta Examinadora .... 60 días

Artículo 4.3 -Presentación

Los términos para tramitar la expedición de las licencias y demás gestiones descritas en el Artículo anterior se comenzarán a contar a partir de la fecha de presentación de la solicitud correspondiente completa, acompañada de todos los documentos complementarios necesarios, según dispuesto por las Juntas.

Artículo 4.4 -Proceso de Presentación

El funcionario o entidad administradora de la solicitud que recibe la presentación ya sea en persona o mediante transmisión electrónica cumplimentará una hoja de cotejo correspondiente a los requisitos establecidos por la Juntas Examinadoras. Si se encontrara que la solicitud está completa, expedirá copia de la hoja de cotejo firmada y sellada con fecha al solicitante ya sea por correo certificado o mediante transmisión electrónica (correo electrónico) y adjuntará el original al expediente para iniciar los trámites pertinentes. Toda solicitud debe indicar las direcciones de correos electrónicos para contactar al solicitante.

En caso de que la solicitud no esté completa, o que no se haya adjuntado uno o más de los documentos complementarios requeridos, el funcionario que recibe la solicitud la devolverá al solicitante con todos los documentos con lo que se acompañó, o la dejará pendiente cuando la presentación es electrónica, y con copia de la hoja de cotejo le indicará la información o documentos que faltan a la solicitud para poder ser tramitada. En el caso de solicitudes tramitadas en línea, el solicitante recibirá un correo electrónico indicándole los documentos que faltan o que no son aceptables para proceder con el trámite de la solicitud.

Artículo 4.5 -Devolución de Documentos

Las devoluciones de las solicitudes se harán a la persona que presente las mismas para su presentación, a la mano, si la presentación se intenta personalmente, y por correo ordinario, si la presentación se intenta por correo. Si la presentación se efectúa mediante transmisión electrónica no será necesaria la devolución de documentos ya que los mismos se encuentran en la cuenta personal del solicitante. Cada Junta determinará si seguirá aceptando solicitudes a la mano.

Una solicitud devuelta no se considerará como presentada para los propósitos de este Reglamento, y cuando la misma se presente debidamente cumplimentada y con todos los documentos complementarios, el término para su consideración por las Juntas Examinadoras comenzará a correr desde la fecha en que fuere radicada nuevamente la solicitud con toda la información y documentos complementarios que aparecen en la hoja de cotejo correspondiente.

Artículo 4.6 -Impugnación de Requisitos de Presentación

Si la persona natural o jurídica que solicita una gestión de las contempladas por este Reglamento entiende que un documento complementario que le ha sido solicitado no se requiere en el caso, presentará una declaración jurada en la que expondrá la razón que tiene para alegar que no tiene que cumplir con el requisito presentado. Las Juntas admitirán condicionalmente la solicitud y decidirán sobre el planteamiento del solicitante dentro de los treinta (30) días siguientes a la fecha de presentación de la declaración jurada. De la Junta entender que el planteamiento no se ajusta a derecho, devolverá la solicitud con copia de la decisión sobre el planteamiento realizado y la correspondiente hoja de cotejo.

Artículo 4.7 -Notificaciones

Después de conocidos los resultados de un examen administrado por una Junta o entidad delegada, los resultados se notificarán por correo regular o correo electrónico a cada aspirante en o antes de treinta (30) días.

Artículo 4.8 –Procedimiento Adjudicativo

Toda persona a la que una Junta le deniegue la concesión de una licencia, permiso, endoso, autorización o gestión similar, tendrá derecho a impugnar la determinación de la Junta por medio del procedimiento adjudicativo establecido en el Capítulo Núm. 6 de este reglamento sobre procedimientos adjudicativos e investigativos de las Juntas Examinadoras adscritas al Departamento de Estado.

Capítulo 5 -Disposiciones Sobre la Educación Continua

Artículo 5.0 -Aplicabilidad

Este capítulo aplicará a aquellas Juntas Examinadoras cuyas leyes habilitadoras establezcan requisitos de educación continua y le conceda a dicha Junta la potestad para establecer el proceso que se llevará a cabo. Aquellas profesiones que no requieren educación continua como requisito o que concedan la facultad de implantarla a un colegio o instituto profesional, estarán exentos del cumplimiento de este Capítulo.

Artículo 5.1 -Facultades de las Juntas

1. Establecer mediante reglamento los requisitos de educación continua, facultad que no podrá ser delegada por las Juntas Examinadoras cuyas leyes habilitadoras le conceda a dicha Junta la potestad para establecer el proceso en que se llevará a cabo.

2. Certificar como proveedores a aquellas instituciones educativas, asociaciones o colegios profesionales, y a cualquier otra entidad que

ofrezca educación continua pertinente a las profesiones u oficios reglamentados por dichas Juntas, facultad que no podrá ser delegada.

3. Cotejar los cursos de educación continua pertinentes a las profesiones u oficios reglamentados por dichas Juntas.

4. De ser necesario, cada Junta será responsable de enmendar los reglamentos vigentes sobre educación continua o de aprobar reglamentos de conformidad con las normas generales establecidas en este Reglamento. Cuando los Colegios o Asociaciones Profesionales lleven a cabo labores de educación continua relativa a los oficios o profesiones que representan, las Juntas deberán tomar en consideración sus planteamientos al formular sus reglamentos.

Artículo 5.2 -Funciones

Cada Junta Examinadora al implementar este Reglamento podrá ejercer, entre otras, las siguientes funciones:

1. certificar proveedores y reconocer entidades afines;

2. aprobar cursos de educación continua, función que podrá delegar en un comité creado para dichos propósitos;

3. supervisar la custodia y control de todos los documentos, registros, expedientes y equipo relacionados con educación continua que estén bajo el control de la Secretaría Auxiliar o cualquier colegio o asociación;

4. expedir certificaciones a tenor con este Reglamento;

5. por sí mismos, o a través de recursos disponibles en la Secretaría Auxiliar o en cualquier colegio o asociación profesional bona fide, asegurarse que aquellas entidades con quien se pacte la ejecución de funciones relacionadas con educación continua cumplan con lo acordado;

6. mantener documentadas las funciones que se ejerzan, identificadas en este artículo, mediante las minutas de las reuniones correspondientes y notas en el expediente correspondiente, debidamente firmadas;

7. evaluar situaciones de incumplimiento con los términos y requisitos de este Reglamento y recomendar la acción correspondiente;

8. someter recomendaciones a la Secretaría Auxiliar sobre cualquier otro asunto relacionado con el descargo de sus funciones y la administración eficiente de este Reglamento;

9. cualquier otra función relacionada al propósito de este Reglamento según aprobada por la Secretaría Auxiliar o la Junta.

Artículo 5.3 - Acreditación de Educación Continua

1. Curso acreditable: Requisitos

Para propósitos de acreditación, todo curso (ya sea ofrecido en Puerto Rico, Estados Unidos o en cualquier otra jurisdicción) cumplirá con los siguientes requisitos:

a. Tener un alto contenido intelectual y práctico, relacionado con el ejercicio de la profesión u oficio según determinado por cada Junta, o con los deberes y obligaciones éticas de los profesionales;

b. Contribuir directamente al desarrollo de la competencia y destrezas profesionales para el ejercicio de cada profesión u oficio;

c. Incluir materiales educativos relacionados al curso que estarán disponibles para cada participante, ya sea en forma impresa o electrónica o, en la alternativa, proveer instrucciones para acceder los materiales por la Internet u otros medios;

d. En la descripción y objetivos educativos de cada curso, demostrar que los recursos le han dedicado, o le dedicarán, el tiempo necesario para cumplir con el número de horas crédito solicitado y que, en efecto, el curso será de utilidad para el mejoramiento del ejercicio de cada profesión u oficio;

e. Ser ofrecido en lugares y ambientes propicios, con el equipo electrónico o técnico que sea necesario, el espacio suficiente para la matrícula y que contribuya a lograr una experiencia educativa enriquecedora a los participantes;

f. Brindar a los participantes la oportunidad de hacer preguntas directamente a los recursos o a las personas cualificadas para contestar, ya sea personalmente, por escrito o a través de medios electrónicos;

g. Cualquier otro requisito relacionado al propósito de este Reglamento según identificado por cada Junta Examinadora.

Artículo 5.4 -Guías generales para la aprobación de cursos

Requisitos:

1. Solicitud de un proveedor:

a. La solicitud para la aprobación de un curso -ya sea ofrecido en Puerto Rico, Estados Unidos o en cualquier otra jurisdicción - será presentada en el formulario provisto por cada Junta, con la anticipación que requiera cada Junta, antes de la fecha de ofrecimiento del curso, excepto que por justa causa la Junta acorte dicho término. La Junta podrá eximir de este requisito, mediante resolución a los efectos, cursos ofrecidos por Concilios o reconocidos como apropiados por la profesión.

b. Con la solicitud se incluirá la información y los anejos para acreditar lo siguiente:

i. título, descripción general y objetivos educativos del curso;

ii. lugar, fecha y hora; {Si es mediante Internet, la ventana de tiempo, fecha durante la cual estará el curso disponible).

iii. tiempo de duración, horas contacto;

iv. tiempo atribuible a aspectos éticos, de especialidad, o generales de cada profesión u oficio, si aplica;

v. bosquejo del contenido;

vi. nombres de los recursos y sus calificaciones profesionales (resumé detallado);

vii. copia avanzada de los materiales a distribuirle o mostrarle a los técnicos o profesionales participantes, si alguna;

viii. documentar la forma en que los temas presentados serán de utilidad para el mejoramiento del ejercicio de cada profesión u oficio;

ix. precio del curso, si alguno;

x. forma propuesta para la divulgación efectiva.

c. De la solicitud y los anejos presentados deberá surgir que el curso cumple con los requisitos del Artículo 5.3.

d. La decisión cada Junta será notificada al proveedor solicitante no más tarde de los sesenta (60) días siguientes de presentada la solicitud. Si la Junta no notifica al proveedor en ese término, se entenderá que el curso está autorizado.

e. Dentro de los treinta (30) días siguientes al ofrecimiento del curso, el proveedor presentará ante la Junta lo siguiente:

i. una lista con los nombres y números de licencia o certificado de los técnicos o profesionales que tornaron el curso, el proveedor deberá tomar la firma de los asistentes al comenzar y al terminar el curso, la cual se enviará a la Junta (si no es curso mediante la Internet).

ii. una certificación de que el curso estuvo disponible al público y que se administró según informado en la solicitud o, de haber ocurrido alguna variación, la descripción de ésta con la explicación de cómo la variación no debería afectar la aprobación que se le había impartido al curso;

iii. en el formulario provisto por la Junta, un informe breve o estadística sobre la evaluación del curso por los técnicos o profesionales que lo tomaron;

iv. una cuota por cada hora crédito tomada por cada técnico o profesional, según lo establezca el Departamento de Estado, a tenor con las disposiciones del *Capítulo Núm. 8 de este reglamento* o cualquier otro Reglamento sobre el particular que se apruebe en el futuro.

2. Solicitud de un técnico o profesional licenciado por una Junta:

a. Un técnico o profesional podrá presentar una solicitud para la aprobación o acreditación de un curso, independientemente de si el mismo lo ofrece o lo ofreció un Proveedor Certificado o cualquier otro proveedor, o si el curso fue ofrecido en Puerto Rico o en cualquier otra jurisdicción.

b. La solicitud será presentada en el formulario provisto por la Junta, que incluirá la siguiente información:

i. Descripción general del curso y cualquier material que el proveedor haya provisto que explique el contenido, objetivos educativos, el nombre del recurso, lugar, día y hora, número de horas contacto, pago por concepto de matrícula, si alguno, y tiempo atribuible a aspectos generales, de especialidad o de ética, de una profesión u oficio, si aplica;

ii. Cualquier dato o evidencia sobre el proveedor o el curso que sea de utilidad para que la Junta pueda evaluar el historial del proveedor y determinar si procede acoger la solicitud, cuando el proveedor no sea un proveedor certificado o reconocido por la Junta como una entidad afín.

c. De la solicitud y sus anejos deberá surgir que el curso cumple con los requisitos del Artículo 5.3 de este Reglamento.

d. La solicitud no será considerada si han transcurrido más de seis meses desde la fecha del curso, con excepción de lo dispuesto en el Artículo 5.27 sobre la acreditación retroactiva.

e. La solicitud debe incluir una cuota según lo establezca el Departamento de Estado, a tenor con las disposiciones del *Capítulo Núm. 8 de este reglamento* o cualquier otro Reglamento sobre el particular que se apruebe en el futuro.

f. Las Juntas podrán reconocer como Entidades Afines a las organizaciones profesionales o técnicas regionales que tengan un programa estructurado para ofrecer cursos de educación continua para sus miembros directamente o a través de sus proveedores certificados. En estos casos, la Junta podrá aceptar las transcripciones de los créditos que acumulen los técnicos o profesionales con dichas Entidades Afines, como prueba de cumplimiento con los requisitos de este Reglamento y los del Reglamento de Educación Continua específico de la Junta. Estas transcripciones de créditos deberán venir acompañadas de una solicitud en el formulario especial provisto por la Junta para estos casos y con una cuota según lo establezca el Departamento de Estado, a tenor con las disposiciones del *Capítulo Núm. 8 de este reglamento* o cualquier otro Reglamento sobre el particular que se apruebe en el futuro.

Artículo 5.5 -Cursos ofrecidos por entidades técnicas o profesionales privadas con o sin fines de lucro: Requisitos

1. Las entidades técnicas o profesionales privadas, con o sin fines de lucro, excluyendo los Colegios o Asociaciones profesionales (quienes se consideran proveedores certificados} con interés en ofrecer un curso para que se le acredite como educación continua a sus miembros o empleados cumplirán con lo siguiente:

a. presentar su solicitud de Proveedor Certificado a la Junta correspondiente conforme al Artículo 5.10;

b. incluir con la solicitud la información y los documentos necesarios según el Artículo 5.4(A) para demostrar que el curso cumple con los requisitos del Artículo 5.3;

c. acreditar que el curso será ofrecido a un costo razonable, si alguno, determinado a base de la cantidad que regularmente se cobra por un curso similar en el mercado de Puerto Rico;

d. separar al menos el veinticinco por ciento (25%) de los espacios para que cualquier técnico o profesional con interés, que no sea miembro o empleado de su entidad, pueda tomarlo como educación continua;

e. cumplir con el requisito de divulgación efectiva, dispuesto en el Artículo 5.9 a más tardar treinta (30) días antes de la fecha de ofrecimiento del curso;

f. esperar por lo menos hasta quince (15) días antes de la fecha de ofrecimiento del curso para comenzar a admitir solicitantes del público (aquellos técnicos o profesionales que no están asociados con la entidad profesional privada). Si hubiera más solicitudes del público que espacios disponibles, los participantes se escogerán por orden de llegada de su solicitud. Se preparará una lista de espera para conceder espacios en caso de que algún participante cancele su solicitud o no remita el pago, si alguno, oportunamente.

g. a más tardar treinta (30) días luego del día en que se haya ofrecido el curso:

i. acreditar que se cumplió con el requisito de divulgación efectiva dispuesto en el inciso (A) (5) de este Artículo;

ii. informar: (i) el número total de espacios que estuvo disponible a personas no asociadas a la entidad profesional privada ("público"), (ii) los nombres de las personas no asociadas a la entidad profesional privada ("público") que solicitaron y la fecha en que se recibió cada solicitud, independientemente de si fueron admitidas o de si la solicitud fue oportuna, (iii) el número de personas que fueron admitidas, (iv) los nombres de las personas admitidas que no están asociadas a la entidad profesional privada {"público"), junto a su fecha de admisión y los nombres de las demás personas admitidas, (v) el número de personas que asistió, (vi) los nombres de las personas que asistieron y que no están asociadas a la entidad profesional privada {"público") con sus números de licencia o certificado; los nombres de las demás personas que asistieron con sus números de licencia o certificado; copia de hoja de asistencia con firma a la hora de entrada y hora de salida (si todo curso aprobado de conformidad con el inciso (a) de este Artículo será acreditado hasta una tercera parte (1/3) del total de horas requeridas en cada periodo de cumplimiento con excepción de los Colegios o Asociaciones Profesionales.

Artículo 5.6 -Cursos ofrecidos por Entidades Profesionales Públicas: Requisitos

Las entidades profesionales públicas con interés en ofrecer un curso para que se le acredite como educación continua a sus empleados que sean técnicos o profesionales cumplirán con lo siguiente:

1. presentar una solicitud en el formulario provisto por la Junta sesenta (60) días antes del ofrecimiento del curso;

2. incluir la información y los documentos necesarios según el Artículo 5.4(1)(a) para acreditar que el curso cumple con los requisitos del Artículo 5.3.

Todo curso aprobado de conformidad con este Artículo será acreditado hasta sumar un máximo de una tercera parte (1/3) del total de horas requeridas en cada período de cumplimiento. Las Entidades Profesionales Públicas estarán exentas del pago de cuotas.

Artículo 5.7 -Cómputo de Créditos

Las horas crédito de educación continua mínimas establecidas para cada Junta, ya sea por Ley o por Reglamento, se calcularán de la siguiente manera:

1. una hora crédito consistirá de cincuenta (SO) a sesenta (60) minutos de participación en actividades propias de educación, según lo determine cada Junta en el uso de su discreción;

2. cada Junta determinará por Reglamento el tiempo a acreditar por cursos ofrecidos únicamente a través de mecanismos no tradicionales de enseñanza y aprendizaje; en su acreditación cada Junta evaluará la naturaleza del curso, el tiempo que normalmente se requiere para completarlo y el informe que rinda el proveedor respecto al desempeño de quienes tomaron el curso;

3. Cada Junta determinará por Reglamento el tratamiento que dará a las horas crédito tomadas en exceso del total requerido a los efectos de si las acumula o no, o si las acumula total o parcialmente;

4. Cada Junta tendrá la discreción de delegar en Comités de la Junta, Colegios, Asociaciones Profesionales o en entidades públicas o privadas, el manejo, contabilidad y certificación de las horas crédito.

Artículo 5.B. -Cursos ofrecidos mediante mecanismos no tradicionales de enseñanza y aprendizaje

1. Cada Junta podrá acreditar cursos en que se usen mecanismos no tradicionales de enseñanza y aprendizaje, ya sea por correspondencia, computadora, video, grabación u otros medios, sujeto a las limitaciones y requisitos establecidos en el Artículo 5.7(2) de este Reglamento.

2. La solicitud para la aprobación de estos cursos cumplirá con los requisitos del CAPÍTULO 8 de este reglamento. El proveedor, o el técnico o profesional licenciado que solicite la aprobación, explicará cómo el curso cumple con los requisitos del Artículo 5.3, los fines del programa de educación continua obligatoria y este Reglamento.

3. Cada Junta evaluará caso a caso estas solicitudes y, discrecionalmente, podrá aprobarlas. Todo proveedor certificado deberá someter estos cursos para aprobación previa de la Junta, salvo en los casos que sean ofrecidos por Entidades Afines o sus proveedores certificados.

Artículo 5.9 -Requisito de divulgación efectiva

1. Todo proveedor que solicite la aprobación de un curso para acreditación, podrá publicar sus ofrecimientos en cualesquiera mecanismos a través de los cuales se realice una divulgación efectiva dirigida a los técnicos y profesionales que pudieran tener interés en tomar los cursos. Una vez aprobado el curso, será deber del proveedor anunciarlo de conformidad con la definición de Divulgación Efectiva del Artículo 1.5 del Capítulo Núm. 1 de este reglamento.

2. La Junta podrá divulgar en la página del Departamento en la Internet los cursos aprobados, a base de la información que conste en sus expedientes administrativos.

Articulo 5.10 -Proveedores

1. *Proveedor certificado: Requisitos básicos; Procedimiento*

a. Requisitos

Una persona natural o jurídica interesada en que se le conceda Licencia de Proveedor Certificado cumplirá con los siguientes requisitos:

i. Si es la primera vez que solicita para convertirse en proveedor, las Juntas tendrá la facultad, mediante reglamentación interna, de establecer un procedimiento para conceder un certificado provisional de acuerdo a los estándares de cada Junta. Por otro lado, los proveedores actuales deberán haber ofrecido, durante los dos (2) años antes de la aprobación de este Reglamento, cursos de educación continua que cumplieron con los requisitos en este Reglamento para su acreditación;

ii. Demostrar que la misión de su programa de educación es el mejoramiento de los técnicos o profesionales a través de la educación que ofrecen;

iii. Demostrar que posee la solvencia económica necesaria para mantener un programa de educación continua de la más alta calidad;

iv. Demostrar que sus actividades están dirigidas primordialmente a los técnicos o profesionales de la Junta;

v. Comprometerse a cumplir con la misión y los propósitos del programa de educación continua de la Junta;

vi. Certificar y evidenciar, de ser necesario, que las facilidades donde se ofrecen los cursos satisfacen las necesidades de acomodo razonable al técnico o profesional que lo solicite por razón de algún impedimento, para que pueda cumplir con el requisito de educación continua;

vii. Cualquier otro requisito que determine cada Junta en su Reglamento; No será requisito indispensable para ser certificado como proveedor el estar acreditado por cualquier cuerpo acreditador de educación superior.

b. Disposiciones Transitorias

i. Las instituciones educativas, asociaciones y colegios profesionales, compañías o entidades que al momento de la aprobación de este Reglamento son Proveedores de Educación Continua, mantendrán su status de proveedores, siempre y cuando soliciten a la Junta correspondiente que les certifique como tal;

ii. La institución educativa, asociación o colegio profesional, compañía o entidad deberá presentar evidencia de que, al momento de la entrada en vigor el presente Reglamento es proveedora de dichos servicios. Cada Junta establecerá la forma en que un proveedor evidenciará su carácter de Proveedor. Las Juntas deberán, a su vez, notificar a los Proveedores sobre la necesidad de solicitar un certificado que se atempere a lo dispuesto en el Artículo 8 de la Ley Núm. 41 de 5 de agosto de 1991, según enmendada;

iii. Dentro del año previo a la conclusión del término de cinco (5) años, contados a la adopción de este reglamento los Proveedores de Educación Continua deberán someterse al proceso de renovación que dispongan los reglamentos específicos de cada Junta, y las Juntas tendrán la obligación de aceptar o rechazar dicha solicitud de renovación dentro de un término no mayor a seis (6) meses de la fecha de presentación de la solicitud;

iv. Cualquier otro requisito que determine cada Junta en su Reglamento.

c. Procedimiento de Certificación

La persona natural o jurídica interesada en que se le licencie como Proveedor Certificado presentará una solicitud en el formulario provisto por cada Junta, con la siguiente información:

i. nombre del proveedor, dirección, teléfono, fax, correo electrónico;

ii. nombre y título de la persona contacto;

iii. Si es la primera vez que una persona natural o jurídica solicita la certificación a las Juntas la misma deberá regirse por la reglamentación o procedimientos establecidos por cada Junta para las certificaciones. Si es un Proveedor actual deberá someter descripción de cada actividad o curso de educación continua ofrecido durante los últimos cuatro (4) años anteriores a la solicitud, con la siguiente información:

a) título del curso y su descripción, estableciendo claramente los objetivos educativos del curso;

b) fecha y lugar de celebración;

c) costo de registro o matrícula;

d) prontuario o contenido del curso;

e) nombres de los recursos y calificaciones profesionales;

f) descripción de los materiales distribuidos a los participantes;

g) horas acreditadas;

h) distribución de horas por categoría o asunto (ej. aspectos sustantivos, aspectos de la práctica de la profesión u oficio, ejercicios, preguntas);

i) audiencia a la cual fue dirigida el curso;

j) indicar si el curso fue anunciado como abierto al público, o si fue ofrecido exclusivamente a un grupo en particular;

k) método para evaluar el curso (ej.: evaluación por los y las participantes, evaluador independiente);

l) formato de presentación (ej.: salón de clases, video, circuito cerrado, transmisión simultánea, estudio individual, computadora);

m) mecanismos para constatar el aprovechamiento académico del curso, si alguno;

n) anejos y documentos que acrediten la información provista en cumplimiento con los requisitos del inciso tres (3);

iv. descripción de su experiencia en el campo de especialidad, de sus facilidades físicas y de la preparación de las personas a cargo de la organización, enseñanza y supervisión de su programa;

v. jurisdicciones en las que se le ha extendido licencia corno Proveedor Certificado, si alguna;

vi. incluir, cuando se trate de una entidad jurídica, su número de registro, en el registro de Corporaciones especificando el tipo de entidad, de modo que la Junta o personal de la Secretaría Auxiliar verifique con el Registro de Corporaciones del Departamento de Estado si ésta está en cumplimiento ("good standing") con la Ley General de Corporaciones, Ley Núm. 164 de 2009, según enmendada. Ninguna entidad jurídica en incumplimiento será acreditada;

vii. certificación de que ha rendido planillas de contribución sobre ingresos durante los últimos cinco (5) años;

viii. declaración de que se compromete a cumplir con los propósitos del programa de educación continua y con todos los requisitos establecidos por cada Junta correspondiente y por la Secretaría Auxiliar en este Reglamento y disposiciones relacionadas.

d. La Junta tendrá la obligación de aceptar o rechazar dicha solicitud de licencia de Proveedor certificado dentro de un término no mayor a seis {6) meses de la fecha de presentación de la solicitud.

e. Extendida la licencia de Proveedor certificado, los cursos que ofrezca el proveedor se considerarán pre-aprobados una vez los informe a la Junta de conformidad con los requisitos del Artículo 5.4. Cada Junta, en el ejercicio de su facultad, podrá denegar la aprobación de cualquier curso que no cumpla con los requisitos de este Reglamento, en cuyo caso lo notificará al proveedor con al menos treinta (30) días de antelación. Casos de incumplimiento podrán conllevar la revocación de la licencia expedida.

f. La licencia de Proveedor certificado tendrá una vigencia de cinco (5) años, por lo que el proveedor, de interesar continuar como tal, deberá solicitar la renovación para cada periodo subsiguiente, de conformidad con los requisitos de cada Junta.

g. Procedimiento de Renovación:

1. someter la solicitud que provea cada Junta para este propósito por lo menos seis (6) meses antes de que expire la certificación vigente;

2. incluir, cuando se trate de una entidad jurídica, su número de registro, especificando el tipo de entidad, de modo que la Junta o personal de la Secretaría Auxiliar verifique con el Registro de Corporaciones del Departamento de Estado si ésta está en cumplimiento ("good standing") con la Ley General de Corporaciones, Ley Núm. 164 de 2009, según enmendada; no se procesarán renovaciones si no están en Cumplimiento;

3. certificación de que ha rendido planillas de contribución sobre ingresos durante los últimos cinco (5) años;

4. declaración de que se compromete a cumplir con los propósitos del programa de educación continua y con todos los requisitos establecidos por la Junta correspondiente y por la Secretaría Auxiliar en este Reglamento y disposiciones relacionadas;

5. discrecionalmente, una Junta podrá solicitarle a un Proveedor que solicite la renovación de su Certificado de Proveedor: informes sobre cómo los mecanismos utilizados lograron el aprovechamiento académico de sus cursos; los objetivos del programa; la continua presencia y la participación real y efectiva de los asistentes; copias de las hojas de evaluación de los cursos ofrecidos;

6. cualquier otro requisito que pueda solicitar cada Junta mediante Reglamento;

7. la Junta tendrá la obligación de aceptar o rechazar dicha solicitud de renovación de licencia de Proveedor Certificado dentro de un término no mayor a seis (6) meses de la fecha de presentación de la solicitud.

Artículo 5.11 -Certificación Provisional de Proveedores

1. De así entenderlo apropiado, cada Junta tendrá la discreción de extender una certificación provisional de Proveedores por un periodo de dos (2) años, a las nuevas compañías o instituciones que quieran dedicarse a ofrecer programas de educación continua, a los Programas de Educación Continua de aquellas Escuelas y Universidades reconocidas por el Consejo General de Educación o el Consejo de Educación de Puerto Rico (CEPR) o el Departamento de Educación, cualesquiera nuevos o futuros proveedores aunque no sean universidades o escuelas, reconocidos por el CEPR y por cualquier otro organismo regulador que se cree en el futuro por legislación.

2. Las organizaciones e instituciones antes indicadas presentarán la solicitud con la información que requiere el Artículo 5.10(C} de este capítulo.

3. Una vez se extienda la certificación provisional de Proveedores, los cursos que ofrezcan estas organizaciones e instituciones, se considerarán pre-aprobados siempre y cuando sean informados a la Junta de conformidad

con los requisitos del Artículo 5.4(A). Cada Junta, en el ejercicio de su facultad, podrá denegar la aprobación de cualquier curso que no cumpla con los requisitos de este Reglamento o de su reglamento específico, en cuyo caso Jo notificará al proveedor con al menos 30 días de antelación a la fecha del curso.

4. Transcurrido el periodo provisional de dos (2) años, estas organizaciones e instituciones quedarán en igual situación que los demás proveedores y deberán solicitar la renovación de la licencia de proveedor certificado de conformidad con el Artículo 5.10 (G).

Artículo 5.12 -Deberes del proveedor sobre aprovechamiento académico

1. Todo proveedor debe realizar evaluaciones continuas y sistemáticas en cuanto a logros de objetivos educativos, diseño de programas, métodos pedagógicos, contenido de materiales, calidad de los recursos, entre otros.

2. A solicitud de cada Junta, el proveedor rendirá informes sobre cómo los mecanismos utilizados logran el aprovechamiento académico de sus cursos, los objetivos del programa, la continua presencia y la participación real y efectiva de los asistentes.

3. La Junta podrá verificar la eficacia de estos mecanismos a través de procedimientos que establezca por reglamento, por lo cual todo proveedor conservará los documentos y expedientes relacionados con el cumplimiento de este Artículo por un término de cinco (5) años.

Artículo 5.13 -Recursos

1. Todo proveedor establecerá los mecanismos necesarios que garanticen que los recursos que se empleen para proveer educación continua posean las calificaciones, competencia profesional y destrezas pedagógicas que permitan una enseñanza provechosa de los cursos.

2. Cada Junta podrá verificar en cualquier momento si el proveedor cumple con lo dispuesto en este Artículo.

Artículo 5.14 -Actividades no relacionadas con educación continua.

Si el proveedor combina un curso con otras actividades que no son objeto de acreditación por la Junta, como registro, almuerzo, meriendas, o presentaciones comerciales, éste expresará en los documentos que rinda a la Junta el tiempo exacto dedicado a la educación continua requerido por la Junta y el tiempo dedicado a otra actividad.

Artículo 5.15 -Deber de proveer acomodo razonable

Todo proveedor ofrecerá acomodo razonable al técnico o profesional que lo solicite por razón de algún impedimento, para que pueda cumplir con el requisito de educación continua obligatoria.

Articulo 5.16 -Expedientes de los cursos

1. Todo proveedor conservará por un término mínimo de cinco (5) años, contados a partir de la fecha en que se ofreció el curso, los expedientes sobre los cursos que haya ofrecido para propósitos de acreditación y los mantendrá a la disposición de cada Junta para inspección cuando ésta se lo requiera.

2. Los expedientes incluirán la información esencial para la acreditación de la educación continua que se detalla a continuación:

a. identificación de los cursos y objetivos educativos;

b. recursos que participaron;

c. listas de asistencia con los nombres, números de licencia o certificado, y las firmas de quienes tomaron los cursos;

d. evaluaciones de los cursos por parte de los técnicos o profesionales que los tomaron;

e. certificaciones de participación expedidas y certificaciones relacionadas;

f. utilización de mecanismos tecnológicos o de otra índole para la enseñanza en forma individual o a distancia, si aplica;

g. informes sobre aprovechamiento académico de los cursos y;

h. cualquier otra información pertinente.

3. Para conveniencia y fácil manejo los expedientes podrán conservarse en formato electrónico.

Artículo 5.17-Procedimientos ante cada junta

1. Peticiones:

a. Cualquier persona interesada en una determinación de la Junta a tenor con este Reglamento podrá presentar por escrito cualquiera de las siguientes solicitudes:

i. licencia de proveedor certificado;

ii. certificación provisional de proveedor;

iii. acreditación de cursos;

iv. exoneración;

v. diferimiento;

vi. cualquier otra petición que pudiera surgir de la aplicación de este Reglamento o de los reglamentos específicos de cada Junta.

b. Requisitos:

i. La solicitud será presentada en el formulario provisto por cada Junta, describirá en forma detallada y precisa el propósito e incluirá los documentos pertinentes que apoyan la misma. En ausencia de un formulario, la persona interesada determinará la forma de hacer la solicitud, siempre que ésta conste por escrito.

ii. La solicitud para la designación como Proveedor Certificado incluirá la información requerida en el Artículo 5.10(C).

iii. La solicitud para la acreditación de cursos incluirá la información requerida en el Artículo 5.4(A).

Artículo 5.18 -Evaluación; Determinación

1. Cada Junta evaluará las solicitudes que hayan sido debidamente presentadas;

2. Toda solicitud que no cumpla con los requisitos de este Reglamento o del reglamento específico de cada Junta o que esté incompleta podrá ser denegada por la Junta;

3. En la evaluación de la solicitud, cada Junta podrá requerirle información adicional al solicitante;

4. Cada Junta podrá conceder la solicitud en todo o en parte o denegarla. En cualquiera de los casos, deberá notificar su decisión al solicitante.

Artículo 5. 19 -Cumplimiento por técnicos o profesionales

1. Mínimo de horas crédito

a. Todo técnico o profesional cumplirá con los requisitos mínimos de horas crédito que se disponen en las leyes y reglamentos de cada Junta.

b. Cada Junta determinará cómo y cuándo el técnico o profesional le deberá someter la evidencia sobre su cumplimiento.

c. No obstante lo anterior, y según dispuesto en la Ley Núm. 8 ·de 2010, conocida como la Ley del Profesional Combatiente, todo técnico o profesional miembro de los Componentes de Reserva de las Fuerzas Armadas y de las Fuerzas Activas en servicio activo regular que se encuentre fuera de Puerto Rico por un periodo mayor a un año, estará exento de cumplir con los requisitos de educación continuada durante ese periodo. Así mismo, todo técnico o profesional miembro de la Guardia Nacional en servicio activo estatal estará exento de cumplir con los requisitos de educación continuada durante ese período. Cuando se requiera cumplir con un determinado número de créditos en un intervalo de tiempo, se prorratearán los créditos por año, de manera tal que no se contará el tiempo en el que el profesional estuvo activo. Para disfrutar de la exención el técnico o profesional deberá presentar evidencia de servicio, según se define en el Artículo 7 de la Ley Núm. 8 de 2010.

Artículo 5.20 -Aviso de Incumplimiento

La Junta podrá notificar un Aviso de Incumplimiento a todo técnico o profesional que no haya cumplido con el mínimo de horas crédito requerido.

Artículo 5.21 - Cumplimiento Tardío

l. Todo técnico o profesional que incumpla con los requisitos mínimos de horas crédito que dispongan las leyes y reglamentos de su Junta podrá presentar una Solicitud de Cumplimiento Tardío con evidencia de que cumplió con los créditos que le faltaban para completar el requisito mínimo de horas crédito dentro de los treinta (30) días siguientes a la fecha límite en que debía haber cumplido. Junto con la evidencia de cumplimiento, el técnico o profesional deberá someter por escrito las razones que justificaron su tardanza. La Junta correspondiente evaluará la solicitud y tomará una determinación. Cada Junta tendrá la discreción de imponer las penalidades y/o multas que procedan, a tenor con las leyes y reglamentos que apliquen.

2. Lo dispuesto en este artículo no aplicará cuando sea contrario a lo que disponga alguna entidad reguladora o consejo de los Estados Unidos con inherencia sobre la Junta en cuestión, a su Ley Orgánica o alguna Ley Especial.

Artículo 5.22 - Incumplimiento; Citación

1. Transcurrido el término para presentar una solicitud de cumplimiento tardío, la Junta podrá citar por escrito al profesional o técnico a una vista informal.

2. La citación a la vista incluirá: el propósito de la vista, la fecha y lugar de la misma, el período incumplido, las consecuencias de no asistir y referencia a las disposiciones de Ley aplicables.

3. No obstante lo anterior, a aquellos técnicos o profesionales exentos a tenor con el Artículo 5.19(C) de este Reglamento, no se le podrá imponer penalidad alguna por presentar tardíamente su solicitud de cumplimiento tardío o cualquier otra documentación necesaria ante la Junta Examinadora, siempre que presente la razón eximente ante la Junta Examinadora correspondiente no más tarde de sesenta (60) días después del vencimiento de su orden militar.

Artículo 5.23 -Vista Informal ante cada junta

1. El técnico o profesional citado a una vista informal por incumplimiento a los requisitos de educación continua expondrá las razones que justifiquen su incumplimiento y presentará la prueba a su favor que tenga disponible.

2. Cada Junta evaluará las razones expuestas y resolverá lo que proceda conforme a la legislación y/o reglamentación aplicable.

3. En caso de incomparecencia, la Junta tomará la determinación administrativa que proceda de conformidad con su ley habilitadora, su Reglamento o, de no existir una disposición relacionada vigente, podrá imponer una multa no mayor de $500 o la suspensión de la licencia o ambas a discreción de cada Junta.

4. La determinación de la Junta será notificada oportunamente al técnico o profesional de concernido.

Artículo 5.24 - Mecanismos alternos de cumplimiento y otras disposiciones

1. Participación como recursos

Los técnicos y profesionales que participen como recursos en la educación continua podrán recibir, a discreción de la Junta, acreditación por esta función cuando presenten ante la Junta su solicitud y la certificación del proveedor en que conste su participación y horas de enseñanza.

Cada Junta determinará en su Reglamento la cantidad de tiempo acreditable, si alguno, cuando el recurso participe en ofrecimientos múltiples del mismo curso.

Artículo 5.25 -Publicación de obras de contenido para cada profesión u oficio

Los técnicos o profesionales que publiquen libros de contenido profesional o técnico y artículos en revistas técnicas o profesionales reconocidas podrán recibir, a discreción de la Junta, acreditación por estas publicaciones, cuando presenten su solicitud con la evidencia pertinente sobre la publicación realizada y horas dedicadas. Corresponderá a cada Junta determinar la cantidad de horas crédito a ser acreditadas, si alguna, por dichas publicaciones.

Artículo 5.26 -Estudios de Maestría y Doctorado

Cada Junta podrá, a su discreción, relevar de tomar cursos de educación continua a todo profesional o técnico que haya completado un grado de Maestría en materias relativas a su profesión u oficio en alguna universidad reconocida por el CEPR después de haber obtenido su licencia o certificado. Si el grado completado es de Maestría, la Junta podrá relevarlo de tomar cursos de educación continua por un periodo de hasta dos (2) años, término que se contará a partir de la fecha de obtención del grado. Si el grado obtenido es un Doctorado o su equivalente, el periodo de exención podrá ser de hasta tres (3) años, contado a partir de la fecha de obtención del grado.

Artículo 5.27 -Acreditación Retroactiva

1. De entenderlo necesario y pertinente, aquellas Juntas cuya ley habilitadora exige el cumplimiento de requisitos de educación continua, pero no tenían en vigor un requisito de educación continua anterior a este Reglamento, podrán acreditar los cursos de educación continua que los técnicos y profesionales hayan tomado en los tres (3) años anteriores a la fecha de vigencia de este Reglamento.

2. Para obtener la acreditación será necesario presentar una solicitud de conformidad con los Artículos 5.3 y 5.4, e incluir la certificación del proveedor que acredite la participación del técnico o profesional en los cursos.

3. Cada Junta se podrá reservar la facultad de determinar si estos cursos cumplen o no con los criterios establecidos para su acreditación y podrá solicitar la información adicional que estime pertinente.

Artículo 5.28 -Notificaciones de la junta; Modos de Realizarlas

Las notificaciones de cada Junta a los técnicos o profesionales y a los proveedores podrán ser realizadas a través del correo ordinario, facsímile o medios electrónicos. La Junta deberá confirmar el recibo de la notificación en aquellos casos que se cite a vista o se notifique alguna denegatoria. Las siguientes son notificaciones que la Junta podrá enviar a los técnicos, profesionales o proveedores, según sea el caso y que pueden variar dependiendo de las disposiciones de las leyes habilitadoras y Reglamentos específicos de cada Junta.

1. Técnicos o profesionales licenciados o certificados:

a. Acreditación de cursos total, parcial o denegación de acreditación;

b. Requerimiento de información adicional para acreditación de cursos;

c. Acreditación por participación como recurso;

d. Acreditación por publicación de obras;

e. Acreditación retroactiva de cursos;

f. Relevo de la educación continua por estudios de maestría y doctorado;

g. Aviso de Incumplimiento;

h. Cumplimiento tardío;

i. Decisión en reconsideración;

j. Señalamiento de vista;

k. Determinación luego de la vista;

l. Determinación de la Junta en caso de incomparecencia a la vista;

m. Exoneración de cumplimiento de educación continua por incapacidad para ejercer la profesión;

n. Exoneración de educación continua por justa causa;

o. Diferimiento de la educación continua por justa causa;

p. Cualquier otra relacionada con el cumplimiento de requisitos.

2. Proveedores:

1. Certificación Provisional de Proveedor;

2. Licencia de Proveedor Certificado;

3. Aprobación de cursos, en todo o en parte;

4. Denegación de aprobación de cursos;

5. Denegación de solicitud de Proveedor Certificado;

6. Requerimiento de informes sobre comprobación de aprovechamiento académico;

7. Requerimiento de inspección de documentos;

8. Incumplimiento con mecanismos para garantizar idoneidad de recursos;

9. Decisión en reconsideración;

10. Señalamiento de vista;

11. Revocación de licencia por incumplimiento con el programa de educación continua;

12. Requerimiento de información adicional;

13. Cualquier otra relacionada con el cumplimiento de requisitos.

Articulo 5.29 - Situaciones no previstas

1. Cada Junta, podrá tomar medidas para atender situaciones no previstas en la forma que, a su juicio, sirva a los mejores intereses de los técnicos o profesionales licenciados o certificados.

2. Para atender una situación de falta de miembros en una Junta, ya sea por ausencia o por falta de nombramientos para ocupar vacantes, la Junta podrá delegar en un Comité compuesto por tres de sus miembros la facultad de certificar proveedores o de aprobar cursos o cualquier otro asunto establecido en este Capítulo. La composición del Comité no tiene que ser

permanente y podrá variar según la asistencia de los miembros presentes en las reuniones donde se están dilucidando asuntos relacionados con la educación continua.

Artículo 5.30 -Reconsideración de las decisiones de las juntas

1. Reconsideración: La persona natural o jurídica que no esté conforme con la decisión de una Junta hecha a tenor con este Reglamento, tendrá derecho a presentar una solicitud de reconsideración, por escrito, dentro del término de quince (15) días desde el archivo en autos de la notificación de la decisión de la Junta. Dentro de los treinta (30) días de haberse recibido dicha solicitud de reconsideración, la Junta deberá considerarla. Si la rechazare de plano o no actuare dentro de los treinta {30) días, el término para solicitar revisión ante el Tribunal de Apelaciones, a tenor con la Ley de Procedimiento Uniforme, 3 LPRA §§ 2711, *et seq.,* comenzará a correr nuevamente desde que se notifique dicha denegatoria o venzan que expiren los treinta (30) días de su presentación, según sea el caso. Si la Junta tomare alguna determinación en su consideración, el término para solicitar revisión ante el Tribunal de Apelaciones empezará a contarse desde la fecha del archivo en autos de la ratificación de la decisión de la Junta resolviendo la reconsideración.

2. El término de quince (15) días para presentar una moción de reconsideración ante una Junta es de cumplimiento estricto, prorrogable sólo por justa causa.

Artículo 5.31 -Revisión administrativa

Una parte adversamente afectada por una orden o resolución final de una Junta y que haya agotado todos los remedios provistos por la Junta podrá presentar una solicitud de revisión ante el Tribunal de Apelaciones, dentro de un término de treinta {30) días contados a partir de la fecha del archivo en autos de la copia de la notificación de la orden o resolución final. La parte notificará la presentación de la solicitud de revisión a la Junta y a todas las partes dentro del término para solicitar dicha revisión. La notificación podrá hacerse por correo certificado con acuse de recibo, disponiéndose que si la fecha de archivo en autos de copia de la notificación de la orden o resolución final de Junta es distinta a la del depósito en el correo de dicha notificación, el término se calculará a partir de la fecha del depósito en el correo.

Artículo 5.32 -Disposiciones para licenciados inactivos

Cada Junta podrá aprobar disposiciones para la inactivación de aquellos licenciados que no estén practicando activamente su profesión, y los requisitos de educación continua para su reactivación.

Artículo 5.33 -Aprobación del Reglamento específico de cada junta

1. Cada Junta deberá utilizar el presente reglamento como guía al preparar o enmendar sus propios reglamentos. Este Capítulo del Reglamento pretende brindar los requisitos básicos para la elaboración de reglamentos específicos que afecten a cada una de las Juntas, lo que no impide que las Juntas impongan requisitos distintos a los establecidos en este Reglamento, siempre que no sean inconsistentes con la Ley Núm. 41-1991, según enmendada, 20 LPRA §§ 10, et seq, la Ley Núm. 170-1988, según enmendada, o su ley habilitadora. Si previo a la aprobación de este Reglamento alguna Junta hubiera aprobado un Reglamento Específico cuyo contenido la Junta determine está acorde con el presente Reglamento, entonces no será necesario que la Junta enmiende su Reglamento o adopte uno nuevo.

2. Como parte de la elaboración de enmiendas o la adopción de un nuevo reglamento específico, cada Junta podrá someter el borrador de reglamento al Colegio o Asociación Profesional concerniente a la profesión u oficio que regula la Junta, concediéndole un término de treinta (30) días para someter por escrito sus comentarios, objeciones o sugerencias. De haber controversia entre el contenido del propuesto Reglamento y lo esbozado por el Colegio o Asociación, la Junta citará una reunión con representantes del Colegio o Asociación para esclarecer las posiciones de las partes. De necesitar algún mediador en este proceso el Departamento de Estado podrá proveer éste. Se hará el mayor esfuerzo para que cada reglamento, nuevas leyes o enmiendas a leyes, sea el producto del consenso con los gremios profesionales concernidos.

3. Luego de evaluar los comentarios, objeciones o sugerencias del Colegio o Asociación concernido, la Junta hará los cambios que se entiendan pertinentes al borrador, la Junta someterá el borrador de reglamento a la Secretaría Auxiliar y a la Oficina de Asuntos Legales del Departamento, quienes cotejarán que se reúnan los requisitos dispuestos en las leyes y reglamentos aplicables.

4. De transcurrir el término de treinta (30) días sin que el Colegio o Asociación haya sometido por escrito sus comentarios, objeciones o sugerencias, la Junta entenderá que el Reglamento fue aceptado sin enmiendas, por lo que someterá el borrador de reglamento a la Secretaría Auxiliar, quien cotejará que se reúnan los requisitos dispuestos en las leyes y reglamentos aplicables.

5. Una vez cotejado el reglamento, la Secretaría Auxiliar someterá el borrador de Reglamento a la División de Asuntos Legales del Departamento de Estado para que se someta al procedimiento de

Reglamentación establecido en la Ley de Procedimiento Administrativo Uniforme, Ley Núm. 170 de 12 de agosto de 1988, según enmendada, 3 LPRA §§ 2121, *et seq.*

Capítulo 6 - Procedimientos Adjudicativos e Investigativos

Título I: Disposiciones Generales

Artículo 6.1 - Propósito

El propósito de esa sección en el Reglamento es establecer unos procedimientos investigativos y adjudicativos ágiles y efectivos en la Secretaría de Juntas Examinadoras y atemperarlos a los desarrollos recientes y las tendencias de la práctica del derecho administrativo, para así continuar garantizando la atención justa, rápida y económica de las controversias que puedan surgir.

Articulo 6.2 -Autoridad

Este sección se adopta y promulga en virtud de las disposiciones cumplimiento con la Ley Núm. 170 de 12 de agosto de 1988 según enmendada, conocida como Ley de Procedimiento Administrativo Uniforme, 3 L.P.R.A. §§ 2101 *et seq.*

Artículo 6.3 - Interpretación

Esta sección del reglamento se interpretará de forma liberal, de modo que se garantice una solución justa, rápida y económica de todos los procedimientos.

Artículo 6.4 -Idioma

Los procedimientos que se lleven a cabo al amparo de este Reglamento se conducirán en español.

Cuando la situación lo amerite, o en el mejor interés de las partes, y así lo determine el Secretario, se podrán efectuar en el idioma inglés. La parte que utilice otro idioma que no sea el español o el inglés deberá proveer a la Secretaría Auxiliar de Juntas Examinadoras con traducción simultánea de su testimonio o presentación. En el caso de los documentos y/o evidencia presentada en otro idioma, deberá proveerse una traducción escrita certificada.

Artículo 6.5 -Jurisdicción

La Secretaría Auxiliar recomendará y las Juntas investigarán, procesarán y recomendarán las acciones a seguir sobre aquellas reclamaciones relacionadas con acciones u omisiones de los profesionales adscritos a las Juntas Examinadoras. Esta función fiscalizadora se extiende a la infracción de toda ley o reglamento que reconozca derechos así como normas, protocolos y guías internas adoptadas en cumplimiento de ley. El Oficial

Examinador recomendará y la Junta concederá los remedios procedentes en derecho. Asimismo, de acuerdo a los parámetros establecidos por la Ley la Junta, podrá ordenar acciones correctivas a cualquier persona natural o jurídica, o cualquier agencia que niegue, entorpezca, viole o perjudique los derechos y beneficios reconocidos por el derecho aplicable. En su función de ejecutar la política pública, el Secretario podrá limitar el tipo de caso en que la Secretaría Auxiliar entenderá siempre que estos no sean de su jurisdicción primaria o exclusiva.

Articulo 6.6 -Asuntos excluidos

No se investigará una Queja cuando:

1. Se refiera a algún asunto fuera de la jurisdicción o competencia de la Junta.

2. De la faz de la misma se desprenda que es carente de mérito.

3. La parte reclamante desista voluntariamente de su reclamación.

4. La parte reclamante no tenga legitimación activa para instarla por no ser parte afectada.

5. El asunto está siendo considerado, adjudicado o investigado por otro foro al momento de presentarse la queja y a juicio del Secretario representaría una duplicidad de esfuerzos y recursos actuar sobre la misma.

De recibirse alguna queja que no plantee una controversia que se pueda adjudicar o que se refiera a algún asunto fuera de la jurisdicción de la División, se orientará a la parte reclamante y, en caso de estimarlo procedente, el Secretario podrá realizar el referido correspondiente al foro competente para atender el asunto.

Título II: Procedimiento Adjudicativo

Artículo 6.7 -Solicitud de investigación y forma de iniciar una queja

Una reclamación se podrá iniciar con una Queja, donde se expresen los hechos que motivan la reclamación. Cualquier persona, mediante una Queja, podrá solicitar al Secretario que inicie la investigación de una posible violación a las disposiciones que rigen las profesiones u oficios. La Secretaría Auxiliar solicitará los documentos e información necesarios para entender en su caso a la parte reclamante. En caso de que la parte reclamante sea recibida en la Secretaría Auxiliar para propósitos de consulta u orientación, y el Secretario entendiera que el asunto amerita la presentación de una Queja, el mismo pasará inmediatamente a la atención de la Secretaría Auxiliar. Nada de lo dispuesto en este Capítulo limitará la facultad de la Junta para llevar a cabo una investigación por iniciativa propia cuando lo crea necesario y conveniente para poner en vigor las disposiciones de alguna Ley o Reglamento.

Artículo 6.8 -Presentación de Quejas

La presentación de quejas ante la Junta deberá hacerse por escrito, mediante correo regular, fax, correo electrónico o cualquier otro medio disponible. Cuando se utilicen estos últimos medios la evidencia de la presentación será la confirmación con fecha y hora de transmisión de documento.

Artículo 6.9 - Contenido de la Solicitud de Investigación o Queja

La Queja o solicitud de investigación deberá contener:

1. El nombre, dirección, correo electrónico y número de teléfono de la parte reclamante.

2. El nombre, dirección, correo electrónico y número de teléfono de la persona o institución contra la cual se reclama.

3. Una relación de hechos clara y concisa de la situación o acción administrativa en que se fundamenta la reclamante para creer que se ha violado alguna ley o reglamento, y que justifica una intervención por parte de la Junta.

4. Referencia a las disposiciones legales aplicables y al remedio que se solicita, si se conocen.

5. Constancia de que la parte contra la cual se reclama no ha corregido su acción o que ha transcurrido un período de tiempo irrazonable sin que se haya tomado acción alguna, o que se haya tomado una determinación o decisión inadecuada.

6. Acompañará con la Queja una declaración jurada ante notario autorizado a ejercer la práctica notarial en Puerto Rico de que lo que se afirma en la solicitud es cierto según el mejor conocimiento del/la reclamante. De presentarse la queja mediante algún medio electrónico se anejará copia digital de la declaración jurada.

Artículo 6.10 -Evidencia

La reclamante deberá acompañar toda la evidencia que tenga disponible al momento de presentar la reclamación. Deberá también informar sobre la existencia de evidencia adicional que conozca y que esté bajo el control de la parte reclamada.

Articulo 6.11 -Representación legal

La parte querellante/reclamante podrá presentar una queja por derecho propio o representada por abogada/o licenciada/o. De igual modo, la parte querellada podrá comparecer representada por abogada/o o por derecho propio.

Toda corporación o persona jurídica deberá comparecer por conducto de un/a abogada/o o de un/a oficial autorizada/o para representarla en el procedimiento mediante resolución al efecto, lo cual debe acreditar presentando dicho documento ante el/la Oficial Examinador/a.

Artículo 6.12 -Evaluación y determinación de investigar

De entender la Junta que existe causa suficiente para iniciar una investigación formal, deberá notificarlo así a la parte reclamante y a la parte que será objeto de investigación, con expresión de los hechos alegados y una cita de la disposición estatutaria y reglamentaria que le confiere facultad para realizar la investigación. Previo a determinar que procede una investigación formal, la Junta podrá realizar gestiones encaminadas a obtener información que le permita evaluar los méritos de una queja o solicitud de investigación. De entender que hay méritos en el reclamo, la queja será presentada en una Querella con su correspondiente número de identificación.

Artículo 6.13 -Determinación de no investigar

De entender la Junta que no hay causa y que no procede realizar una investigación deberá así notificarlo a la parte reclamante expresando las razones para ello y apercibiéndole de su derecho a solicitar reconsideración y revisión de dicha determinación.

Artículo 6.14 -Confidencialidad de la investigación y el expediente correspondiente

Las investigaciones realizadas por la Junta tendrán carácter confidencial. Esta disposición tiene como propósito proteger el progreso de las investigaciones, que no se entorpezca o interfiera indebidamente la investigación y que no se afecte la capacidad de la Junta de adquirir información de posibles víctimas o testigos sobre conducta que atente contra los derechos ciudadanos con el efecto de impedir un efectivo cumplimiento de la Ley. El carácter confidencial se extiende al expediente que levantare la Junta. Dichos expedientes no estarán sujetos a descubrimiento de prueba y se considerarán información privilegiada.

Artículo 6.15 -Métodos de investigación

La Junta podrá iniciar las investigaciones que estime pertinentes en cualquier momento. Podrá compeler mediante el Oficial Examinador o mediante la propia Junta o por medio de uno de sus miembros, a cualquier parte o agencia a producir cualquier tipo de información y documentos que estime pertinentes mediante requerimiento, expedir citaciones compulsorias a testigos, hacer inspecciones oculares, tomar juramentos y recibir testimonios jurados, hacer investigación de campo y en agencias, y entrevistar testigos. Los métodos de investigación a utilizarse no estarán limitados a los arriba descritos, pudiendo utilizarse los que la Junta determine, a través de su Oficial Examinador.

Cada requerimiento especificará el término que tendrá la parte requerida para producir la información solicitada y la apercibirá que sólo se considerarán extensiones de tiempo fundamentadas por justa causa y presentadas dentro del término original. Además, deberá advertir que la persona que desobedezca, impida o entorpezca voluntariamente el desempeño de las funciones de la Junta en el cumplimiento de sus deberes, que la Junta podrá invocar la ayuda o el auxilio de cualquier tribunal para sancionarla con multa que no excederá de cinco mil ($5,000) dólares o con pena de reclusión que no excederá de seis (6) meses, o ambas penas, a discreción del tribunal.

Artículo 6.16 -Negativa a contestar un requerimiento

Cuando una persona debidamente citada o compelida a cumplir con un requerimiento de investigación del Oficial Examinador no comparezca, no produzca la evidencia, rehúse contestar o permitir una inspección, el Secretario podrá requerir por sí o solicitar el auxilio de cualquier Tribunal de Primera Instancia para ordenar, bajo apercibimiento de desacato, la asistencia, declaración, reproducción o inspección requerida. En caso que la persona desobedezca, impida o entorpezca un requerimiento de investigación por parte del Oficial Examinador o de la Junta (en aquellos casos que aplique), el Secretario podrá referir dicha conducta al Departamento de Justicia para el correspondiente procesamiento criminal.

Articulo 6.17 -Aviso de infracción

Sin menoscabo de la autoridad para proceder con una Querella conforme dispone este Reglamento, en caso de que la investigación arroje el incumplimiento con una norma vigente, la Junta tendrá la facultad de optar por emitir un aviso de infracción, el cual contendrá lo siguiente:

1. Nombre completo del infractor. Este incluirá, de ser posible, ambos apellidos.

2. Dirección física y postal, correo electrónico, y número de teléfono del infractor. Se incluirá cualquier método de comunicación cuya información esté disponible, como correo electrónico y fax.

3. Una descripción de la actuación u omisión constitutiva de la violación. (i.e. Determinaciones de Hechos)

4. Disposiciones legales y reglamentarias por las cuales se le notifica el aviso de infracción. (i.e. Conclusiones en Derecho)

S. Una advertencia a los efectos de que la Junta podrá, de no corregirse la infracción dentro del término concedido, notificar formalmente una querella y las posibles sanciones y remedios.

6. Las circunstancias del/a empleado/a o funcionario/a que emite el aviso, incluyendo su nombre completo y su cargo en la Junta.

Título III: Fase Adjudicativa

Artículo 6.18 -Querella

Luego de completado el procedimiento investigativo y entenderse que existe prueba suficiente para la presentación formal de una Querella, o en caso de no corregirse una conducta que haya sido objeto de un aviso de infracción, o en cualquier otro caso que se entienda que existe justificación, la Junta procederá a notificar la Querella dirigida a la parte querellada. Toda querella será diligenciada mediante correo electrónico y correo regular con acuse de recibo, y deberá contener la siguiente información:

1. Nombre completo del querellado. Este incluirá, de ser posible, ambos apellidos.

2. Dirección física y postal, correo electrónico, y número de teléfono de la parte querellada. Se incluirá cualquier método de comunicación cuya información esté disponible, como correo electrónico y fax.

3. Relación sucinta y clara de los hechos que dan origen a la Querella.

4. Disposiciones legales y reglamentarias por las cuales se imputa la violación y que autorizan la presentación de la querella.

5. Remedio solicitado.

6. Fecha de presentación de la querella.

7. Firma del/la funcionaria/o de la Junta al cual se haya delegado la presentación de la querella.

8. Apercibimiento al querellado/a de los siguientes derechos: (1) comparecer por derecho propio o representada/o por abogada/o autorizada/o a ejercer la abogacía en Puerto Rico; (2) presentar su contestación a la Querella; (3) una adjudicación imparcial; (4) presentar evidencia y confrontar la evidencia que se presente en su contra; y (5) que la decisión sea una basada en el expediente.

9. Apercibimiento de que puede allanarse a la Querella y los remedios en ella solicitados o en la alternativa, de su derecho a contestar la misma y solicitar la celebración de una vista adjudicativa.

10. Una advertencia al querellado a los efectos de que si no contesta la Querella dentro un término de veinte {20) días laborables contados a partir de su notificación, se expone a que se emita una resolución en su contra confirmando la sanción recomendada, sin más oportunidad de citarle ni oírle.

11. Una certificación de envío con fecha y archivo de copia de la notificación debidamente cumplimentada. Cada parte anejará a su Querella o contestación copia de todo documento que considere ofrecer en evidencia, sin perjuicio de producir documentos adicionales más adelante durante el procedimiento. No obstante, una parte no podrá ofrecer en evidencia documentos que fueron solicitados por la otra parte y no le fueron entregados.

Artículo 6.19 -Desistimiento.

La Querella podrá desistirse en cualquier momento mediante la presentación de un aviso a tal efecto o anunciándolo durante la celebración de una vista. Un desistimiento será sin perjuicio a menos que se especifique lo contrario en el aviso de desistimiento. De ser la segunda vez que se desiste de la misma acción, el desistimiento será con perjuicio. Todo aviso de desistimiento deberá ser evaluado por el/la Oficial Examinador/a, quien emitirá su recomendación a la Junta correspondiente para aprobarlo o denegarlo.

Artículo 6.20 -Contestación a la Querella

La parte querellada tendrá veinte (20) días laborables, contados a partir de la fecha de recibo de la Querella para contestar las alegaciones de la misma. De necesitar una prórroga deberá solicitarla exponiendo sus fundamentos que acrediten justa causa, antes del vencimiento del término. Se concederán prórrogas no mayores de cinco (5) días laborables.

Articulo 6.21 -Efecto de no contestar la querella

De no contestarse la querella dentro del término original o la prórroga concedida, la Junta podrá emitir una resolución indicando que la sanción notificada es final y firme. La inacción de la parte querellada se interpretará como una aceptación voluntaria de los hechos que motivaron la presentación de la querella, la violación a la norma aplicable y la sanción impuesta.

Artículo 6.22 -Enmiendas a las alegaciones y consolidación de Querellas o vistas

El/la Oficial Examinador/a podrá autorizar liberalmente enmiendas a las alegaciones en interés de la justicia y que no causen un perjuicio indebido a la parte contraria, si la solicitud se somete dentro de un término razonable con antelación a la vista o cuando con el consentimiento de expreso o implícito de las partes se someten durante la celebración de la vista. Además, cuando varias Querellas planteen alegaciones sustancialmente iguales aunque sean contra partes distintas, o se ventilen varias querellas contra la misma parte querellada, las mismas podrán, a juicio del/la Oficial Examinador/a, consolidarse.

Dicha consolidación podrá disponerse como un trámite administrativo interno y se hará siempre en el expediente más antiguo. En caso de Querellas separadas podrá realizarse una consolidación para efectos de la vista adjudicativa siempre que se cuente para ello con la autorización del/la Oficial Examinador/a.

Artículo 6.23 -Oficial Examinador/a

Cuando se presente una querella, el Secretario deberá inmediatamente nombrar a un/a Oficial Examinador/a que conducirá el procedimiento adjudicativo. El/la Oficial Examinador/a, en el desempeño de sus funciones, tendrá facultad para:

1. Entender en todo asunto interlocutorio, procesal y para evidenciar la fase adjudicativa desde la presentación de la querella.

2. Expedir citaciones para la comparecencia de testigos.

3. Emitir órdenes para la producción de documentos e información y órdenes protectoras conforme a las Reglas de Procedimiento Civil y cualesquiera órdenes que fueren necesarias para garantizar la conducción adecuada de los procedimientos y la solución justa, rápida y económica de los casos.

4. Tomar juramentos.

5. Determinar y limitar el descubrimiento de prueba a aquella pertinente y resolver incidentes durante el descubrimiento.

6. Celebrar las conferencias o vistas que considere necesarias.

7. Mantener el orden y velar por la observancia del respeto durante todo el procedimiento.

8. Emitir resoluciones interlocutorias y parciales.

9. Prorrogar o acortar términos.

10. Tomar conocimiento oficial de todo lo que pudiere ser objeto de conocimiento judicial en los tribunales.

11. Requerir la presentación de cualesquiera documentos, alegatos o memorandos que estime pertinentes en relación con cualesquiera asuntos ante su consideración.

12. Presentar a la Secretaría Auxiliar de Juntas Examinadoras su informe de recomendación final sobre la disposición del caso para la consideración y determinación final de la Junta correspondiente.

Artículo 6.24 -Conducta y desempeño de los/las Oficiales Examinadoras/es

En el ejercicio de sus funciones los/las Oficiales Examinadoras/es se regirán por los siguientes principios y normas:

1. No podrán tener participación, ni conocimiento alguno, de las investigaciones que se lleven a cabo en la Secretaría Auxiliar.

2. Deberá ser imparcial. Su conducta deberá excluir toda apariencia de que es susceptible de actuar a base de influencias o motivaciones impropias. Además, no deberá incurrir en conducta constitutiva de discrimen por razón de raza, color, nacimiento, origen, condición física o socioeconómica, edad, género, orientación sexual o ideas políticas o religiosas.

Artículo 6.25 -Inhibición o recusación del/la Oficial Examinador/a

El/la Oficial Examinador/a deberá inhibirse totalmente de realizar gestiones y de intervenir en cualquier caso en que:

1. Tenga cualquier interés, sin limitarse al económico, en el resultado, o perjuicio o parcialidad hacia alguna parte del procedimiento o su representante legal.

2. Sea pariente dentro del cuarto grado de consanguinidad o afinidad con alguna de las partes o sus representantes legales.

3. El/la Oficial Examinador/a haya sido abogada/o o consejera/o de alguna de las partes en el mismo caso o investigador/a de los hechos que dan base a la querella.

4. Cualquier otra causa que pueda razonablemente arrojar dudas sobre su imparcialidad para adjudicar o que tienda a minar la confianza pública en las funciones cuasi judiciales de la Secretaría Auxiliar.

Si alguna de las partes considerara que existe alguna de las circunstancias enumeradas y el/la Oficial Examinador/a no se ha inhibido de intervenir en el caso, podrá solicitar su recusación mediante solicitud jurada, debidamente fundamentada y que exponga detalladamente los hechos que le dan base. La peticionaria de la solicitud tendrá la obligación de hacerla tan pronto advenga en conocimiento de la causa de recusación. La solicitud deberá ser dirigida directamente al Secretario por conducto de la Secretaría Auxiliar, quien deberá considerarla inmediatamente y de entender que la misma es procedente, mediante resolución ordenará que el/la Oficial Examinador/a se abstenga de intervenir en el caso. Al determinar que procede una recusación el Secretario nombrará de forma simultánea a otro/a funcionario/a para que funja como Oficial Examinador/a.

Artículo 6.26 -Prohibición de comunicaciones *Ex-Parte*

Ninguna de las partes podrá participar de comunicación alguna con el/la Oficial Examinador/a en torno a los procedimientos, en ausencia de las demás partes.

Artículo 6.27 -Solicitud de intervención

Cualquier persona con interés legítimo en un procedimiento adjudicativo podrá solicitar intervención en el mismo, por escrito y fundamentando su posición. Los siguientes factores serán considerados por el/la Oficial Examinador/a al conceder o denegar la solicitud:

a. Que el interés de la parte peticionaria pueda afectarse adversa y directamente por el procedimiento y la decisión que eventualmente tome la Secretaría Auxiliar o la Junta correspondiente.

b. Que no exista otro medio en derecho para que la parte peticionaria pueda proteger adecuadamente su interés.

c. Que el interés ya esté representado adecuadamente por las partes en el procedimiento.

d. Que la participación de la peticionaria pueda facilitar razonablemente levantar un expediente más completo del asunto.

e. Si la participación de la parte peticionaria extendería o dilataría indebida o excesivamente el procedimiento.

f. Si la parte peticionaria podría razonablemente representar el interés de un grupo o comunidad.

g. Si la parte peticionaria tiene la capacidad de aportar información, conocimiento pericial o asesoramiento especializado no disponible de otra manera.

Artículo 6.28 -Determinación en torno a la intervención

El/la Oficial Examinador/a deberá examinar toda solicitud de intervención y, en un término no mayor de quince (15) días, emitir una breve recomendación fundamentada por escrito y dirigida al Secretario quien emitirá, en consulta con la Junta correspondiente, una resolución. Si decide denegar la solicitud de intervención, la resolución notificará a la parte peticionaria los fundamentos y el recurso de revisión disponible. Una solicitud de intervención debe ser resuelta dentro de un término directivo de veinticinco (25) días a partir de su presentación.

Artículo 6.29 -Descubrimiento de prueba

Los siguientes principios serán aplicables al descubrimiento de prueba:

1. Funcionamiento. En el procedimiento adjudicativo regirán los principios generales de evidencia.

Las reglas de Procedimiento Civil y las de Evidencia se utilizarán como guía y aplicarán en la medida en que el/la Oficial Examinador/a estime necesario para llevar a cabo los fines de la justicia.

2. Limitaciones. El descubrimiento podrá ser limitado en su frecuencia, extensión y alcance conforme a las necesidades de las partes y a las características del caso y considerando posibles perjuicios, conforme a la discreción del/la Oficial Examinador/a. Éste/a podrá, a iniciativa propia y por solicitud de las partes, emitir órdenes de descubrimiento u órdenes protectoras según sea pertinente. Para ello, considerará si el descubrimiento solicitado es acumulativo, oneroso o si la información puede obtenerse de forma más conveniente por la parte solicitante.

3. Deber continuo. Una parte que responde a una petición de descubrimiento tiene la obligación continua de proveer a las demás cualquier información adicional relacionada, que obtuviere luego de haber respondido.

4. Objeciones. Cualesquiera objeciones al descubrimiento de prueba deberán ser presentadas por escrito, dentro de los diez {10) días siguientes a la solicitud de la otra parte.

5. Orden protectora. Toda solicitud de orden protectora expondrá con particularidad el descubrimiento al cual se opone, los fundamentos en que se basa y el remedio solicitado. El/la Oficial Examinador/a tendrá discreción para emitir órdenes protectoras con providencias que se ajusten a las circunstancias del caso.

6. Inspecciones oculares. A solicitud de las partes y por razones extraordinarias, el/la Oficial Examinador/a podrá realizar inspecciones oculares para lo cual deberá notificar y requerir la presencia de todas las partes en el procedimiento.

Artículo 6.30 -Deposiciones

Las deposiciones podrán ser autorizadas por el/la Oficial Examinador/a sólo por vía de excepción, cuando se demostrare:

1. La imposibilidad de obtener el testimonio mediante algún método alternativo o demora irrazonable, opresión o perjuicio irreparable.

2. Que es esencial preservar el testimonio porque el mismo será imposible de presentar durante la vista.

Artículo 6.31 -Inferencia permisible

Cuando una información que el/la Oficial Examinador/a ordena descubrir o producir no sea proporcionada por una parte que tiene control exclusivo sobre la misma, el/la Oficial Examinador/a podrá decidir hacer la inferencia de que la información, de haber sido descubierta, le sería adversa a la parte que la tiene bajo su control.

Artículo 6.32 -Incumplimiento con orden de descubrimiento de prueba

Además de cualquier sanción económica que pueda recibir una parte que incumpla con una orden de descubrimiento de prueba, la Secretaría Auxiliar podrá presentar ante el Tribunal de Primera Instancia una solicitud de auxilio de jurisdicción para instruir al cumplimiento de la orden bajo apercibimiento de desacato.

Artículo 6.33 -Conferencia con antelación a la vista

En casos que considere complejos, *sua sponte* o a solicitud de parte, el/la Oficial Examinador/a podrá señalar la celebración de una conferencia preliminar, dirigida por él/ella y en la cual se discuta:

1. La posibilidad de transacción.

2. La simplificación de las controversias y estipulación de hechos.

3. Enmiendas a las alegaciones producción, revisión e intercambio de pruebas.

4. Calendario de descubrimiento pendiente, de vista adjudicativa o inspecciones oculares.

5. Cualesquiera otros asuntos a discutir por las partes.

El/la Oficial Examinador/a emitirá una resolución para establecer los acuerdos a los que se llegó.

Artículo 6.34 -Conferencia preliminar entre ahogadas/os

El/la Oficial Examinador/a, podrá, a su discreción, ordenar que las/los abogadas/os celebren entre ellos una conferencia preliminar en la cual discutan dichos asuntos y los presenten en un informe con un término de cinco (5) días previo a la conferencia con antelación a la vista. De presentarse dicho informe, el mismo regirá los procedimientos durante la vista a menos que por causa justificada y en bien de la justicia el/la Oficial Examinador/a autorice algo diferente.

Artículo 6.35 -Oferta transaccional

Las transacciones se regirán por los siguientes principios:

1. Oferta. Las partes podrán promover, negociar y acordar transacciones que finalicen el caso en cualquier etapa de los procedimientos. Una oferta

de transacción por la parte querellada deberá contar con el aval de una persona o funcionario autorizado para llegar a acuerdos y su mera presentación no paralizará los procedimientos adjudicativos.

2. Conferencia. Podrán celebrarse, por orden de, y bajo la dirección del/la Oficial Examinador/a, conferencias de transacción.

3. Contenido. Deberá constar en el documento el libre consentimiento de las partes interesadas, podrá exponer acciones a las que se obligan en caso de incumplimiento (cláusula penal) y, en caso de que se impongan sanciones económicas, deberá hacerse expresión detallada de las mismas y del plan de pago, de haberlo.

4. Aprobación. Todo memorando o acuerdo de transacción deberá ser presentado inmediatamente al ser suscrito, para la consideración del/la Oficial Examinador/a, quien deberá recomendar a la Junta correspondiente impartir o no su aprobación al mismo mediante resolución. La Junta impartirá aprobación institucional a una transacción cuando la misma, a su juicio, no contravenga la política pública de la Secretaría Auxiliar, la ley habilitadora y los reglamentos.

Artículo 6.36 -Órdenes y resoluciones sumarias

Si la Secretaría Auxiliar determina a solicitud de alguna de las partes y luego de analizar los documentos que acompañan la solicitud de orden o resolución sumaria, los documentos incluidos en oposición, así como aquéllos que obren en el expediente de la agencia, que no es necesario celebrar una vista adjudicativa, podrá recomendar a la Junta correspondiente dictar órdenes o resoluciones sumarias, ya sean de carácter final, o parcial resolviendo cualquier controversia entre las partes que sea separable de las demás controversias.

La Secretaría Auxiliar no podrá recomendar dictar órdenes o resoluciones sumarias cuándo: 1) existen hechos materiales o esenciales controvertidos; 2) hay alegaciones afirmativas en la Querella que no han sido refutadas; 3) surge de los propios documentos que se acompañan con la petición una controversia real sobre algún hecho material y esencial; o 4) como cuestión de derecho no procede.

Artículo 6.37 -Naturaleza de !a vista adjudicativa

De ser necesario para la adjudicación de la controversia se llevará a cabo una vista adjudicativa en que las partes tendrán la oportunidad de presentar su evidencia y argumentar sus posiciones. La vista será pública a menos que una parte someta una solicitud fundamentada por escrito para que la misma sea privada y así lo autorice el/la Oficial Examinador/a, si entiende que una vista pública puede causar daño irreparable a la parte peticionaria.

Artículo 6.38 -Notificación de vista adjudicativa

Las partes serán notificadas de la celebración de la vista adjudicativa con al menos quince (15) días de antelación a la celebración de la misma. En caso de mediar circunstancias excepcionales expuestas en la notificación, podrá notificarse en un término menor.

La notificación incluirá lo siguiente:

1. La fecha y hora de la vista, la cual se celebrará siempre en la Secretaría Auxiliar a menos que por circunstancias especiales se disponga y especifique lo contrario. Se incluirá el salón específico donde se celebrará la vista.

2. La naturaleza y propósito de la vista, expresando las disposiciones legales y reglamentarias que autorizan su celebración.

3. Se apercibirá del derecho de cada parte a presentarse representadas de abogada/o sin que ello sea una obligación, y su derecho a ser oídas, a exponer sus posiciones y a presentar su prueba.

4. Una referencia a las disposiciones legales o reglamentarias presuntamente infringidas, si se imputa una infracción a las mismas, y a los hechos constitutivos de tal infracción.

5. Se apercibirá de que, de no comparecer, se podrán imponer sanciones administrativas, incluyendo pero no limitándose a multas, anotación de rebeldía y otras.

6. Se apercibirá de que la vista sólo podrá ser suspendida mediante solicitud escrita que fundamente justa causa, presentada con no menos de cinco (5) días antes del señalamiento.

7. La notificación podrá incluir la citación de testigos y órdenes para la producción de información que el/la Oficial Examinador/a estime pertinente.

Artículo 6.39 -Citación de testigos

Las partes que interesen la citación de testigos para la vista deberán solicitar del/la Oficial Examinador/a una orden al efecto. La solicitud debe justificar su necesidad y presentarse con expresión de los nombres y direcciones o instrucciones para localizar a los testigos, con al menos diez (10) días de antelación a la vista.

Las citaciones serán diligenciadas personalmente o por correo certificado con acuse de recibo.

Ninguna persona citada como testigo estará excusada de comparecer, excepto por circunstancias extraordinarias acreditadas ante el/la Oficial Examinador/a, quien determinará sobre tal solicitud.

Artículo 6.40 -Récord de la vista

La grabación, junto con el expediente adjudicativo y todos los documentos que éste contenga, constituirá el récord del procedimiento. La Secretaría Auxiliar tomará medidas para la custodia y preservación de toda grabación. Toda vista será grabada, pero la grabación no será transcrita a menos que el Secretario así lo ordene. Cualquier parte podrá solicitar la regrabación o transcripción de la misma mediante el pago de los derechos correspondientes. En la alternativa, la parte solicitante podrá contratar un transcriptor certificado, al cual la Secretaría Auxiliar, previo el pago de derechos, dará acceso a la grabación. En tal caso, el transcriptor someterá a la Secretaría Auxiliar una transcripción autorizada ante notario, a los efectos de que la misma es fiel y exacta. La Secretaría Auxiliar mantendrá un archivo confidencial de grabaciones.

Artículo 6.41 -Procedimientos durante la vista

Sin menoscabo de cualquier orden o determinación que deba tomar el/la Oficial Examinador/a para la conducción más eficiente del proceso, las siguientes normas serán aplicables al desarrollo de la vista adjudicativa:

1. Al comienzo de la vista, el/la Oficial Examinador/a u otro/a funcionario/a autorizado/a de la Secretaría Auxiliar tomará juramento a los testigos comparecientes.

2. Se ofrecerá a todas las partes la extensión necesaria para la divulgación completa de sus posiciones y la conducción de sus interrogatorios.

3. Podrá excluirse de la vista evidencia impertinente, inmaterial, repetitiva o inadmisible por fundamentos constitucionales o legales y privilegios reconocidos por los tribunales de Puerto Rico.

4. Se seguirá el orden de presentación de evidencia que determine el/la funcionario/a que la presida.

S. Aplicarán los principios generales de evidencia y las Reglas de Evidencia se utilizarán como guía, aplicándose en la medida en que el/la Oficial Examinador/a estime necesaria para llevar a cabo los fines de la justicia.

Artículo 6.42 -Rebeldía

Si una parte debidamente citada no comparece a la conferencia con antelación a la vista, a la vista o a cualquier otra etapa durante el procedimiento adjudicativo, el/la Oficial Examinador/a podrá declararla en rebeldía y continuar el procedimiento sin su participación. Para así proceder deberá notificar por escrito a dicha parte su determinación, los fundamentos para la misma y el recurso de revisión disponible.

Artículo 6.43 -Informe del/la Oficial Examinador/a

En un término de sesenta (60) días desde que la prueba haya quedado sometida, el/la Oficial Examinador/a rendirá un informe cuya preparación y consideración cumplirá con las siguientes normas:

1. Contenido. El informe incluirá las recomendaciones de determinaciones de hechos y conclusiones de derecho. Además, se consignarán recomendaciones para la disposición final del caso, tales como imposición de sanciones y/o acciones correctivas en caso de que se haya determinado violación de ley. Dichas recomendaciones deberán expresarse detalladamente en cuanto a su extensión y alcance.

2. Consideración por la Secretaría Auxiliar. La Secretaría Auxiliar estudiará el informe de recomendaciones del/la Oficial Examinador/a y lo someterá a la Junta correspondiente, que aprobará o desaprobará el mismo. Podrá:

a. adoptar el informe en su totalidad y hacerlo formar parte integral o por referencia de su resolución final;

b. adoptar las determinaciones de hechos y emitir sus propias conclusiones de derecho en la resolución;

c. devolver el caso ante el/la Oficial Examinador/a para que proceda a hacer determinaciones de hechos y conclusiones de derecho adicionales. Una aprobación dará carácter final e institucional a la determinación;

d. rechazar totalmente el informe y emitir su determinación final, basada en las determinaciones de hechos que se deprendan del expediente y sus propias conclusiones de derecho.

3. Acceso. Como parte del expediente de la Secretaría Auxiliar, las partes tendrán acceso al informe del/la Oficial Examinador/a, después de la determinación final de la Junta correspondiente.

4. Prórroga. La Secretaría Auxiliar podrá prorrogar el término de presentación del informe por un máximo de 30 días adicionales siempre que el/la Oficial Examinador/a haga una solicitud a tales efectos al menos cinco (5) días antes de vencerse el término original de sesenta (60) días.

Artículo 6.44 -Resolución final

En un término directivo de noventa (90) días desde la celebración de la vista la Junta correspondiente emitirá su resolución final. El referido término puede ser renunciado o ampliado con el consentimiento escrito de todas las partes o por causa justificada. La determinación final deberá incluir y exponer separadamente determinaciones de hecho si éstas no se han renunciado, conclusiones de derecho que fundamenten la adjudicación y advertir a las partes de su derecho a solicitar reconsideración o acudir ante el Tribunal de Apelaciones en revisión administrativa, con expresión de los términos aplicables. No se entenderá que han comenzado a cursar dichos términos si la resolución final de la Junta no contiene dicha advertencia. La resolución deberá también indicar las partes que deben ser notificadas del recurso de reconsideración o revisión.

Artículo 6.45 -Remedios

Toda resolución final de una Junta otorgará el remedio que proceda en derecho, aun cuando la parte querellante no lo haya solicitado. Toda disposición que incluya el pago de dinero se entenderá que incluye también intereses al tipo legal vigente.

Los remedios podrán incluir, sin limitarse a, sanciones y multas administrativas, acciones correctivas, órdenes de cesar y desistir, suspensión o cancelación de la licencia o certificado, así como la fijación de una compensación por los daños ocasionados, en los casos que así proceda. Las multas se impondrán conforme a los límites establecidos por la Ley.

Artículo 6.46 -Cumplimiento y ejecución

Dentro de los treinta (30) días siguientes a la notificación de la Resolución final de la Junta, la parte querellada, de habérsele ordenado alguna acción, deberá acreditar por escrito ante la Secretaría Auxiliar el cumplimiento de la misma. De acreditarse ello a satisfacción de la Junta, ésta procederá a ordenar el cierre del expediente del caso. De no haberse acreditado el cumplimiento de las órdenes contenidas en la resolución, la Secretaría Auxiliar podrá referir al Secretario el asunto, lo cual podría dar lugar a, entre otras posibles acciones, la imposición de multas adicionales o a que la Junta acuda ante el Tribunal competente a exigir el cumplimiento de su resolución. El Secretario podrá también referir dicha conducta al Departamento de Justicia para el correspondiente procesamiento criminal.

Artículo 6.47 -Reconsideración

Las siguientes normas regirán el proceso de solicitar una reconsideración:

1. Término. Toda parte adversamente afectada por una resolución u orden podrá solicitar reconsideración de la misma dentro del término de quince (15) días desde la fecha de archivo en autos de la notificación de la resolución y orden. La Junta deberá considerar la solicitud dentro de los treinta (30) días de presentada la misma. Si la rechazare de plano o no actuare dentro de los treinta (30) días, el término para solicitar revisión comenzará a correr nuevamente desde que se notifique dicha denegatoria o desde que expiren esos treinta (30) días, según sea el caso. Si se tomare alguna determinación en su consideración, tendrá que completarse dentro

de los noventa (90) días siguientes a la presentación de la solicitud de reconsideración y el término para solicitar revisión empezará a contarse desde la fecha en que se archive en autos una copia de la notificación de la Resolución resolviendo definitivamente la solicitud de reconsideración.

Si la Junta luego de acoger una solicitud de reconsideración, dejare de tomar alguna acción sobre ella dentro del término de noventa (90) días antes indicado, perderá jurisdicción sobre la misma y el término para solicitar revisión judicial empezará a contarse a partir de la expiración de dicho término de noventa (90) días salvo que la Junta, por justa causa y dentro de esos noventa (90) días, prorrogue el término para resolver por un período que no excederá de treinta (30) días adicionales.

2. Presentación oral. Una solicitud de reconsideración de una orden emitida en sala abierta durante la celebración de una vista podrá ser interpuesta oralmente.

3. Presentación durante el procedimiento. Toda solicitud de reconsideración durante el procedimiento adjudicativo deberá dirigirse al/la Oficial Examinador/a.

4. Presentación tras Resolución final. Una solicitud de reconsideración de una resolución final deberá dirigirse a la Junta, quien de estimarlo pertinente la referirá al/la Oficial Examinador/a que entendió el caso.

5. Notificación. Toda solicitud de reconsideración deberá ser notificada a las demás partes dentro del término dispuesto para su presentación.

Antes de la vencer el término para revisión judicial, la Junta podrá reconsiderar a iniciativa propia cualquier resolución que haya dictado.

Artículo 6.48 –Revisión Judicial

Una parte adversamente afectada por una resolución final de la Junta podrá solicitar revisión ante el Tribunal de Apelaciones dentro de un término de treinta (30) días contados a partir de la fecha del archivo en autos de la copia de la notificación de la resolución final o a partir de la fecha aplicable cuando el término para solicitar revisión judicial haya sido interrumpido mediante la presentación oportuna de una solicitud de reconsideración. Dentro de dicho término la parte solicitante notificará a la Junta y a todas las demás partes.

Artículo 6.49 -Efecto de una reconsideración o revisión

La presentación de un recurso de reconsideración o revisión judicial no suspenderá los efectos de la resolución de la Junta. La decisión de la Junta permanecerá en todo su vigor hasta tanto la propia Junta o un tribunal competente dispongan lo contrario.

Título IV: Procedimiento Sumaría
Artículo 6.50 -Acción correctiva inmediata

De existir una situación que implique un peligro inminente para la salud, seguridad y bienestar público o que por su propia naturaleza requiera acción inmediata por parte de la Junta, el Secretario, en consulta con la Junta correspondiente, podrá tomar medidas de emergencia, incluyendo requerir que, inmediatamente o en el término que la Junta determine, una agencia o persona corrija la actuación que se entienda está causando inminentemente daño grave o irreparable. La orden, cuya efectividad será inmediata, incluirá una concisa declaración de las determinaciones de hecho, conclusiones de derecho y las razones de política pública que justifican su decisión. Además, deberá advertir que la persona que desobedezca, impida o entorpezca voluntariamente el desempeño de las funciones de la Junta en el cumplimiento de sus deberes podrá será sancionada con multa que no excederá de cinco mil ($5,000) dólares.

Artículo 6.51-Requerimiento de información

La Junta tendrá la facultad de verificar, así como requerir, cualquier información que le permita constatar la existencia de una situación que amerite la activación del procedimiento sumario dispuesto en este Capítulo.

Artículo 6.52 -Notificación

Todo requerimiento para la corrección de una acción administrativa se hará de la manera que el Secretario considere más conveniente y estará dirigido a la persona, entidad privada o agencia, funcionario/a o empleado/a que actúe o aparente actuar negligentemente o incorrectamente, con copia a su autoridad nominadora si la actuación ocurre durante el desempeño de sus deberes. El requerimiento incluirá el término dentro del cual la acción u omisión o acto administrativo en cuestión debe ser corregido.

Articulo 6.53 -Solicitud de prórroga

Cuando la persona o agencia entienda que el acto administrativo no puede ser corregido en el término señalado, deberá solicitar prórroga por escrito dentro del término concedido. Toda solicitud de prórroga deberá estar acompañada de un memorando explicativo donde se justifique la razón o razones para solicitar la misma. No se concederá prórroga alguna si se ha solicitado fuera del término para cumplir con la acción correctiva ordenada. Tampoco se concederá en aquellos casos en que el/la solicitante no acompañe evidencia acreditativa y fehaciente de haber iniciado ya el procedimiento de corrección de las acciones u omisiones o actuación administrativa señalados o no haya notificado debidamente a la parte reclamante.

Artículo 6.54 -Audiencia posterior

Se concederá en todos los casos una audiencia adjudicativa posterior, en la cual la parte tendrá oportunidad de expresarse. Dicha audiencia deberá celebrarse ante el/la Oficial Examinador/a no más de diez (10) días después de la fecha de la orden de acción correctiva.

Artículo 6.55 -Disposición final del procedimiento sumario

Si la Junta determina que las actuaciones finales de la parte reclamada subsanan la acción u omisión o acto administrativo que dio lugar a la reclamación, cerrará el caso y notificará a las partes. De otro modo, la Junta deberá proceder prontamente a completar cualquier procedimiento que hubiese sido requerido.

Artículo 6.56 -Cumplimiento

De incumplirse con la orden de acción correctiva de la Junta, ello conllevará la imposición de una multa administrativa que se determinará según la gravedad del caso. La Secretaría Auxiliar podrá también referir dicha conducta al Departamento de Justicia para el correspondiente procesamiento criminal.

Articulo 6.57 -Controversias y estados provisionales de derecho

Cuando la naturaleza de la situación así lo requiera, la Junta podrá presentar ante el Tribunal General de Justicia la acción que proceda en derecho, la cual podrá incluir, pero sin limitarse, a la utilización de la Ley Sobre Controversias y Estados Provisionales de Derecho, 32 L.P.R.A. §§ 2871 *et seq.*, o la presentación de un recurso extraordinario de Injuction o Mandamus, según aplicable.

Título V: Normas Aplicables a todas las etapas del proceso

Artículo 6.58 -Forma

Todas las alegaciones, solicitudes, alegatos y demás escritos sometidos durante el procedimiento adjudicativo se harán en papel tamaño 8 ½," por 11, mecanografiados en tipo tamaño 12, a doble espacio excepto en el caso de citas. Todos los documentos deberán unirse con una grapa o cualquier otro mecanismo efectivo para mantener las páginas unidas entre sí, al lado izquierdo superior del documento. La Junta podrá dispensar de este requisito y permitir la presentación de algún documento en manuscrito cuando no hacerlo derrote los objetivos de política pública de la Ley. La Junta también podrá aceptar documentos por medios electrónicos.

Todas las alegaciones y escritos evitarán repeticiones, argumentos o solicitudes innecesarias o redundantes. Cuando cualquier documento exceda la extensión de diez (10) páginas, deberá incluir una tabla de contenido y un breve resumen del mismo.

Artículo 6.59 -Término para presentar oposición

Una oposición a cualquier solicitud deberá someterse dentro de los diez (10) días laborables siguientes a la misma. Dentro de los cinco (5) días siguientes a la oposición, la parte que haya sometido la solicitud original podrá someter una contestación. Ésta deberá limitarse exclusivamente a los asuntos que surjan de la oposición. No se permitirán escritos adicionales. Toda Oposición a Réplica deberá notificarse a la parte contraria el mismo día de su presentación al/la Oficial Examinador/a.

Artículo 6.60 -Prórrogas y suspensiones

Se desalentarán las suspensiones o extensiones de tiempo para someter cualquier documento o llevar a cabo cualesquier acción que deba hacerse dentro de un término específico. El/la Oficial Examinador /a tendrá, sin embargo, discreción para concederlas cuando, habiendo sido solicitadas antes de que expire el término, la parte peticionaria ha demostrado justa causa. Una solicitud de prórroga deberá notificarse a todas las partes como cualquier otro escrito.

Artículo 6.61 -Solicitud de remedios extraordinarios

Si cualquier parte entendiere indispensable solicitar un remedio extraordinario durante el procedimiento deberá presentar su solicitud en la cual acredite las razones para el remedio y demuestre que, de no concederse el mismo, sufriría un daño inminente o irreparable.

En casos en que se solicite un remedio inmediato, como la suspensión de una vista adjudicativa faltando menos de cinco (5) días para la celebración de la misma, la peticionaria deberá notificar su solicitud personalmente o por teléfono a las demás partes y así hacerlo constar en su solicitud.

Artículo 6.62 -Disposición *Ex-Parte*

En el ejercicio de su discreción, el/la Oficial Examinador/a podrá decidir *Ex-Parte* sobre la concesión de un remedio extraordinario, extensiones de tiempo y suspensiones de vista, sin esperar la presentación de oposiciones de las partes. Cualquier orden *Ex-Parte* será notificada inmediatamente a todas las partes, por teléfono o cualquier otro medio instantáneo disponible.

Artículo 6.63 -Notificación de representación legal

Todo/a abogado/a que asuma representación legal de alguna parte o interventora está obligado/a a notificarlo mediante escritos a la Junta y a todas las partes del procedimiento.

Articulo 6.64 -Notificación de escritos

Será obligación de toda parte notificar todos los escritos que presente a todas las demás partes en el procedimiento. La Junta será notificada con atención a las Investigaciones y Querellas en proceso.

Toda notificación se llevará a cabo mediante el envío de una copia del escrito por correo electrónico a las partes o sus representantes, a las direcciones que hayan informado. La notificación por correo electrónico puede ser sustituida por notificación personal o por correo regular o fax cuando así las partes lo soliciten por escrito. La Junta notificará toda orden, resolución u otra actuación oficial a todas las partes.

Artículo 6.65 -Órdenes para mostrar causa

El/la Oficial Examinador/a podrá emitir órdenes para mostrar causa. En los casos en que una parte querellada a la cual se notifique una orden para mostrar causa no responda a la misma en el término dispuesto, se entenderá su silencio como aceptación de las imputaciones notificadas en la Querella o que se atiene a la consecuencia intimada en la orden.

Artículo 6.66 -Examen de expedientes por las partes interesadas

Las partes podrán, por sí o a través de su representante legal, examinar el expediente o expedientes que se mantengan en la Junta sobre los procedimientos adjudicativos, previa autorización del Secretario.

Artículo 6.67 -Facultad para la publicación y difusión

La Junta podrá dar a la publicidad, conforme a lo establecido en la Ley, todas las decisiones y acciones tomadas en relación con los asuntos que se le consulten y los casos que se presenten en procedimientos adjudicativos ante su consideración. Para dar a la publicidad tales recomendaciones y acciones tomadas, la Junta podrá utilizar cualquier medio informativo a su elección.

Artículo 6.68 -Cómputo del término

Al computar cualquier período de tiempo contemplado en este Reglamento, no se incluirá el día del acto o suceso a partir del cual el período designado comienza a contar. Se incluirá el último día de dicho período y cualquier acción requerida deberá tomarse ese día o antes. Disponiéndose, sin embargo, que si el último día es sábado, domingo o feriado para el Estado Libre Asociado de Puerto Rico o por alguna razón ha sido necesario el cierre oficial de la Secretaría Auxiliar previo a la terminación del día laborable regular, cualquier acción requerida deberá tomarse en o antes del próximo día laborable. Como día laborable se considerará de lunes a viernes de 8:00 a.m. a 12:00 m. y de 1:00 p.m. a 4:30 p.m., salvo días feriados oficiales, sábados y domingos.

Artículo 6.69 -Corrección de errores

Los errores de forma en las resoluciones o en el expediente administrativo podrán corregirse por la Junta *motu proprio o* a solicitud de parte, en cualquier momento. Durante la tramitación de una revisión, podrán corregirse dichos errores antes de elevar el expediente al Tribunal. Las correcciones serán notificadas a las partes.

Artículo 6.70 -Sanción económica

A iniciativa propia o a instancia de parte, el/la Oficial Examinador/a tendrá discreción para imponer sanciones económicas por incumplimiento con las reglas y reglamentos o con cualquier orden, debiendo primero emitir una orden para que la parte concernida muestre causa por la cual no deba imponérsele la sanción. La orden indicará la norma u orden que se haya incumplido y concederá un término de veinte (20) días, contados a partir de su notificación, para la mostrar causa. En caso de incumplimiento con la orden de mostrar causa o de haber una determinación de que no hubo justa causa para el incumplimiento, se podrá imponer una sanción económica que no excederá de doscientos ($200.00) dólares por cada falta. Dichas sanciones podrán ser impuestas a favor de la Junta o de otra parte y podrán imponerse a la parte o a su representante legal, si a juicio del/la Oficial Examinador/a éste es responsable. Toda parte contra quien se dirija una sanción económica deberá ser notificada directamente de la misma aun cuando la misma se imponga a su representante legal.

Artículo 6.71 -Desestimación y eliminación de alegaciones

Si luego de imponer sanciones económicas y haber notificado sobre las mismas directamente a la parte, persiste el incumplimiento, el/la Oficial Examinador/a podrá ordenar la desestimación de querella o bien eliminar las alegaciones en el caso del querellado.

Artículo 6.72 -Costas y honorarios de abogados/as

El/la Oficial Examinadora tendrá discreción para imponer a la parte perdidosa honorarios de abogados/as y costas. En el caso de las costas, las mismas pueden incluir el pago total o parcial de los gastos incurridos por la Junta en servicios prestados por entidades ajenas a la Junta durante la investigación y el proceso adjudicativo, dietas y millaje incurridas por los miembros de la Junta conforme a las guías del Departamento de Hacienda, y todos los costos incurridos por la Junta en hacer cumplir sus órdenes y resoluciones.

Capítulo 7 -Disposiciones sobre Medidas Disciplinarias y Sanciones

Artículo 7.1 -Facultad

La Juntas podrán investigar, y referir a fiscalía en el Departamento de Justicia del Estado Libre Asociado de Puerto Rico, toda Querella o denuncia sobre las conductas y violaciones constitutivas de delito grave y menos grave tipificadas en un Código Penal, o en las leyes orgánicas correspondientes, relacionadas a la práctica de las diversas profesiones adscritas al Departamento de Estado de Puerto Rico. En este mismo tipo de caso y en todo otro de violación a las disposiciones de este Reglamento o de las leyes y reglamentos que administran las Juntas, cualquier Junta podrá, discrecionalmente y al amparo de lo provisto en la Sección 7.1 de la Ley 170 del 12 de agosto de 1988, según enmendada, proceder a su adjudicación por la vía administrativa, y/o imponer penas de multas, denegación, suspensión, revocación o cancelación de licencias o certificados profesionales según el procedimiento fijado anteriormente en este Reglamento.

Toda violación a las leyes que rigen las diversas Juntas o a los reglamentos emitidos por el Secretario de Estado, u otro reglamento aplicable, al amparo de las mismas, podrán ser penalizadas por las Juntas con multas Administrativas que no excederán de cinco mil dólares ($5,000.00), por cada violación.

Artículo 7.2 -Conductas prohibidas

A continuación se enumeran las conductas constitutivas de violación grave a este Reglamento y/o a las respectivas leyes habilitadoras de las Juntas:

1. Ejercer, presentarse o anunciarse como profesional licenciado sin poseer una licencia expedida por la Juntas.

2. Ejercer como profesional con la licencia vencida, inactivada, suspendida, cancelada o revocada.

3. Proveer información falsa a la Junta, con el propósito de obtener o renovar una licencia o certificado de forma fraudulenta o mediante el robo de identidad o credenciales.

4. Emplear, ayudar, permitir, o inducir a una persona a hacer representaciones falsas, o a ejercer como profesional licenciado, a una persona que no posea la licencia correspondiente expedida por la Junta correspondiente.

5. Dar a la Junta información fraudulenta, falsa, o incorrecta, mientras se declara bajo juramento durante un proceso investigativo de la Junta.

6. Exhibir o permitir que se exhiba su licencia en un establecimiento en donde no presta habitualmente sus servicios profesionales.

7. Usar su licencia para certificar trabajos que no hayan sido realizados por el profesional o bajo su supervisión directa.

8. Obstruir o impedir, ejerciendo fuerza o intimidación, que se realicen las funciones y actividades de la Juntas o de una agencia reglamentaria.

9. Ser convicto por el uso de narcóticos o exceso de alcohol.

10. Ser convicto de delito grave o de cualquier otro delito menos grave que conlleve depravación moral.

11. En casos en los cuales su conducta profesional, sus actuaciones o condiciones físicas o mentales constituyan un peligro para la salud pública.

12. Demostrar negligencia o conducta profesional impropia cuando actúa como preceptor a tenor de las leyes y los reglamentos de las Juntas.

13. Violar los requisitos legales o reglamentarios en el ejercicio de su profesión.

14. Ser convicto de otras violaciones de ley lo cual comprometan su capacidad para ejercer como profesional adscrito.

Artículo 7.3 -Multas y Sanciones Administrativas

1. La Juntas podrán imponer multas administrativas a toda persona que incurra en infracción a cualquier disposición de este Reglamento. Cada día que subsista la misma infracción, se considerará como una infracción por separado.

2. La imposición de multa administrativa se aplicará mientras dicha infracción no haya sido sometida por las Juntas al Departamento de Justicia para que el infractor sea procesado criminalmente de acuerdo con la ley.

3. La negativa del infractor al pago de la multa administrativa será causa para que se adopte cualquier otro remedio concedido u otras Leyes aplicables, para sancionar la infracción cometida y para que se suspenda cualquier licencia, certificado o autorización emitida.

4. La cuantía de las multas administrativas a ser aplicadas por la Juntas serán las siguientes:

a. Por violación menos grave

i. Primera infracción $250.00

ii. Reincidencia $500.00

iii. Cada reincidencia adicional (mínimo) $1,000.00 (Hasta un máximo de $3,000.00)

b. Por violación grave

i. Primera infracción $2,500.00

i. Reincidencia $3,500.00

ii. Cada reincidencia adicional $5,000.00

El monto de las multas podrán modificarse mediante orden administrativa o carta circular.

5. Además de las multas administrativas, las Juntas podrán determinar suspender temporalmente o revocar permanentemente una licencia del profesional.

6. Cualquier penalidad o sanción administrativa impuesta por la Junta por violaciones o faltas a la ley que gobiernan la práctica de las profesiones, a este Reglamento o a otros reglamentos aplicables del Departamento de Estado permanecerán en el expediente del profesional por un periodo no menor a siete (7) años y formarán parte del reporte de "good standing".

Articulo 7.4 -Obstrucción a Funciones de la Junta

Toda persona que obstruya o impida, ejerciendo fuerza o intimidación, que se realicen las funciones y actividades de las Juntas, o las disposiciones de este Reglamento, podrá ser referida al Departamento de Justicia para su debido procesamiento criminal.

Artículo 7 .5 -Órdenes de Cesa y Desista

La Juntas en consulta con la Oficina de Asuntos Legales del Departamento y en casos específicos podrán emitir órdenes de cese y desista de conductas violatorias a disposiciones de este Reglamento, y requerir el auxilio del Tribunal de Primera Instancia para que ordene el cumplimiento de las mismas.

Artículo 7.6 -Procedimientos Investigativos y de Adjudicación

Todo procedimiento investigativo o de adjudicación por las Juntas que surja en virtud de las disposiciones de este Reglamento, así como la imposición y monto de multas administrativas que se impongan por infracciones a las mismas, y la revisión judicial de las decisiones finales del Secretario de Estado, se regirán por lo establecido en la Ley Núm. 170 de 12 de agosto de 1988, según enmendada, conocida como "Ley de Procedimiento Administrativo Uniforme del Estado Libre Asociado de Puerto Rico" y las disposiciones reglamentarias aplicables a los procedimientos administrativos de la Secretaría Auxiliar de Juntas Examinadoras adscritas al Departamento de Estado.

Artículo 7 .7 -Notificación por parte de agencias reglamentarias sobre Violaciones a Ley o Reglamento.

Las agencias administrativas que empleen profesionales regidas por las Juntas Examinadoras adscritas al Departamento de Estado podrán referir a las Juntas los nombres y datos de aquellos que hayan incurrido en violaciones a disposiciones de este Reglamento, los Reglamentos que rigen sus respectivas profesiones, Reglamentos internos de las Agencias, detectadas durante las inspecciones periódicas o rutinarias de estas agencias.

Capítulo 8 -Derechos A Pagarse

Artículo 8.1 -Derechos A Pagarse

Mediante esta sección se establecen los derechos a pagarse correspondientes a las Juntas Examinadoras adscritas al Departamento de Estado.

SERVICIOS	TOTAL
ACTORES	
Licencias (Permanentes)	$100.00
Renovación	N/A
AGRONOMOS	
Licencias	$50.00
Renovación	$25.00
ARQUITECTOS Y PAISAJISTAS ARQUITECTOS	
LICENCIAS	
Profesional	$175.00
Entrenamiento	$125.00
Reciprocidad	$175.00
Retirados	$125.00
Retirados Entrenamiento	$125.00
RENOVACIONES	
Profesional	$175.00
Entrenamiento	$125.00
Reciprocidad	$175.00

SERVICIOS	TOTAL
PENALIDADES POR RENOVACIONES TARDIAS DE ARQUITECTOS Y ARQUITECTOS PAISAJISTAS.	
PROFESIONAL (ADDED AS PART OF RENEWAL FEE)	

De 1 a 2 meses	$50.00
De 2 a 3 meses	$60.00
De 3 a 4 meses	$75.00
De 4 a 5 meses	$90.00
De 5 a 6 meses	$110.00
De 6 a 7 meses	$130.00
De 7 a 8 meses	$150.00
De 8a 9 meses	$170.00
De 9 a 10 meses	$190.00
De 10 a 11 meses	$210.00
De 11 a 12 meses	$230.00
Añadir por año	$250.00
BARBEROS	
LICENCIAS	
Estilista en Barbería	$25.00
Barbero	$25.00
Aprendiz	$30.00
RENOVACIONES	
Barbero*	$25.00
SERVICIOS	**TOTAL**
Aprendiz	N/A
Estilista en Barbería	$25.00
Penalidad: $10.00 por año contacto después de 3 años de expiración de licencia sin renovar	
DELINEANTES	
Licencia (Permanente)	$60.00
Renovación	N/A

DECORADORES DE INTERIORES	
Licencia	$50.00
Renovación	$70.00
ESPECIALISTA EN BELLEZA	
LICENCIA	
Especialista	$50.00
Licencia Temporera	$30.00
Reciprocidad	$100.00
RENOVACIONES	
Licencia Temporera	N/A
GEÓLOGO	
LICENCIA	

Entrenamiento	$150.00
Temporera	$150.00
Profesional	$180.00
Reciprocidad	$150.00

SERVICIOS	*TOTAL*
RENOVACIONES Y REACTIVACIONES	
Entrenamiento	$180.00
Temporera	$150.00
Profesional	$180.00
Reciprocidad	$150.00
INGENIEROS Y INGENIEROS AGRIMENSORES	
LICENCIA	
Entrenamiento	$100.00
Profesional	$150.00
Reciprocidad	$150.00
Asociado	$70.00
Retirado	$50.00
Inactivación	N/A
RENOVACIÓN	
Entrenamiento	$100.00
Profesional	$180.00
Asociados	$70.00
MULTA POR RENOVACIÓN TARDIA DE INGENIEROS Y INGENIEROS AGRIMENSORES	
PROFESIONAL (AÑADIR APARTE DEL COSTO DE LA RENOVACIÓN)	
Menos de 90 días	$25.00

SERVICIOS	*TOTAL*
Más de 90 días	$50.00
Término Completo	$200.00
OPERADORES PLANTA DE TRATAMIENTO DE AGUAS USADAS Y AGUA POTABLE	
Licencia	$50.00
Renovación	$50.00
ELECTRICISTAS	
LICENCIAS	
Profesional	$60.00
Ayudante	$30.00

Aprendiz	$30.00
RENOVACIÓN	
Profesional (Permanente)	N/A
Ayudante	$30.00
Aprendiz	$30.00
PLANIFICADORES PROFESIONALES	
Licencia	$100.00
Renovación y Reactivación	$90.00
Entrenamiento	$75.00
Renovación Entrenamiento	$50.00

SERVICIOS	*TOTAL*
PLOMEROS	
LICENCIAS	
Aprendiz	$30.00
Ayudante	$40.00
Maestro	$60.00
RENOVACIÓN	
Aprendiz	$25.00
Ayudante	$35.00
Maestro	$50.00
QUÍMICOS	
Licencia	$60.00
Renovación	$60.00
TÉCNICOS Y MECÁNICOS AUTOMOTRICES	
LICENCIAS	
Técnicos	$60.00
Mecánicos	$40.00
RENOVACIÓN	
Técnicos	$50.00
Mecánicos	$30.00
TÉCNICOS ELECTRÓNICA	
LICENCIA	
Profesional	$50.00
Temporera	$60.00
RENOVACIÓN	
Profesional	$75.00
Temporera	$60.00
TÉCNICOS EN REFRIGERACIÓN Y AIRE ACONDICIONADO	

LICENCIA	
Técnico	$65.00
Aprendiz	$30.00
RENOVACIÓN	
Técnicos	$65.00
Aprendiz	$30.00
TRABAJADORES SOCIALES	
LICENCIA	
Permanente y Experiencia	$100.00
Temporera	$60.00
RENOVACIÓN	
Temporera	$75.00
CORREDORES Y VENDEDORES DE BIENES RAICES	
LICENCIA	
Corredores	$200.00
Vendedores	$200.00

SERVICIOS	*TOTAL*
Escuelas	$400.00
Instructores	$50.00
Compañías	$500.00
RENOVACIÓN	
Corredores	$200.00
Vendedores	$200.00
Escuelas	$400.00
Instructores	$50.00
Compañías	$500.00
RELACIONISTAS PÚBLICOS	
LICENCIA	
Licencia	$100.00
Renovación	$130.00
EVALUADORES	
LICENCIA	
Licencia EPA	$150.00
Licencia Temporera	$150.00
Certificación Federal General	$310.00
Certificación Federal Residencial	$310.00
RENOVACIÓN	
SERVICIOS	**TOTAL**
Licencia EPA	$180.00

Licencia Temporera	$150.00
Certificación Federal General	$260.00
Certificación Federal Residencial	$260.00
CPA	
LICENCIA	
Licencia Inicial	$145.00
Reciprocidad	$250.00
Transferencia de Notas	$250.00
Firmas	$250.00
RENOVACIÓN	
Renovación Individuo $180.00 y Radicación Tardía $275.00	
Renovación de Firmas $185.00 y Radicación Tardía $275.00	
Licencias y/o Certificaciones de Notas $25.00	

Tarifas para Exámenes
TEORÍA:

JUNTA	TARIFA
ARQUITECTOS	$210.00
BARBEROS	$100.00
CONTABIDAD	$210.00 más tarifa de examen: (AUD $192.03, BEC $172.00, FAR $192.03, y REG $172.51)
QUÍMICO	$100.00
ESPECIALISTA EN BELLEZA	$100.00
DELINEANTES	$100.00
PERITOS ELECTRICISTAS	$100.00
ELECTRONIC TECHNICIANS	$100.00
INGENIEROS - Fes*	$270.00
INGENIEROS - PEs*	$405.00
INGENIEROS - Str. *	$895.00
AGRIMENSOR - FS*	$330.00
AGRIMENSOR - PS*	$385.00
GEÓLOGOS FUNDAMENTAL*	$325.00
GEÓLOGOS PROFESIONAL*	$375.00
DISEÑADOR - DECORADOR DE INTERIORES	$100.00
ARQUITECTOS PAISAJISTAS*	$401.00
PLOMEROS	$100.00
PLANIFICADORES PROFESIONALES	$100.00

TÉCNICOS DE REFRIGERACIÓN	$100.00
OPERADORES SISTEMAS DE TRATAMIENTO DE AGUAS	$100.00

PRÁCTICA:

JUNTA	TARIFA
BARBEROS	$60.00
ESPECIALISTA EN BELLEZA	$60.00
DELINEANTE	$60.00
PERITO DE ELECTRICISTA	$60.00
DISEÑADOR - DECORADOR DE INTERIORES	$60.00
PLOMEROS	$60.00
TÉCNICOS DE REFRIGERACIÓN	$60.00
OPERADORES SISTEMAS DE TRATAMIENTO DE AGUAS	$60.00

1. Tarjetas de Certificación de Licencias

Se ofrecerán opcionalmente, sujeto a la disponibilidad de equipo para esos fines en el Departamento de Estado, por el costo que se establezca mediante orden administrativa o carta circular. Para técnicos y mecánicos automotrices, el costo será de $5.00, a tenor con la Ley Núm. 220 de 1996.

2. Revisión de la corrección de cada examen

El costo por la revisión de la corrección del examen será la mitad del costo del examen establecido en el inciso A. de este Artículo. En el caso de las Juntas cuyos exámenes son ofrecidos por Concilios, éstos determinarán el costo de revisión.

3. Costos relacionados a la Educación Continua de las Juntas

Todos los costos relacionados a la educación continua de las Juntas Examinadoras serán reglamentadas por éstas mediante la aprobación de su reglamento interno, o publicación de Orden Administrativa o Carta Circular y/o en conjunto con cualquier comité que éstas creen para estos fines.

Artículo 8.2 -Disposiciones adicionales sobre costos

1. Los costos dispuestos en el Artículo 8.1 no incluyen los costos facturados por las entidades contratadas por el Departamento, o que en el futuro pueda contratar el Departamento, para asistirle en el ofrecimiento de los servicios de las Juntas Examinadoras. Dichos costos adicionales podrán

ser sufragados en su totalidad por el aspirante o profesional licenciado o técnico licenciado, según sea el caso.

2. El Secretario de Estado o el funcionario en quien éste delegue, podrá autorizar aumentos o disminuciones de los costos dispuestos en el Artículo 8.1, sin necesidad de enmendar este Reglamento, mediante Orden Administrativa o Carta Circular. Los costos que pagará el aspirante pueden aumentar o disminuir según varíen los costos administrativos incurridos por el Departamento en cumplimiento con lo dispuesto en las leyes orgánicas de cada una de las Juntas Examinadoras. Cabe la posibilidad de que los costos dispuestos también puedan variar para algunas Juntas Examinadoras, por disposición de agencias o instrumentalidades del Gobierno Federal.

3. Cuando el Departamento contrate con una entidad para asistirle en el ofrecimiento de servicios, tales como exámenes, emisión de licencias o renovaciones, el aspirante o profesional licenciado o técnico licenciado pagará los derechos correspondientes a la entidad. No obstante lo anterior, el Secretario de Estado podría requerir que ciertos pagos se hagan directamente al Departamento de Estado mediante comprobantes de pago emitidos por el Departamento de Hacienda, o mediante cualquier otro método de pago que éste determine por Orden Administrativa o Carta Circular.

4. Además del costo de los servicios descritos en el Artículo 8.1, el Secretario de Estado o su representante autorizado podrá cobrar una cantidad adicional por transacción para gastos por automatización de servicios, la publicación en la red de Internet de un registro de profesionales licenciados o certificados por las Juntas Examinadoras y cualquier otro gasto relacionado con el funcionamiento de las Juntas Examinadoras que el Secretario determine.

5. En casos que, como requisito para la emisión, renovación o vigencia de una licencia, certificación o documento análogo por el Departamento se requiera el pago de una cuota individual anual, el Departamento cobrará al profesional o técnico la totalidad de dicha cuota y remitirá la misma a la entidad correspondiente.

6. En caso que un candidato solicite un servicio o gestión especial para la toma de un examen fuera de Puerto Rico, éste pagará la totalidad del costo del servicio solicitado.

Capítulo 9 -Disposiciones Generales Sobre Ética en las Juntas.

Artículo 9.l -Cánones de Ética de los Miembros de las Juntas

Los miembros de la Junta tendrán como obligación cumplir con los siguientes cánones, los que en adelante se conocerán como los "Cánones de

Ética de los miembros de las Juntas Examinadoras adscritas al Departamento de Estado".

1. Canon 1 - Fiel cumplimiento de la Ley y los Reglamentos

Todo miembro de las Juntas cumplirá fielmente y hará todo lo que esté a su alcance para que la Junta cumpla fielmente con las leyes del Estado Libre Asociado de Puerto Rico, incluyendo su ley habilitadora; los reglamentos promulgados a su amparo y el propio Código de Ética e su profesión. Todo miembro será responsable de mantener su licencia profesional al día en todo momento y de cumplir con todos los requisitos establecidos para la renovación y/o recertificación de la misma.

2. Canon 2 - Cumplimiento del Deber

Todo miembro de las Juntas ejercerá los deberes y funciones de su cargo bajo un marco de buena fe, honradez, integridad, diligencia y competencia.

3. Canon 3 - Deber de Confidencialidad

Salvo cuando otra cosa dispongan las Juntas, o cuando se requiera por Ley, ningún miembro de las Juntas compartirá, copiará, reproducirá, transmitirá, divulgará o de cualquier otra manera revelará o hará que se revele información confidencial de la Junta. Todo miembro de las Juntas guardará estricta confidencialidad en cuanto al contenido de las reuniones y demás deliberaciones y comunicaciones de la Junta.

4. Canon 4 - Ejercicio de autoridad frente a terceros

Todo miembro de las Juntas ejercerá su autoridad y funciones debidamente ante oficiales, funcionarios, empleados, contratistas y suplidores de las Juntas, así como ante los miembros de las diversas profesiones y el público en general. Sin renunciar al cumplimiento del deber, atenderá y hará todo lo posible para que la Junta atienda las necesidades de los profesionales licenciados y del público en general de una manera responsable, respetuosa y profesional.

5. Canon 5 - Deber de cuidado

Todo miembro de las Juntas utilizará la propiedad y recursos de las Juntas, así como la información adquirida en el ejercicio de sus funciones, únicamente para fines oficiales de las Juntas y para el correcto desempeño de sus funciones como miembros. Harán todo lo que esté a su alcance para garantizar la seguridad de los recursos de las Juntas y no permitirán el uso o apropiación de recursos de las Juntas por parte de personas no autorizadas.

6. Canon 6 - Deber Profesional

Todo miembro de las Juntas hará todo lo posible para participar periódicamente en actividades de desarrollo profesional y ejercerá sus funciones, diligente y profesionalmente, en cumplimiento de su deber y de las directrices de las Juntas.

7. Canon 7 - Deber Continuo

Al cesar en sus funciones, todo miembro de las Juntas deberá devolver inmediatamente todo material de referencia, documento o expediente, electrónico o impreso, así como toda propiedad que esté en su poder y que pertenezca a las Juntas. Dicha entrega no eximirá al miembro cesante de su deber continuo de confidencialidad con respecto a la información adquirida en el ejercicio de sus funciones.

8. Canon 8 - Deber de informar

Todo miembro de las Juntas vendrá obligado a notificar a las Juntas cualquier comisión de violación ética o de Ley, por parte de un compañero miembro de la Junta o de cualquier oficial, funcionario, empleado, contratista y/o suplidor de las Juntas, así como de cualquier otra persona. Vendrá obligado también a notificar a las Juntas cualquier asunto donde hubiere conflicto de interés y/o apariencia de conflicto de interés.

9. Canon 9 - Interferencia indebida

Ningún miembro de las Juntas convencerá o intentará convencer a ningún empleado de las Juntas para que abandone su puesto o para que obtenga un empleo en algún otro lugar. Ningún miembro de las Juntas convencerá o intentará convencer a un empleado, contratista, suplidor, o a cualquier otra persona que tenga o potencialmente tenga una relación contractual con las Juntas, para que cese, desista o disminuya su relación contractual con las Juntas; o para que de cualquier otra manera se afecten los intereses de las Juntas o los beneficios que ésta derive o pueda derivar de dicha relación.

10. Canon 10 - Conflictos de Interés

Todo miembro de las Juntas deberá actuar siempre en beneficio del mejor interés de las Juntas y no en consideración a su propio beneficio o el de terceros. Cuando un miembro de las Juntas identifique un potencial conflicto de interés deberá informarlo e inmediatamente solicitar que se le excluya de cualquier discusión, deliberación o determinación de las Juntas que esté relacionada con dicho conflicto o potencial conflicto. Específicamente los miembros de las juntas deberán cumplir con las siguientes guías:

a. Todo miembro de las Juntas evitará colocar o dar la apariencia de colocar su interés personal o el de terceros por encima de los intereses de la Juntas.

b. Ningún miembro de las Juntas utilizará su posición o los recursos, propiedad o personal de las Juntas para su propio beneficio o el de terceros ajenos a las Juntas. Ningún miembro hará representaciones a terceros de que sus facultades dentro de las Juntas se extienden más allá de lo que le faculta la Ley y los Reglamentos.

c. Ningún miembro de las Juntas formará parte de cualquier actividad, lucrativa o no, que afecte directamente o indirectamente los intereses de las Juntas.

d. Ningún miembro de las Juntas incurrirá o permitirá que se incurra en conducta constitutiva de hostigamiento contra otros miembros de las Juntas o sus empleados, contratistas, suplidores, o el público en general, dentro de las instalaciones de las Juntas o en alguna de sus actividades.

e. Ningún miembro de las Juntas solicitará o aceptará directa o indirectamente, regalos, comisiones, honorarios, o cualquier otro tipo de beneficio, en efectivo o en especial, de parte de cualquier persona o entidad, a cambio de que ésta última reciba un tratamiento especial por parte de la Junta o alguno de sus miembros.

f. Ningún miembro proveerá servicios o bienes a las Juntas a cambio de remuneración, con excepción de la remuneración que pueda establecerse por concepto de asistencia a reuniones de las Juntas (dietas) o que la provisión de bienes o servicios haya sido autorizada expresamente por las Juntas en pleno y cumpla con los requisitos de la Ley y los Reglamentos.

Artículo 9.2 -Cumplimiento de los Cánones

Será deber ministerial de todos los miembros de las Juntas Examinadoras adscritas al Departamento el fiel cumplimiento de estos Cánones en adición de cualesquiera otros reglamentos, cánones o disposiciones internas que regulen cada profesión.

Artículo 9.3 -Aplicación de los Cánones

Los cánones aplicarán a todos los miembros activos y en propiedad de las Juntas Examinadoras adscritas al Departamento que hayan sido nombrados por el Gobernador con el consejo y consentimiento del Senado de Puerto Rico.

Artículo 9.4 -Violación a los Cánones

Cualquier miembro que viole los referidos cánones estará sujeto a las disposiciones del Capítulo 7 de este reglamento. Además, se expone a la separación del cargo. El Gobernador, por iniciativa propia o por petición de las Juntas cuando estas identifiquen una falta, podrán referir al Gobernador dicha situación, quien podrá separar del cargo a cualquier miembro de las Juntas por negligencia en el desempeño de sus funciones como miembro de las mismas, por negligencia en el ejercicio de su profesión u ocupación, por haber sido convicto de delito grave, o de delito menos grave que implique depravación moral o cuando se le haya suspendido, cancelado o revocado su licencia.

Capítulo 10 - Otras Disposiciones

Articulo 10.1 -Procedimientos, Acciones o Reclamaciones

Todo procedimiento, acción o reclamación ante las Juntas Examinadoras, el Secretario de Estado o el Tribunal General de Justicia iniciada con anterioridad a la fecha de vigencia de este Reglamento se continuará tramitando hasta que recaiga una determinación final sobre dichos trámites, conforme con la Ley y las disposiciones reglamentarias vigentes al momento de su inicio.

Artículo 10.2 -Vigencia

Este Reglamento entrará en vigor 30 días luego y una vez se radique ante el Departamento de Estado de Puerto Rico, al cumplirse los trámites correspondientes de conformidad con lo dispuesto en la Ley Número 170 de 12 de agosto de 1988, según enmendada, conocida como Ley de Procedimiento Administrativo Uniforme del Estado Libre Asociado de Puerto Rico.

Artículo 10.3 -Cláusula Derogatoria

Con la aprobación del Reglamento Uniforme de las Juntas Examinadoras adscritas al Departamento de Estado de Puerto Rico (RUJEDEPR) quedarán derogados los siguientes reglamentos: el Reglamento Núm. 3771 del 7 de febrero de 1989 conocido como "Reglamento de Procedimiento Adjudicativo Uniforme para las Vistas Administrativas de Juntas Examinadoras que se celebren en el Departamento de Estado", Reglamento Núm. 4156 del 1 de marzo de 1990 conocido como "Reglamento de procedimiento uniforme para la concesión de Licencias, Renovación de Licencias y Acciones similares de las Juntas Examinadoras adscritas al Departamento de Estado", Reglamento Núm. 4660 del 6 de marzo de 1992 conocido como "Reglamento de derechos a pagar por servicios de las Juntas Examinadoras adscritas al Departamento de Estado según enmendado por los Reglamentos Núm. 5423 del 8 de mayo de 1996, 7644 del 2 de diciembre de 2008, 7875 del 29 de junio de 2010 y 8215 del 11 de junio de 2012, "Reglamento Núm. 6463 del 22 de mayo de 2002 conocido como "Reglamento para la evaluación de solicitudes de acomodo razonable para los exámenes de reválida de las Juntas Examinadoras adscritas al Departamento de Estado, Reglamento Núm. 6711 del 27 de octubre de 2003 conocido como "Reglamento para uniformar los procesos de administración de exámenes de reválida de las Juntas Examinadoras adscritas al Departamento de Estado", Reglamento Núm. 7963 del 22 de diciembre de 2010 conocido como "Reglamento General de Educación Continua de las Juntas Examinadoras adscritas al Departamento de Estado", algunas de las cláusulas en otros reglamentos del Departamento de Estado, los cuales son aplicables a las profesiones adscritas, y que estén en conflicto con este Reglamento, serán derogados al momento de aprobación de este Reglamento, o hasta que dicho reglamento sea revisado apropiadamente.

Artículo 10 -Cláusula de Salvedad

Cualquier asunto no cubierto por este reglamento será resuelto por las Juntas, en conformidad con las leyes, reglamentos, órdenes ejecutivas pertinentes y en todo aquello que no esté previsto en las mismas, se regirá por las normas de una sana administración pública y los principios de equidad y buena fe.

Artículo 10.5 -Cláusula de Separabilidad

Si cualquier palabra, inciso, sección, artículo o parte de este reglamento fuere declarado inconstitucional o nulo por un tribunal competente, tal declaración no afectará, menoscabará o invalidará las restantes disposiciones y partes de este reglamento, sino que su efecto se limitará a la palabra inciso, sección, artículo o parte específica del caso.

Articulo 10.6 -Enmiendas

Este reglamento podrá ser revisado y enmendado por iniciativa propia del Secretario de Estado, a petición de las Juntas o por recomendación de las organizaciones o individuos que representan las profesiones adscritas en Puerto Rico; cumpliendo con las disposiciones pertinentes de la Ley Número 170 de 12 de agosto de 1988, según enmendada. Disponiéndose que en estos casos será necesaria la celebración de vistas públicas y la aprobación de las enmiendas por el Secretario de Estado para que las mismas entren en vigor. En caso de ser necesaria una enmienda a este reglamento de forma rápida, ya sea para el mejoramiento de las práctica de algunas de las profesiones, los procesos administrativos en Puerto Rico o para la protección del pueblo puertorriqueño en general, dicha enmienda deberá ser apoyada mediante resolución por todos los miembros de la Juntas afectados por dichas enmiendas, y aprobada por el Secretario de Estado en representación del Gobernador de Puerto Rico, y puesta en vigor mediante el mecanismo establecido en la sec. 2.13 de la Ley Núm. 170 de 12 de agosto de 1988, según enmendada (Ley de Procedimiento Administrativo Uniforme-Emergencias que exigen vigencia sin previa publicación).

Artículo 10.7 -Reglamentos Internos de las juntas Examinadoras y su revisión

Las Juntas Examinadoras podrán preparar reglamentos internos para su mejor funcionamiento y operación siempre cónsonos con este Reglamento. Las Juntas además deberán revisar sus políticas internas y reglamentos p lo menos de cada cinco (S) años o cuando el interés público así lo amerit

Artículo 10.8 - Vigencia y Aplicabilidad

Las disposiciones de este Reglamento entrarán en vigor una vez se radique ante el Departamento de Estado de Puerto Rico, de conformidad con lo dispuesto en la sección 2.13 de la Ley 170 del 12 de agosto de 1988, según enmendada conocida como Ley de Procedimiento Administrativo Uniforme del Estado Libre Asociado de Puerto Rico, la cual provee para la inmediata puesta en vigor de un reglamento cuando el interés público así lo requiera.

Aprobado hoy, 14 de septiembre de 2015

[Firma Omitida]
Hon. David E. Bernier Rivera
Secretario de Estado

Notas del Editor: La Ley 170 del 12 de agosto de 1988, según enmendada conocida como Ley de Procedimiento Administrativo Uniforme del Estado Libre Asociado de Puerto Rico, citada en muchos artículos de este reglamento, fue derogada por el art. 8.3 de la Ley Núm. 38 de 30 de junio de 2017, según enmendada conocida como la Ley de Procedimiento Administrativo Uniforme del Gobierno de Puerto Rico. Véase la Ley Núm. 38 de 2017 en sustitución de la anterior y derogada Ley Núm. 170 de 1988. Visite www.LexJuris.com (copia original gratis) o la versión actualizada en www.LexJuris.net (solo socios y suscriptores).

Made in the USA
Columbia, SC
14 June 2024

36613663R00135